Univers[illegible]i

Enzo Amorini - Alberto Mazzetti

D'ITALIA

Grammatica di livello elementare
ed intermedio

Le Monnier

Coperta di SILVIA BIANCHIN.

Illustrazioni di ROBERTO LUCIANI.

Prima edizione: marzo 1987.
Prima ristampa: marzo 1988.
Seconda ristampa: marzo 1990.
Terza ristampa: giugno 1991.
Quarta ristampa: marzo 1993.
Quinta ristampa: gennaio 1996.

ISBN 88-00-85292-0

C.M. 852.925

19205-3 – Stabilimenti Tipolitografici «E. Ariani» e «L'Arte della Stampa» della S.p.A. Armando Paoletti – Firenze

PRESENTAZIONE

Questo corso di lingua e civiltà italiana è nato in quel vivace «laboratorio» che è l'Università per Stranieri di Perugia, in quella Perugia che ha tenuto a battesimo la didattica dell'italiano-lingua straniera, così come confermato anche dal credito che essa gode nei paesi esteri.

Nell'università umbra tutte le proposte innovative della recente glottodidattica, anche le più radicali, hanno trovato attenta accoglienza, salvo poi a venire temperate da un'antica sapienza d'insegnamento che accetta le idee e rifiuta le mode.

Questo «Lingua e civiltà d'Italia» è un prezioso esempio di sano pragmatismo, a cominciare dalla lingua. Esso offre infatti un italiano colloquiale eppure vigile, ancorato a situazioni, a momenti e a scenari che rendono un'immagine giovane del nostro paese, un'immagine convincente, lontana sia da nostalgie oleografiche di un passato forse mai esistito, sia dalle allucinazioni palingenetiche di autori cosiddetti d'avanguardia.

Sul piano glottodidattico l'antica sapienza permette di coniugare i recenti apporti della linguistica e sociolinguistica applicate con gli approcci di questi anni – dal metodo audio-orale agli approcci funzionali, alle più valide proposte situazionali, ecc. – giungendo ad elevati standard di consapevole, maturo eclettismo.

All'interno di una cornice glottodidattica coerente, articolata in dodici «unità» che sono in realtà altrettante sezioni del corso, gli esercizi di fissazione si limitano opportunamente alla combinatoria sintagmatica, le funzioni comunicative – peraltro rintracciabili in tutti i materiali linguistici proposti – trovano un'interessante convalida situazionale, la riflessione grammaticale diventa spesso «psicolinguisticamente» funzionale come nella presentazione del sistema verbale, ecc.

Grazie a corsi come questo, cui auguriamo il miglior successo, la didattica dell'italiano come lingua straniera si allinea con quella delle lingue di grande comunicazione internazionale.

GIOVANNI FREDDI

Università di Venezia, 31 gennaio 1987.

INTRODUZIONE

Lingua e civiltà d'Italia è un corso di lingua e civiltà italiana di livello elementare ed intermedio, si rivolge a studenti giovani e adulti che si avvicinano per la prima volta alla lingua italiana o che ne hanno una conoscenza elementare. L'opera è stata pensata per coloro che vogliono avvicinarsi allo studio sistematico della lingua fino a conseguire una effettiva capacità di comunicazione sia nel codice scritto che in quello orale.

Con questo titolo vogliamo affermare la inscindibilità dei due concetti di lingua e civiltà, fermamente convinti che «lo studio della cultura e della vita di un popolo non è affatto un'aggiunta che si fa ad un corso pratico di lingua, qualcosa di separato e di estraneo al suo fine primario che può accompagnarvisi o meno a seconda delle difficoltà di tempo e delle circostanze. Tale studio è una caratteristica essenziale di ogni livello di apprendimento linguistico». (Ch. C. Fries). Infatti la lingua e la cultura sono presentate inscindibilmente, nel senso che letture ed immagini evocano i momenti più significativi della nostra civiltà, facendo partecipe lo studente del ricco patrimonio spirituale ed artistico del nostro paese.

Definire il metodo seguito nella formulazione del testo sarebbe estremamente difficile, proprio date le nostre intenzioni e i nostri obiettivi. Ci troviamo nella stessa situazione autorevolmente dichiarata da Otto Jaspersen nelle pagine del suo «How to Teach a Foreign Language» quando tenta di dare una definizione del metodo che sta presentando. Anche noi ci sentiamo debitori verso tutti coloro che hanno dedicato intelligenza, studi e ricerche alla linguistica ed alla glottodidattica. Il nostro impegno costante è stato quello di trarre gli insegnamenti che ci sono sembrati migliori dalle diverse teorie dell'apprendimento, dalle metodologie, dalle strategie e dalle tecniche didattiche, le più tradizionali e le più moderne.

Il collega che prenderà in mano questo testo non potrà non accorgersi in quale misura abbiamo mutuato dai metodi audiovisivi il supporto dell'immagine, intesa quale potenziamento comunicativo nella comprensione e nella trasmissione del messaggio. La ricchezza di disegni e di fotografie vuole, appunto, significare l'attenzione verso una realtà che vede la società odierna sottoposta a infiniti stimoli e messaggi visivi.

Il metodo audio-orale ed il metodo diretto ci hanno fatto capire quanto sia importante mettere lo studente a contatto diretto con la lingua, con la lingua viva, con la lingua parlata. Molte situazioni, nel libro, sono presentate in sequenza di domande e risposte: «è infatti ben noto che il dialogo è la forma più concreta della lingua in sé». (Freddi).

Anche al metodo grammaticale traduttivo dobbiamo qualcosa: per acquisire consapevolezza normativa, competenza linguistica è necessario che lo studente sia fornito anche di strutture grammaticali.

Il corso di lingua che ora proponiamo mira a condurre lo studente a saper usare la lingua in maniera appropriata alla situazione, al contesto sociale. Le strutture grammaticali e il lessico non vengono presentati secondo la rigida progressione tradizionale (seguendo il criterio facile-difficile o l'ordine soggetto-predicato-complemento), ma l'approccio avviene attraverso un discorso compiuto, attraverso testi autentici. Lo studente e l'insegnante non lavoreranno sul lemma, sulla segmentazione delle frasi, bensì sul discorso inteso nella sua globalità.

Ringraziamo il prof. Giovanni Freddi per la presentazione del testo, il prof. Ignazio Baldelli per i consigli ed i suggerimenti di cui è stato prodigo, i colleghi dell'Università per Stranieri di Perugia, i colleghi sparsi in tutto il mondo, i quali, con i loro preziosi consigli e con le critiche ai nostri precedenti lavori, hanno incoraggiato e facilitato la nascita di questo nuovo contributo alla diffusione della lingua italiana.

Non vogliamo dimenticare, nei ringraziamenti, coloro i quali, attingendo al nostro metodo, alle nostre strategie didattiche, hanno testimoniato della giustezza e della validità delle nostre proposte.

UNITÀ 1

Quadro 1/1

In classe

Insegnante: «Buon giorno!»
Studenti: «Buon giorno!»
Insegnante: «Sono la vostra insegnante. Mi chiamo Luisa Rossi. Lei chi è?»
Peter: «Sono uno studente tedesco, mi chiamo Peter».
Insegnante: «E Lei, signorina, come si chiama?»
Kathryn: «Mi chiamo Caterina, sono inglese».
Insegnante: «Anche Lei, signorina, è inglese?»
Jenny: «No, sono australiana. Mi chiamo Jenny».

Stimolo alla produzione orale:

L'insegnante rivolge analoghe domande a tutti gli studenti.

Esercizio 1

rispondete alle domande:

1) Chi è Peter? ....
2) Caterina è inglese? ....
3) Anche Jenny è inglese? ....

Quadro 2/1

Chi bussa?

Insegnante: «Bussano alla porta. Peter, vuole aprire la porta, per piacere? E Lei chi è?»
Giorgio: «Sono un nuovo studente: posso entrare?»
Insegnante: «Come si chiama?»
Giorgio: «Mi chiamo Giorgio, vengo dalla Grecia».
Insegnante: «Si accomodi! Si sieda vicino a Caterina. Possiamo cominciare la prima lezione d'italiano».
Studente: «Scusi, Signorina, posso aprire la finestra? fa molto caldo».
Insegnante: «Va bene, apra la finestra!»

Esercizio 2

rispondete alle domande:

1) Come si chiama l'insegnante? — Si chiama ....
2) Come si chiama Lei? — Mi chiamo ....
3) E tu, come ti chiami? — ....
4) Come si chiama lo studente tedesco? — ....
5) Da dove viene Giorgio? — Viene ....
6) Come si chiama il Suo vicino di banco? — Il mio vicino di banco ....
7) Come si chiama la Sua vicina di banco? — ....

Giorgio viene dalla Grecia. È uno studente greco.
Kathryn viene dall'Inghilterra. È una studentessa inglese.
Jenny viene dall'Australia. È una studentessa australiana.
Il mio vicino di banco viene dal Giappone. È giapponese.
Io vengo dalla Svizzera. Sono svizzero.

Esercizio 3

completatate ogni frase secondo il modello:

Modello Io vengo dalla Francia. Parlo...................... (francese).

1) Peter viene dalla Germania. Parla.. (tedesco)
2) Jenny viene dall'Australia. Parla.. (inglese)
3) Giorgio viene dalla Grecia. Parla.. (greco)
4) Bob viene dagli Stati Uniti. Parla.. (inglese)
5) Rosita viene dalla Spagna. Parla.. (spagnolo)
6) Kamoto viene dal Giappone. Parla.................................. (giapponese)
7) Tu vieni dalla Polonia. Parli.. (polacco)

Momento grammaticale 1.0 / indicativo presente

parlare

Io **parlo** tu **parli** egli/lei Lei **parla**	italiano inglese tedesco francese spagnolo greco	con la signorina. con il mio amico. con la mia amica.
noi **parliamo** voi **parlate** essi/esse Loro **parlano**		con la nostra insegnante.

accendere

Io **accendo** tu **accendi** egli/lei Lei **accende** noi **accendiamo** voi **accendete** essi/esse Loro **accendono**	una sigaretta. la TV. la lampada.

aprire

Io **apro** tu **apri** egli/lei Lei **apre** noi **apriamo** voi **aprite** essi/esse Loro **aprono**	la porta. la finestra. il libro. il quaderno. la borsa.

preferire

Io **preferisco** tu **preferisci** egli/lei Lei **preferisce** noi **preferiamo** voi **preferite** essi/esse Loro **preferiscono**	leggere un libro, invece di andare al cinema.

Esercizio 4

rispondete alle domande:

1) Con chi parlate italiano a scuola? ....
2) Parlate inglese con Caterina dopo le lezioni? ....
3) Rosita parla spagnolo o italiano con voi? ....
4) Preferisci parlare greco o italiano con Giorgio? ....

Quadro 3/1

Dialogo fra lui e lei

lui: «Che fai dopo la lezione? Vuoi venire con me?»
lei: «Dove?»
lui: «Andiamo in piscina».
lei: «No, mi dispiace, non posso».
lui: «Perché, che devi fare?»
lei: «Devo vedere la mia amica Mara».
lui: «Perché non porti anche lei? Posso invitare Pietro».
lei: «No, oggi abbiamo un appuntamento con amici italiani. Forse domani».
lui: «Domani vieni da sola o con Mara?»
lei: «Vengo da sola, sei contento?»
lui: «Va bene, allora a domani!»

Esercizio 5

rispondete alle domande:

1) Dove vuole andare lo studente dopo la lezione? ....
....
2) Chi invita? ....
3) La studentessa accetta il suo invito? ....
....
4) Chi deve incontrare? ....
5) Con chi hanno un appuntamento le due amiche? ....
....
6) Quando la signorina incontra lo studente? ....
....
7) Va da sola o con Mara? ....

Momento grammaticale 1.1 / indicativo presente (avere, essere, volere, potere, dovere, fare, andare, venire)

avere

ho **hai** **ha** **abbiamo** **avete** **hanno**	un libro italiano una borsa di pelle un giornale italiano

essere

sono **sei** **è**	uno studente tedesco una studentessa greca la signorina Rossi
siamo **siete** **sono**	degli studenti australiani delle signorine greche due amiche inglesi

volere

voglio **vuoi** **vuole** **vogliamo** **volete** **vogliono**	incontrare Caterina invitare Federica parlare italiano un gelato

potere

posso **puoi** **può**	venire	anch'io? anche tu? anche lui?
possiamo **potete** **possono**	parlare	inglese, francese, tedesco

dovere

devo **devi** **deve** **dobbiamo** **dovete** **devono**	aprire la porta chiudere la finestra accendere la lampada

fare

faccio (fo) **fai** **fa** **facciamo** **fate** **fanno**	una passeggiata l'esercizio

andare

vado (vo) **vai** **va** **andiamo** **andate** **vanno**	in discoteca in farmacia in Francia a Firenze a casa al cinema da Paolo a mangiare una pizza

venire

vengo **vieni** **viene** **veniamo** **venite** **vengono**	in classe | alle nove in punto dal centro? da Venezia, da Atene, dalla Grecia, dal Giappone, dagli Stati Uniti

Esercizio 6

1) *aprire/chiudere*

(io) Apro la porta e chiudo la finestra.
(tu) ....
(egli/lei/Lei) ....
(noi) ....
(voi) ....
(essi/esse/Loro) ....

2) *preferire*

(io) Dopo le lezioni, invece di andare al cinema, preferisco fare una passeggiata.
(tu) ....
(egli/lei/Lei) ....
(noi) ....
(voi) ....
(essi/esse/Loro) ....

3) *essere*

(io) Non sono un insegnante (un'insegnante) d'italiano.
(tu) ....
(egli/lui/Pietro) ....
(lei, Caterina) ....
(Lei) ....
(noi) Non siamo insegnanti d'italiano, ma studenti.
(voi) ....
(essi/esse/loro/Loro) ....

4) *avere*

(io) Non ho una matita, ma una penna.
(tu) ....
(Pietro) ....
(Mara) ....
(Lei) ....
(noi) ....
(voi) ....
(essi/esse/loro/Loro) ....

5) *volere*

(io) Voglio parlare con Caterina.
(tu) ....
(Peter) ....
(Maja) ....
(Lei) ....
(noi) ....
(voi) ....
(Giorgio e Federico) ....

6) *potere*

(io) Non posso ancora parlare italiano. Parlo inglese.
(tu) ....
(Lei) ....
(noi) ....
(voi) ....
(essi/esse/Loro) ....

7) *dovere*

(io) Per imparare l'italiano devo venire a scuola ogni giorno.
(tu) ....
(Giorgio) ....
(Lei) ....
(noi) ....
(voi) ....
(gli studenti) ....

Esercizio 7

1) *fare*

(io) faccio gli esercizi per domani.
(tu) ....
(Bob) ....
(Jenni) ....
(Lei) ....
(noi) ....
(voi) ....
(tutti) ....

2) *venire*

(io) vengo dalla Grecia, perché voglio studiare l'italiano.
(tu) .... dal Giappone, ...
(Rosita) .... dalla Spagna, ...
(Bob) .... dagli Stati Uniti, ...
(Peter) .... dalla Germania, ...
(noi) .... dalla Polonia, ...
(voi) .... dalla Russia, ...
(molti studenti) .... dalla Svizzera, ...

Quadro 4/1

Una frase alla lavagna

Insegnante: «Prendete il quaderno, scriviamo delle frasi in italiano. Io scrivo le frasi alla lavagna, voi scrivete le frasi sul quaderno con la penna o con la matita:
"Sul tavolo c'è un libro, un quaderno, una penna, una matita. C'è anche un giornale e una chiave. Sul tavolo ci sono molti oggetti. Vicino al tavolo c'è una sedia. Sulla sedia c'è una borsa: è la mia borsa".
Ora leggiamo insieme le frasi che abbiamo scritto».

Stimolo alla produzione orale:

— Che cosa c'è sul tavolo?	....
— E sulla sedia?	....
— Dov'è la sedia?	....
— Chi scrive sulla lavagna?	....

Quadro 5/1

Quando Mara scrive

Mara scrive nel quaderno le frasi italiane. Con il braccio spinge la borsa. Dalla borsa cadono degli oggetti: uno specchio, un pettine, un pacchetto di sigarette, un accendino, delle chiavi.

Stimolo alla produzione orale:

— Dov'è la borsa di Mara?	....
— Che cosa fa Mara mentre scrive?	....
— Che cosa cade dalla borsa di Mara?	....
	....

Momento grammaticale 1.2 / articoli e preposizioni articolate

il tavolo	**i** tavoli	**la** sedia	**le** sedie
il giornale	**i** giornali	**la** chiave	**le** chiavi
lo specchio	**gli** specchi	**la** stanza	**le** stanze
l'oggetto	**gli** oggetti	**l'**aula	**le** aule

il / i **lo / gli**	**la / le**

un libro

qualche libro alcuni libri	dei libri

una borsa

qualche borsa alcune borse	delle borse

un oggetto

qualche oggetto alcuni oggetti	degli oggetti

un'arancia

qualche arancia alcune arance	delle arance

uno specchio

qualche specchio alcuni specchi	degli specchi

una stanza

qualche stanza alcune stanze	delle stanze

uno studente

qualche studente alcuni studenti	degli studenti

una studentessa

qualche studentessa alcune studentesse	delle studentesse

un / dei **uno** / degli	**una** / delle

di + il	.....	**del**	di + la	.....	**della**
di + i	.....	**dei**	di + le	.....	**delle**
di + lo	.....	**dello**			
di + gli	.....	**degli**			
			a + la	.....	**alla**
a + il	.....	**al**	da + la	.....	**dalla**
da + il	.....	**dal**	in + la	.....	**nella**
su + il	.....	**sul**	su + la	.....	**sulla**

Esercizio 8

1) *scrivere*
(io) Scrivo delle frasi in italiano.

Anche tu .... ?
Anche Lei .... ?
(lui) ....
(lei) ....
(noi) ....
Anche voi .... ?
(loro) ....

2) *desiderare*
(io) Desidero smettere di fumare.

Anche tu .... ?
Anche Lei .... ?
(noi) (io e Giorgio) ....
Anche (voi) ....
Peter e Maja non ....

Esercizio 9

trasformate ogni frase nel plurale, secondo il modello:

Modello

Il libro azzurro è dello studente. I libri azzurrri sono degli studenti.

1) La penna gialla è della signorina.
....
2) Sono seduto sul banco.
....
3) Dalla finestra vedo molti alberi.
....
4) Sul tavolo c'è il libro d'italiano.
.... ci sono ....
5) La studentessa mette la borsa sulla sedia.
....
6) Metto il quaderno sul banco.
....
7) Giorgio prende la matita dalla borsa.
Giorgio e Peter ....
8) Il fiore è nel vaso.
....
9) Nella stanza c'è un quadro.
....
10) La signorina apre il libro e legge.
....
11) Il giornale è sul tavolo.
....
12) Lo studente è seduto davanti alla lavagna.
....

Quadro 6/1

Nel salotto con amici

Mirella: «Dove sono le mie sigarette?»
Paola: «Non lo so».
Mirella: «Mi passi la mia borsa, per piacere?»
Paola: «Dov'è?»
Mirella: «È lì sul tavolo vicino alla tua. ...
«Grazie. Vuoi una sigaretta?»
Paola: «No, grazie».
«Mi piace la tua borsa».
Mirella: «Ah sì, ti piace? è un regalo di mia madre».

Quadro 7/1

Roma. Piazza Barberini.

Una gita

Michele: «Sei d'accordo di partire domani mattina alle sei?»
Enrico: «Non è un po' presto?»
Michele: «A che ora vuoi partire, allora?»
Enrico: «Va bene alle otto?»
Michele: «D'accordo. Andiamo con la tua auto, perché la mia è dal meccanico».
Enrico: «Va bene!»
Michele: «Può venire anche mio fratello?»
Enrico: «Ma certo, perché no!»

Stimolo alla produzione orale:

— A che ora vuole partire Michele?	....
— Enrico è d'accordo?	....
— Perché non possono andare con la macchina di Michele?	....
— Va con loro il fratello di Michele?	....

Sei Siete	d'accordo	di	partire alle sei? tornare presto?

Sì	sono siamo	d'accordo!

No!	non	sono siamo	d'accordo!

Va bene?	D'accordo!

Quadro 8/1

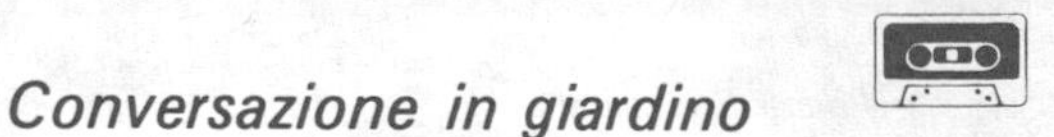

Conversazione in giardino

— «Hai proprio una bella casa».
— «Grazie!»
— «Anche il giardino è molto bello!»
— «Sì, ci sono molti fiori!»

Quadro 9/1

Dialogo a tre

Luca: «Che cosa facciamo stasera?»
Franco: «Andiamo in discoteca!»
Luca: «Ma no! tutte le sere in discoteca! Perché non andiamo in piscina?»
Lara: «No, io non sto molto bene. Stasera preferisco andare al cinema. Al cinema "Astor" c'è un bel film».
Luca: «Va bene, ma andiamo all'ultimo spettacolo»
Franco: «D'accordo! a che ora comincia l'ultimo spettacolo?»
Luca: «Non lo so, ma possiamo telefonare».

Quadro 10/1

La tavola apparecchiata per due

Descrizione

La tavola è apparecchiata per due. Ogni persona ha un piatto, a sinistra del piatto c'è la forchetta, a destra il coltello e il cucchiaio. Sul piatto c'è il tovagliolo.
Sulla tavola c'è una bella tovaglia bianca.
Nella bottiglia c'è il vino. Nella caraffa c'è l'acqua. Davanti al piatto ci sono due bicchieri.
Al centro della tavola c'è un candeliere con due candele.

Quadro 11/1

Roberto sta male

— Da due giorni non vedo Roberto. È partito?
— No, non sta bene; ha un forte raffreddore e un po' di febbre. Deve stare in casa al caldo. Vado da lui dopo la lezione. Vuoi venire anche tu?
— Con molto piacere!

Come stai?	Sto	bene	grazie	e tu? e Lei?
		Non c'è male Così così Benino		

Come stai?	Non molto bene, ho un forte raffreddore.

Esercizio 10

trasformate secondo il modello:

Modello

Il quaderno è giallo. I quaderni sono gialli.

1) La penna è rossa.
....
2) Questo fiore è bello.
....
3) È un vaso moderno.
....
4) Quella ragazza è carina.
....
5) Carla è una ragazza studiosa.
Carla e Paola ....
6) Dopo la lezione vado a casa.
....

7) Davanti al tavolo c'è una sedia.

....

8) Lo studente è seduto sulla sedia.

....

Esercizio 11

trasformate secondo il modello:

Modello

Il foglio è sul banco. I fogli sono sul banco.

1) Questo libro è della signorina.

....

2) Questo dizionario è dello studente.

....

3) Il quadro è appeso alla parete.

....

4) Dalla finestra di questo appartamento vedo il giardino.

....

5) La borsa è sul tavolo.

....

6) Questo giornale è di Pietro.

....

Esercizio 12

trasformate le frasi secondo il modello:

Modello

Qualche ragazza non ha la borsa. Delle / Alcune ragazze non hanno la borsa.

1) Qualche studente vuole partire domani.
   Degli / Alcuni ....

2) Qualche studente studia il russo.

....

3) Qualche persona non parla in modo chiaro.

....

4) Qualche esercizio è utile.

....

5) Qualche studentessa vuole smettere di fumare.

....

6) Qualche ragazzo non vuole studiare.

....

7) Qualche ragazza non fa gli esercizi.

....

8) Qualche oggetto è caduto dalla borsa di Mara.

....

Quadro 12/1

Preparativi per una vacanza 

mamma: Luca, è pronta la valigia?
Luca: Sì mamma.
mamma: C'è tutto?
Luca: Sì! Il pigiama, le magliette, le calze, le camicie, i pantaloni corti e anche qualche giornalino a fumetti.
mamma: Bravo Luca. Allora andiamo.

Esercizio 13

rispondete alle domande:

1) Quante paia di pantaloni corti ci sono sul tavolo? ....
....
2) Quanti giornalini a fumetti ci sono sul tavolo? ....
....
3) Che cosa c'è nella valigia di Luca? ....
....

Esercizio 14

trasformate secondo il modello:

Modello	Nella valigia di Luca c'è una camicia. Nella valigia di Luca ci sono due camicie.

1) Nella stanza c'è una lampada.
....
2) Sul tavolo c'è un libro e un giornale.
....
3) Sul banco c'è un quaderno.
....
4) Alla parete c'è un quadro.
....
5) Nella borsa c'è una penna e una matita.
....
6) Nella macchina c'è una signora giovane.
....
7) Sulla sedia c'è una borsa.
....

I numeri da uno a venti:

1	uno	11	undici
2	due	12	dodici
3	tre	13	tredici
4	quattro	14	quattordici
5	cinque	15	quindici
6	sei	16	sedici
7	sette	17	diciassette
8	otto	18	diciotto
9	nove	19	diciannove
10	dieci	20	venti

I giorni della settimana sono sette:
lunedì, martedì, mercoledì, giovedì, venerdì, sabato, domenica.
I mesi dell'anno sono dodici:
gennaio, febbraio, marzo, aprile, maggio, giugno, luglio, agosto, settembre, ottobre, novembre, dicembre.
Le stagioni sono quattro:
la primavera, l'estate, l'autunno, l'inverno.

Quadro 13/1

Gli orologi e le ore

sono le otto — sono le dieci e dieci. — è l'una — è l'una meno cinque.

Quadro 14/1

Esercizio 15

rispondete alle seguenti domande:

Che ora è? Che ore sono?	A. .... B. .... C. .... D. .... E. .... F. ....

1.0.0. Categorie di funzione comunicativa

Voglio sapere che ora è, ma il mio orologio è fermo. Chiedo:		
Ad un amico:	Scusa	mi dici che ora è? mi dici che ore sono? che ora è? che ore sono?
Ad un passante:	Scusi	mi sa dire che ore sono, per favore?

1.0.1 Categorie di funzione comunicativa

Richiesta di informazioni:	
Scusi:	mi sa dire a che ora comincia il concerto? a che ora cominciano le lezioni?
Scusi:	da dove parte l'autobus per la stazione?

Stimolo alla produzione orale:

Provate a formulare la domanda per sapere:

1) quando arriva il treno da Roma.
2) quando parte il treno per Roma.
3) a quale binario arriva il treno da Bologna.
4) da quale binario parte il treno per Bologna.

La bandiera italiana ha tre colori: verde – bianco – rosso.

Esercizio 16

rispondete alle seguenti domande:

1) Di che colore è la bandiera francese?
....
2) E la bandiera inglese?
....
3) Anche la bandiera americana è bianca, rossa e blu?
....
4) Quante stelle ci sono nella bandiera americana?
....
5) Di che colore è la bandiera della Germania Federale?
....
6) Quali sono i colori della bandiera spagnola?
....
7) E della bandiera svizzera?
....
8) E della bandiera austriaca?
....
9) E della bandiera russa?
....
10) E della bandiera della Città del Vaticano?
....
11) Quali sono i colori della bandiera del Suo paese?
....

Stimolo alla produzione orale:

1) Descrivete quello che vedete nel quadro 6/1 (pag. 12)
2) Lavoro in coppia: fate domande su quello che vedete nel quadro 8/1 (pag. 13).

Il giornale

Ogni mattina leggo il giornale.
Non ho ancora letto il giornale di questa mattina, perché non ho avuto tempo.
Stamattina non ho avuto tempo di leggere il giornale, perché ho risposto alle lettere che ho ricevuto ieri sera.
Stamattina ho risposto alle lettere che ho ricevuto ieri sera e perciò non ho avuto tempo di leggere il giornale, come faccio ogni mattina.

Esercizio 17

rispondete alle domande:

1) Che cosa legge ogni mattina? ....
2) Ha letto il giornale stamattina? No, ...
3) Perché non ha letto il giornale stamattina? ....
4) Perché non ha avuto tempo di leggere il giornale? ....
5) Che cosa ha fatto stamattina, invece di leggere il giornale? ....
6) Quando ha risposto alle lettere, che ha ricevuto ieri sera? ....

A)

Rispondo	alle domande del professore.
	alla lettera.
Ho risposto	al telefono.

B)

	ho				leggere	il giornale.
Non		(avuto)	tempo	di	fare	gli esercizi.
	abbiamo				scrivere	una lettera.

C)

Di solito	leggo	il giornale.
	rispondo	subito alle lettere.

D)

Ho	l'abitudine	di	leggere	il giornale.
Abbiamo			rispondere	subito alle lettere.

E)

Invece di	leggere	il giornale	ho	fatto	gli esercizi.
	rispondere	alle lettere	abbiamo		una passeggiata.

Esercizio 18

rispondete alle domande secondo il modello:

Modello

Hai già risposto alle lettere? No, non ho ancora risposto alle lettere.

1) Hai già letto il giornale? ....
2) Avete già fatto gli esercizi? ....
3) Sei già stato in biblioteca? ....
4) Sono già andate al bar? ....
5) Signorina Rossi, è già arrivato Paolo? ....
6) Professore, ha già parlato con Peter? ....
7) Paolo, hai già scritto a Marta? ....
8) Sei già stato a vedere quel film? ....
9) Avete già spedito le lettere? ....
10) Ha già preso il caffè? ....

Quadro 1/2

Al cinema: durante l'intervallo 

— Ha letto il giornale questa mattina?
— No, non ho avuto tempo. Perché?
— C'è un articolo molto interessante.
— Di che cosa parla?
— Dell'energia nucleare usata per scopi pacifici.
— Su quale giornale ha letto l'articolo?
— Sulla «Stampa» di Torino.

Esercizio 19

rispondete alle domande:

1) Dove si trovano i due signori che parlano? ....
....
2) Di che cosa parla l'articolo che uno dei due ha letto nel giornale? ....
....
3) In quale giornale ha letto l'articolo? ....
....

Quadro 2/2

All'ufficio postale 

Laura: Dove sei stata ieri sera? Ti ho telefonato verso le otto.
Marta: Sono andata al concerto.
Laura: Con chi ci sei andata?
Marta: Con un amico.
Laura: Sei tornata a casa dopo il concerto?
Marta: No! Quando il concerto è finito siamo andati in pizzeria, per una pizza e una birra e... tante chiacchiere!

Esercizio 20

rispondete alle domande:

1) A chi ha telefonato Laura ieri sera? ....
2) Dove è andata Marta ieri sera? ....
3) Ci è andata sola? ....
4) Dove sono andati dopo il concerto? ....
5) Che cosa hanno mangiato? ....
6) Che cosa hanno bevuto? ....

Esercizio 21

completate ogni frase:

1) Ieri sera Laura ha telefonato a ....
2) Ieri sera Marta è andata al ....
3) Ci è andata con ....
4) Dopo il concerto Marta e il suo ...... sono .... in una ....
5) Hanno mangiato una ....
6) Hanno bevuto una ....
7) Hanno fatto tante ....

Momento grammaticale 2.0 / indicativo: presente e passato prossimo

parlare	**parlato**
Parliamo italiano a scuola. **Parli** italiano con i tuoi amici? Gli studenti non **parlano** inglese a scuola.	Anche ieri **abbiamo parlato** italiano a scuola. **Hai parlato** italiano con i tuoi amici? Gli studenti non **hanno parlato** inglese a scuola.

ricevere	**ricevuto**
Ricevo molte lettere da casa. **Ricevi** molte lettere dai tuoi genitori? Non **riceviamo** denaro da casa.	**Ho ricevuto** molte lettere da casa. **Hai ricevuto** molte lettere dai tuoi genitori? Non **abbiamo ricevuto** denaro da casa.

scrivere	**scritto**
Scrivo sulla lavagna. **Scriviamo** nel quaderno. **Scrivono** una lettera alla zia. **Scrivi** a tuo padre?	**Ho scritto** sulla lavagna. **Abbiamo scritto** nel quaderno. **Hanno scritto** una lettera alla zia. **Hai scritto** a tuo padre?

capire	capito
Capisco bene. **Capiamo** bene. **Capiscono** tutto perfettamente.	Non **ho capito** tutto. **Abbiamo capito** quasi tutto. **Hanno capito** perfettamente.

andare	andata/o andate/i
Vado in biblioteca. **Vai** al teatro stasera? **Va** spesso, Signorina, in discoteca? **Andiamo** al supermercato. **Andate** ad Urbino? Tutti **vanno** a casa.	Ieri sera **sono andata/o** in biblioteca. **Sei andata/o** al teatro ieri sera? **È andata** in discoteca sabato scorso? **Siamo andate/i** al supermercato. **Siete andate/i** ad Urbino? Tutti **sono andati** a casa.

venire	venuta/o venute/i
Vengo a scuola alle 9. **Vieni** con me? Paola **viene** con noi. **Veniamo** con voi. **Venite** con noi? Tutti gli studenti **vengono** a scuola alle 9 in punto.	Ieri mattina **sono venuta/o** a scuola alle 9. Perché non **sei venuta/o** con me? Paola **è venuta** con noi. **Siamo venute/i** con voi. Perché non **siete venute/i** con noi? Tutti gli studenti **sono venuti** a scuola alle 9 in punto.

arrivare / partire		arrivata/o / partita/o arrivate/i / partite/i	
Giovanni **arriva** Paola **parte** Giovanni e Paolo **partono**	con il treno	Giovanni **è arrivato** Paola **è partita** Giovanni e Paolo **sono partiti**	con il treno

cadere	caduta/o cadute/i
Molti oggetti **cadono** dalla borsa di Marta. L'accendino **cade** sul pavimento. Le chiavi **cadono** sul pavimento. Anche le sigarette **cadono** sul pavimento.	Molti oggetti **sono caduti** dalla borsa di Marta. L'accendino **è caduto** sul pavimento. Le chiavi **sono cadute** sul pavimento. Anche le sigarette **sono cadute** sul pavimento.

Momento grammaticale 2.1 / alcuni participi passati irregolari

parlare studiare	parlato studiato	ricevere cadere	ricevuto caduto	partire capire	partito capito
		accendere chiudere prendere spendere mettere correggere dire fare leggere scrivere chiedere rimanere rispondere vedere spengere	acceso chiuso preso speso messo corretto detto fatto letto scritto chiesto rimasto risposto visto (veduto) spento	aprire venire	aperto venuto

Momento grammaticale 2.2 / indicativo: passato prossimo con avere o con essere

ho abbiamo hai avete ha hanno	parlato	italiano a scuola.
	studiato	l'italiano in Italia.
	avuto	tempo di leggere il giornale.
	ricevuto	molte lettere.
	capito	la lezione.

sono sei è	stato/a rimasto/a	a casa tutto il giorno.
siamo siete sono	stati/e rimasti/e	

sono sei è	andato/a venuto/a	al concerto. a lezione.
siamo siete sono	andati/e venuti/e	al concerto. a lezione.

sono **sei** **è**	**arrivato/a**	dagli Stati Uniti.
	partito/a	per l'Inghilterra.
siamo **siete** **sono**	**arrivati/e**	dall'Australia.
	partiti/e	per la Svizzera.

sono **sei** **è**	**entrato/a**	in classe alle 8.
	uscito/a	di casa alle 7 e mezzo.
siamo **siete** **sono**	**entrati/e**	in discoteca alle 9 di sera.
	usciti/e	dalla discoteca a mezzanotte.

Esercizio 22

completate ogni frase al passato:

1) (*scrivere*): Ho .... una lettera.
2) (*leggere*): Tu hai.. il giornale.
3) (*rispondere*): Peter ha.. alle lettere.
4) (*fare*): Noi non abbiamo.. molti sbagli.
5) (*prendere*): Voi avete.................................. i fiammiferi dalla scatola.
6) (*mettere*): Essi hanno.. i fiori nei vasi.
7) (*aprire*): Marta ha..la porta.
8) (*chiudere*): Marta e Giovanni hanno .... le finestre.
9) (*venire*): Io sono .... a casa a mezzogiorno.
Paola è.. a casa all'una.
Gli studenti sono .... a casa a mezzanotte.

Esercizio 23

trasformate ogni frase al passato composto, secondo il modello:

Modello

Apro la porta e vado nel corridoio. Ho aperto la porta e sono andata/o nel corridoio.

1) Prendo il giornale e leggo. ....
2) Lo studente entra nella stanza e saluta il professore. ....
3) Telefoniamo appena arriviamo all'aeroporto. ....
4) Apriamo la porta ed usciamo dalla stanza. ....
5) Sono stanca: spengo la televisione e vado a dormire. Ero stanca: ....

6) Dico ai miei amici di venire a cena da noi (a casa nostra).	....
7) Dove mettete la borsa?	.... ?
8) Non scrivo a mio fratello, perché non ho tempo.	.... , ...
9) Non faccio in tempo a prendere l'autobus.	....
10) Giulia non rimane a casa, va al concerto.	....
11) Chiedo ad un vigile la strada per il museo.	....
12) Stiamo in biblioteca un'altra mezz'ora.	....
13) Marta e Paolo vanno a casa a piedi, non prendono l'autobus.	....
14) Perché spengete la televisione?	....
15) Dove andate dopo cena?	....
16) Perché non viene anche Lei da noi?	.... ?
17) Il professore corregge gli esercizi e poi va al ristorante.	....
18) Chi chiude le finestre?	.... ?
19) Perché non chiedi i soldi a tuo padre, per comprare l'automobile?	.... ?
20) Metto l'acqua nel vaso e poi ci metto i fiori.	....
21) Mentre Mara scrive, la sua borsa cade sul pavimento.	Mentre Mara scriveva, ...
22) Tanti oggetti cadono dalla borsa di Mara.	....

Momento grammaticale 2.3 / aggettivi possessivi

io ho tu hai egli lei ha Lei	un libro	è	il **mio** il **tuo** il **suo** il **Suo**	libro.
io ho tu hai egli lei ha Lei	una penna	è	la **mia** la **tua** la **sua** la **Sua**	penna.
noi abbiamo voi avete essi loro hanno	un giornale	è	il **nostro** il **vostro** il **loro**	giornale.

noi abbiamo voi avete essi loro hanno	una macchina	è	la **nostra** la **vostra** la **loro**	macchina.
io ho tu hai egli lei ha Lei	tanti libri	sono	i **miei** i **tuoi** i **suoi** i **Suoi**	libri.
io ho tu hai egli lei ha Lei	tante penne	sono	le **mie** le **tue** le **sue** le **Sue**	penne.
noi abbiamo voi avete essi loro hanno	tre giornali	sono	i **nostri** i **vostri** i **loro**	giornali.
noi abbiamo voi avete essi loro hanno	due macchine	sono	le **nostre** le **vostre** le **loro**	macchine.

Lei compra il giornale ogni mattina, non è vero?	Dov'è il Suo giornale?
Lei fuma vero?	Dove sono le Sue sigarette?
Hai il dizionario?	Dov'è il tuo dizionario?

Vediamo che piove, ma dobbiamo uscire.	Dove sono i nostri impermeabili?
Partite per le vacanze, non è vero?	Dove sono le vostre valigie?
Paolo e Laura vanno a vedere il balletto.	Dove sono i loro biglietti?

Esercizio 24

completetate secondo il modello:

Modello	Vengo a scuola	con	la *mia* macchina. il *mio* quaderno.

1. Vengo a scuola	con	la ..... macchina. la ..... moto. le ..... amiche. il ..... quaderno. i ..... libri. i ..... amici.

2. Lo studente (La studentessa)	viene a scuola	con	la ..... macchina. le ..... amiche. il ..... quaderno. i ..... libri. i ..... amici.

3. Signorina Mirella	anche Lei viene a scuola	con	la ..... macchina? le ..... amiche? il ..... quaderno? i ..... libri? i ..... amici?

4. Paolo,	vieni a scuola	con	la ..... bicicletta? la ..... penna? le ..... matite? il ..... quaderno? i ..... libri? i ..... amici?

Momento grammaticale 2.4 / aggettivi possessivi: sintesi

la **mia** / le **mie** la **tua** / le **tue** la **sua** / le **sue** la **Sua** / le **Sue**	il **mio** / i **miei** il **tuo** / i **tuoi** il **suo** / i **suoi** il **Suo** / i **Suoi**

Attenzione:

Singolare: la mia penna, la tua matita, il Suo libro....
ma: mia madre, mio padre, tuo fratello, sua sorella, mia figlia, sua moglie, suo marito, tua nonna, tuo nonno, mio nipote, tua nipote.

Plurale: le mie penne, le tue matite, i suoi libri...
ed anche: le mie sorelle, i tuoi fratelli, le sue figlie, i Suoi figli, le mie zie, i suoi nipoti, i miei nonni, i tuoi zii, ecc....

Esercizio 25

trasformate dal singolare al plurale secondo il modello:

Modello

Il mio amico arriva stasera da Roma.
I miei amici arrivano stasera da Roma.

1) Ho preso il tuo giornale.
....
2) Dov'è la mia valigia?
....
3) Ecco la tua matita e la tua penna.
....
4) Ho incontrato poco fa il mio amico.
....
5) Paolo è andato al cinema con la sua amica.
....
6) Caterina telefona alla sua amica.
....
7) Voglio presentare a Paolo il mio professore.
....
8) Hai già fatto il tuo esercizio?
....

Esercizio 26

trasformate dal singolare al plurale secondo il modello:

Modello

Mio fratello studia l'italiano in Italia.
I miei fratelli studiano l'italiano in Italia.

1) Mia sorella parte per l'Inghilterra domani mattina.
....
2) Voglio comprare un disco per tua sorella.
....
3) Caterina ha dimenticato di telefonare a sua zia.
....

4) Signorina perché non telefona a Suo zio? la linea è libera.

....

5) Ha parlato con Suo nipote?

....

6) Hai incontrato mio fratello al centro?

....

7) Mia figlia studia lo spagnolo a Madrid.

....

8) Ho studiato il tedesco a Monaco con Suo figlio.

....

9) Voglio conoscere Sua nipote.

....

Momento grammaticale 2.5 / aggettivi possessivi: sintesi

la **nostra** / le **nostre**	il **nostro** / i **nostri**
la **vostra** / le **vostre**	il **vostro** / i **vostri**
la **loro** / le **loro**	il **loro** / i **loro**
la **Loro** / le **Loro**	il **Loro** / i **Loro**

Attenzione:

Singolare: la nostra stanza, la vostra insegnante, il nostro libro, il vostro insegnante...

ma: nostra madre, nostra zia, nostra figlia, vostra nipote, vostro padre, vostro figlio...

ma sempre: la loro madre, il loro zio, la loro zia, il loro padre, il loro fratello...

ed anche: i nostri figli, le nostre zie, i nostri fratelli, le vostre sorelle, le loro figlie, i loro nipoti...

Esercizio 27

completate secondo il modello:

Modello	Veniamo a scuola con	la *nostra* macchina. i *nostri* amici.

1. Noi	**veniamo** a scuola	con	la ..... macchina. le ..... amiche. il ..... professore. i ..... amici.

2. Anche voi	**venite** a scuola	con	la ..... macchina? le ..... amiche? il ..... professore? i ..... amici?

3. Le signorine Gli studenti Piero e Marco Marta e Maria	**vengono** a scuola	con	la ..... macchina. le ..... amiche. il ..... professore. i ..... amici.

Esercizio 28

trasformate dal singolare al plurale, secondo il modello:

Modello

Paolo va a teatro con il suo amico. Paolo e Caterina vanno al teatro con i loro amici.

1) Mia zia va a teatro con la sua amica.

....

2) Mio zio legge il suo giornale ogni mattina.

....

3) Tuo figlio gioca con il suo amico.

....

4) Lo studente scrive l'esercizio nel suo quaderno.

....

5) Non ha ancora risposto alla lettera della sua amica.

....

Quadro 3/2

Il complesso musicale AVIS 

Vi presentiamo il complesso musicale AVIS composto da giovani studenti, che suona ogni sabato e domenica alla discoteca «Stella 84».
Adriano suona la chitarra.
Gianna suona l'organo.
Marco è alla batteria.

Intervista

— Adriano quali altri strumenti sai suonare?
So suonare il clarinetto e la tromba.

— Gianna, sai suonare il piano?
Certamente. So anche suonare il flauto.
— E tu, Marco, quali altri strumenti sai suonare?
Soltanto la batteria. Ho cominciato a studiare la fisarmonica.
— Chi di voi ha avuto l'idea di formare questo complesso?
Gianna.
— Da quanto tempo siete insieme?
Da poco più di un anno.

Adriano ha 17 anni,
Gianna 16 e
Marco 18.

Stimolo alla produzione orale:

— Come si chiama il giovane che suona la chitarra?
....
— Quali altri strumenti sa suonare?
....
— Quanti anni ha Gianna?
....
— Da quanto tempo Gianna ha formato questo piccolo complesso?
....
— Dove suonano ogni sabato e domenica?
....
— Che cosa ha cominciato a studiare il giovane che suona la batteria?
....

Momento grammaticale 2.6 / il verbo sapere

	so	il tuo indirizzo.
	sai	il mio numero di telefono?
	sa	che giorno è oggi?
(non)	**sappiamo**	a memoria una poesia di Montale.
	sapete	dove sono i miei occhiali?
	sanno	suonare molti strumenti.
	sappiamo	fare molti piccoli lavori in casa.

Esercizio 29

trasformate ogni frase al passato composto, secondo il modello:

Modello	Mariella compra un altro vestito. Mariella ha comprato un altro vestito.

1) Accendo la lampada e poi scrivo una lettera a Paolo.
2) Non chiudono la porta.
3) Prendete qualcosa nel pomeriggio?
4) Spendono tutto il loro denaro.
5) Dico quello che so e nient'altro.
   .... sapevo ....
6) Chiedono delle informazioni ad una signora americana.
7) Non rispondo a tutte le lettere.
8) Non vediamo i tuoi amici.
9) Non vuole disturbare la sua insegnante.

Esercizio 30

trasformate ogni frase secondo il modello:

Modello	Usciamo di casa e andiamo da Luca. Siamo usciti di casa e siamo andati da Luca.

1) Marta esce di casa e va da sua zia.
2) Rimaniamo a casa tutto il giorno.
3) Vengo da te dopo le lezioni.
4) Gli studenti entrano in classe alle nove.
5) Il treno arriva in orario.
6) Partono per la Svizzera.
7) Usciamo di casa alle otto per andare al supermercato.
8) Vai a Torino con il treno o in macchina?

Esercizio 31

completetate ogni frase secondo il modello:

Modello	È il libro di Marta. È il suo libro.

1) È la borsa di Gianna.
   È la ...... borsa.
2) Sono i fiori per la madre di Paolo.
   Sono i fiori per ...... madre.
3) Sul tavolo ci sono le sigarette: sono mie.
   Sul tavolo ci sono le ...... sigarette.
4) Nella borsa ci sono gli occhiali di Mara.
   Nella borsa ci sono i ...... occhiali.
5) La sorella di Luca è malata.
   ...... sorella è malata.
6) Non sono ancora arrivati i genitori di Giulia.
   Non sono ancora arrivati i ...... genitori.
7) Sapete se sono già partiti i fratelli di Oreste?
   Sapete se sono già partiti i ...... fratelli?
8) Sei sicura che questo è il dizionario di Paolo?
   Sei sicura che questo è il ...... dizionario?
9) Non sappiamo dove sono gli occhiali della nostra insegnante.
   Non sappiamo dove sono i ...... occhiali.
10) Ho parlato con la sorella di Paolo.
    Ho parlato con ...... sorella.
11) Hai visto la nuova macchina di Giuliana?
    Hai visto la ...... macchina?

Esercizio 32

completetate ogni frase secondo il modello:

Modello	Questo è il libro degli studenti. Questo è il loro libro.

1) Ecco i quaderni degli studenti.
   Ecco i ...... quaderni.
2) Ho già corretto gli esercizi degli studenti.
   Ho già corretto i ...... esercizi.
3) Sui banchi ci sono i libri delle signorine.
   Sui banchi ci sono i ...... libri.

4) Mi sapete dire chi ha preso le sigarette di Paolo e Marta?
   Mi sapete dire chi ha preso le ...... sigarette?
5) Non trovo più le chiavi della macchina dei miei genitori.
   Non trovo più le chiavi della ...... macchina.
6) Dove sono le camicie dei tuoi fratelli?
   Dove sono le ...... camicie?
7) Dove avete messo le valigie dei vostri figli?
   Dove avete messo le ...... valigie?
8) Chi sa dove sono i pigiami di Paola e di Carla?
   Chi sa dove sono i ...... pigiami?
9) Ecco gli indirizzi dei tuoi professori.
   Ecco i ...... indirizzi.

Momento grammaticale 2.7 / plurali irregolari

sing.	plur.	sing.	plur.
il clima	i climi	l'analisi	le analisi
il panorama	i panorami	la crisi	le crisi
il problema	i problemi	la diagnosi	le diagnosi
il sistema	i sistemi	la sintesi	le sintesi
il telegramma	i telegrammi		

— Da questa finestra si gode un bel panorama.
— In estate in Sicilia c'è un clima molto caldo, ma asciutto.
— Vi prego di non parlare degli stessi problemi.
— Questo problema devi risolverlo tu!
— Sappiamo bene che ogni paese ha un suo sistema politico.

— Molti paesi attraversano una grave crisi economica.
— Il medico ha potuto fare una diagnosi precisa dopo che ha avuto il risultato di tutte le analisi.
— Studiate le cause di questa crisi.

Stimolo alla produzione orale:

Lavoro in coppia:

1) Osservate il quadro 1/2 (pag. 23): fate le domande su quello che vedete.
2) Quadro 2/2 (pag. 23): fate le domande su quello che vedete.

Lavoro individuale:

3) Descrivete i quadri 1/2 e 2/2 (pag. 23).

Quadro 4/2

Una curiosità: abitudini diverse

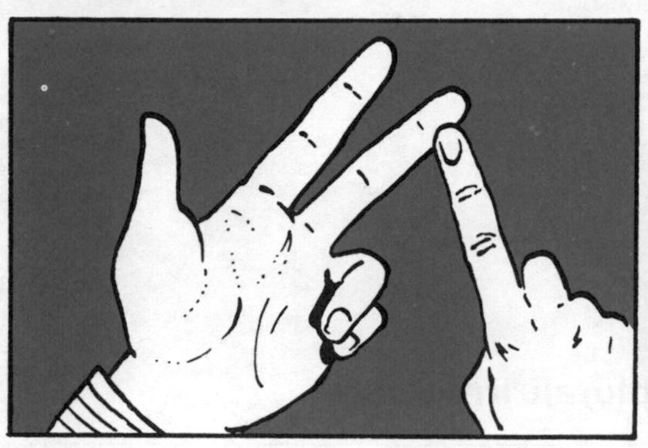

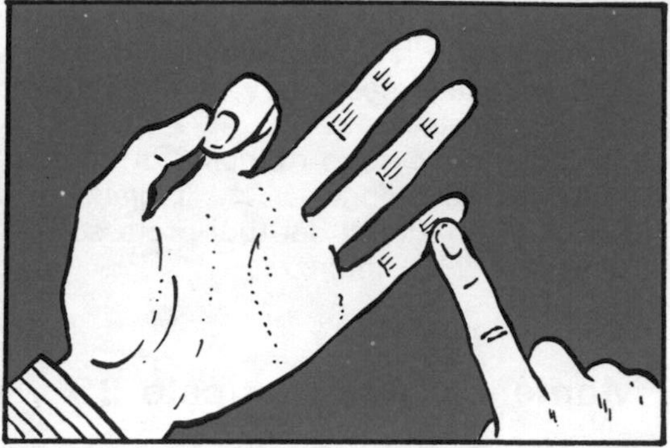

— Quanti caffè hai già preso?
— Tre!

Gl'italiani, quando contano usando le dita di una mano, cominciano dal pollice, poi sollevano nell'ordine: l'indice, il medio, l'anulare, il mignolo.

Gli americani invece cominciano dal mignolo, quindi sollevano ad uno ad uno: l'anulare, il medio, l'indice, il pollice.

UNITÀ 3

Quadro 1/3

Alla stazione

Perugia	p.	17:00	
Terontola	a.	17:55	
Terontola	p.	18:05	19:15
Firenze	a.	20:05	21:30
Firenze	p.	20:15	21:40
Bologna	a.	21:25	23:15

Viaggiatore: Il treno per Terontola è in ritardo. Sono le 17.03 e non si vede ancora.

Altro viaggiatore: Chissà se prenderemo la coincidenza per Firenze. A Terontola ci sono soltanto dieci minuti di tempo per cambiare treno.

Viaggiatore davanti all'edicola dei giornali: «Mi dia "La Nazione" ed "Epoca"».

Viaggiatore alla cassiera del Bar: «Può cambiarmi 50.000 lire?»

Cassiera: «Mi dispiace, ho cambiato 100.000 lire poco fa. Provi dal giornalaio».

Signora anziana, con due grosse valigie, al facchino: «Ecco le mie valigie. Mi trovi un buon posto vicino al finestrino, prima classe, per favore!»

Un signore arriva di corsa: «Che coda davanti agli sportelli! Temevo proprio di perdere il treno! Per fortuna non è ancora arrivato».

Descrizione

C'è tanta gente alla stazione. Molti sono impazienti, perché il treno è in ritardo. Un viaggiatore ha paura di perdere la coincidenza per Firenze, perché sa che ci sono soltanto 10 minuti fra l'arrivo del treno da Perugia e la partenza di quello per Firenze. Davanti agli sportelli c'è ancora tanta gente che fa la coda. Un signore arriva all'ultimo momento: è contento perché il treno non è ancora arrivato.

Esercizio 33

completate le frasi:

1) *sapere*

So che Lei non vuol perdere la coincidenza.
sai che i viaggiatori non ....
sa che io non..........
sappiamo che voi non..........
sapete che noi non..........
sanno che nessuno..........

2) *perdere*

Se perdo la coincidenza devo aspettare un'ora a Terontola.
Se (tu)..........
Se Pietro..........
Se Lei..........
Se (noi) ....
Se (voi)..........
Se Peter e Mara ....

3) *comprare*

Ho comprato all'edicola un quotidiano.
(tu) .... un settimanale.
(una signora).......... «Annabella» e «Gioia».
(noi) ....un libro giallo.
(voi) ....il mensile «Salve».
(tutti) ....dei giornali e delle riviste.

4) *volere*

Se vuoi andare al bar, stiamo attenti noi alle valigie.
Se Mara.........., ...
Se voi ...., ...

Se il treno arriverà a Terontola dopo le 18:05	perderò la coincidenza. Dovrò aspettare più d'un'ora. Arriverò a Firenze alle 21:30. perderai la coincidenza. Dovrai aspettare più d'un'ora. Arriverai a Firenze alle 21:30. Peter perderà la coincidenza. Dovrà aspettare più d'un'ora. Arriverà a Firenze alle 21:30 perderemo la coincidenza. Dovremo aspettare più d'un'ora. Arriveremo a Firenze alle 21:30 perderete la coincidenza. Dovrete aspettare più d'un'ora. Arriverete a Firenze alle 21:30 gli studenti perderanno la coincidenza. Dovranno aspettare più d'un'ora. Arriveranno a Firenze alle 21:30

Quadro 2/3

Progetti

— Che cosa vuoi fare quando sarai grande?

Farò l'astronauta. Andrò sulla luna.

— E tu, che cosa farai da grande?

Farò l'attrice. Sarò più famosa di Brigitte Bardot e di Sofia Loren.

Stimoli alla produzione orale:

1) Che cosa pensi di fare quando avrai ricevuto il denaro?..................
2) Tuo padre ha un'azienda di import-export:
entrerai nell'azienda di tuo padre o lavorerai per conto tuo?............

Momento grammaticale 3.0 / indicativo: il futuro

mangiare

mangerò	una bistecca	se	**avrò**	fame
mangerai	un piatto di spaghetti		**avrai**	
mangerà	una zuppa di pesce		**avrà**	
mangeremo			**avremo**	
mangerete			**avrete**	
mangeranno	una pizza		**avranno**	

leggere

leggerò	il romanzo	fino a tardi	se non	**sarò**	stanca/o
leggerai	la rivista			**sarai**	
leggerà	dei giornali			**sarà**	
leggeremo				**saremo**	stanche/i
leggerete				**sarete**	
leggeranno				**saranno**	

scrivere

Scriverò **Scriverai** **Scriverà** a sua zia **Scriveremo** ai nostri amici **Scriverete** alla signorina Rossi	una cartolina / una lettera	da Firenze
Scriveranno qualche frase in italiano su Firenze.		

mandare

Manderò un telegramma a mia madre.
Manderai un telegramma a tua sorella.
Manderà un telegramma a suo fratello.
Manderemo delle notizie a nostro padre.
Manderete delle notizie a vostro zio.
Manderanno dei fiori alla loro mamma.

	uscire	andare	
Dopo le lezioni	**uscirò.** **uscirai.** **uscirà.** **usciremo.** **uscirete.** **usciranno.**	**Andrò** **Andrai** **Andrà** **Andremo** **Andrete** **Andranno**	a fare quattro passi.

	venire	
Per imparare l'italiano	**verrò** **verrai** **verrà** **verremo** **verrete** **verranno**	a scuola ogni mattina.

parl-are **legg-ere**
part-ire

parl- **legg-** **scriv-**	**-erò** **-erai** **-erà**	**-eremo** **-erete** **-eranno**
part- **prefer-** **usc-**	**-irò** **-irai** **-irà**	**-iremo** **-irete** **-iranno**

andare	**andrò**	fare	**farò**
potere	**potrò**	porre	**porrò**
sapere	**saprò**	tradurre	**tradurrò**
vedere	**vedrò**	stare	**starò**
tenere	**terrò**	essere	**sarò**
venire	**verrò**	avere	**avrò**
dire	**dirò**		

La settimana scorsa sono andata a Roma. Ho telefonato ai miei amici. Insieme a loro sono andata al Museo di Villa Giulia. Abbiamo visto molte sculture e molti vasi etruschi. Dopo la visita del museo, siamo andati al ristorante.

Quadro 3/3

Roma: Museo di Villa Giulia. Sarcofago degli sposi, scultura etrusca in terracotta (VI sec. a. C.)

Esercizio 34

rispondete alle domande:

1) Dove è andata, signorina, la settimana passata? ....
2) A chi ha telefonato, dopo che è arrivata a Roma? ....
3) Dove sono andati? ....
4) Che cosa hanno visto al museo di Villa Giulia? ....

Quadro 4/3

Dal fioraio

Fioraio: Desidera, Signora?
Signora: Vorrei un mazzo di rose.
Fioraio: Facciamo una dozzina?
Signora: No, no! Ne bastano sette, ma fresche, mi raccomando.
Fioraio: Non dubiti, signora! .... Ecco a Lei!
Signora: Quant'è?
Fioraio: 3.500 l'una, ... fanno 24.500 lire.

Stimolo alla produzione scritta:

Raccontate quello che vedete nel quadro 4/3.

La signora stamattina è andata dal fioraio. Ha comprato un mazzo di fiori. Quando è tornata a casa ha preso un vaso, ci ha messo l'acqua e poi i fiori.

Esercizio 35

rispondete alle domande:

1) Dove è andata la signora stamattina? ....
2) Che cosa ha comprato? ....
3) Che cosa ha fatto, quando è tornata a casa? ....
4) Che cosa ha messo nel vaso? ....
5) Perché ci ha messo l'acqua? ....

Esercizio 36

trasformate ogni frase nel futuro, secondo il modello:

Modello	Quando sono stanca/o, smetto di studiare. Quando sarò stanca/o, smetterò di studiare.

1. Viene con noi stasera? .... ?
2. Va al teatro da sola/o? .... ?
3. Compri i biglietti anche per noi? .... ?
4. Signorine, state a casa stasera? .... ?
5. Con chi studi dopo pranzo? .... ?
6. A che ora finiscono le lezioni? .... ?
7. Mia sorella telefona agli zii da Firenze. ....
8. Scrivono molte cartoline da Venezia. ....
9. Se possiamo, veniamo anche noi. ....
10. Che cosa fate, quando siete in Sicilia? .... ?
11. Vai a casa a piedi o con l'autobus? .... ?
12. Se siamo libere/i veniamo a casa tua. ....
13. Correggo questi esercizi e poi porto a spasso il cane.
    ....
14. Che cosa compra per il compleanno di Suo figlio?
    .... ?
15. Che cosa c'è di bello alla televisione? .... ?
16. Non torno a casa per la cena. Rimango in ufficio fino a tardi. ....

oggi

un mese fa / l'altro ieri / | domani / dopo domani / fra un mese

ora

Quadro 5/3

Carlo ed Antonio

Carlo: Sta' sicuro, domani verrò a trovarti.
Antonio: Domani, domani! Ma quando domani?
Carlo: Ho da sbrigare un sacco di corrispondenza arretrata. Prima rispondo alle lettere e poi vengo da te.
Antonio: Più o meno, a che ora sarai da me?
Carlo: Verso le cinque del pomeriggio sarò da te. Diciamo dunque, dopo che avrò risposto alle lettere sarò da te. Ti va bene?

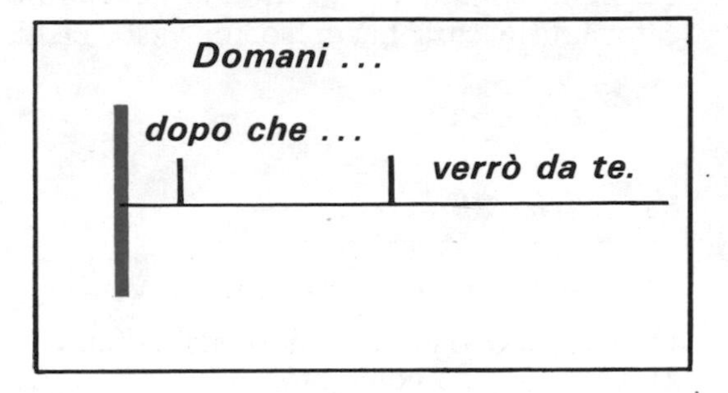

Esercizio 37

trasformate le frasi secondo il modello:

Modello	Prima leggo il giornale e poi mi preparo un panino. a) Leggerò il giornale e poi mi preparerò un panino. b) Dopo che avrò letto il giornale mi preparerò un panino.

1. Prima ascoltiamo le notizie alla radio e poi ci prepariamo la colazione.
   a) ....
   ....
   b) Dopo che..
   ....

2. Prima Luisa va dalla parrucchiera e poi va al mercato per fare la spesa.
   a) ....
   ....
   b) Dopo che..
   ....

3. Gli operai preparano gli attrezzi e poi cominciano a lavorare.
   a) ....
   ....
   b) Dopo che..
   ....

4. Prima entro nella stanza e poi accendo la luce.
   a) ....
   ....
   b) Dopo che..
   ....

— Che ore sono?	Non ho l'orologio: saranno le cinque.
— Qui piove e tira vento: che tempo farà in Sicilia?	Probabilmente farà caldo, come di solito in maggio.
— Sono preoccupata: è mezzanotte e Paolo non è ancora tornato. Avrà avuto un incidente o si sarà sentito male?	Non essere pessimista: avrà avuto da fare fino a tardi, come altre volte.

Quadro 6/3

— Hai dato l'indirizzo di casa nostra al giovane Peter?
— Sì, certo!
— Hai parlato lentamente? È uno straniero: avrà capito bene?
— Sono sicuro di sì! Peter capisce già bene l'italiano. Non preoccuparti!

Quadro 7/3

madre: Marisa è già arrivata a Londra: avrà fatto un buon viaggio? Avrà trovato una buona camera?

padre: Domani ci telefonerà di sicuro, e allora sapremo tutti i particolari che ti preoccupano.
Intanto prendiamo un buon caffè, che ne dici?

Momento grammaticale 3.1 / dall'aggettivo all'avverbio

In modo	chiaro lento timido
	felice facile probabile regolare

chiara- lenta- timida-	**mente**
felice- facil- probabil- regolar-	

Esercizio 38

trasformate secondo il modello:

Modello	Ha parlato in modo semplice. Ha parlato semplicemente.

1) La nostra insegnante ha parlato in modo lento e chiaro.
....
2) Si è comportata in modo timido.
....
3) Questa rivista arriva in modo regolare ogni sabato.
....

Quadro 8/3

Roma: traffico verso Piazza Venezia.

Se viaggiate con l'automobile dovete conoscere i segnali stradali. Osservate i seguenti:

senso unico

divieto di inversione ad U

divieto di accesso

preavviso di dare precedenza

strada sdrucciolevole (per pioggia o gelo)

obbligo di precedenza ai veicoli provenienti dal senso contrario

passaggio per pedoni

passaggio a livello con barriere

DIVIETO DI SORPASSO PER TUTTI GLI AUTOVEICOLI

FINE DIVIETO DI SORPASSO PER TUTTI GLI AUTOVEICOLI

pannelli posti a distanza per passaggio a livello con barriere

---

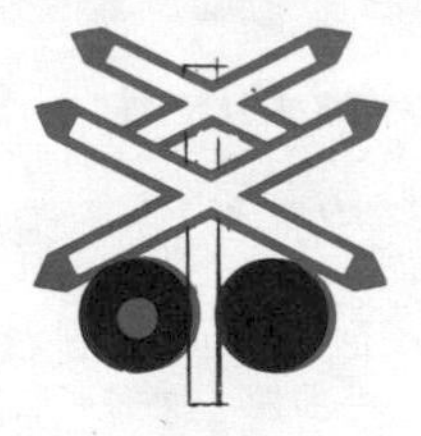

croce di S. Andrea doppia con segnalazione luminosa

passaggio a livello senza barriere

confluenza da destra

sosta vietata

divieto di transito per autoveicoli e motocicli

discesa pericolosa

incrocio

incrocio con una strada senza diritto di precedenza

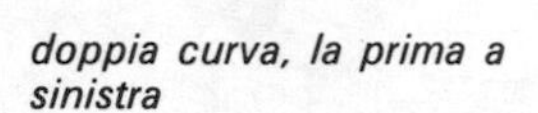

doppia curva, la prima a sinistra

doppia curva, la prima a destra

strettoia

sosta regolamentata

obbligo di arresto all'incrocio

cunetta o dosso

Qualche annotazione sul traffico:

1. In Italia, come in molti altri paesi, il sorpasso si effettua a sinistra. Il sorpasso a destra è proibito. Fate però attenzione, in città qualche volta sorpassano a destra.
2. In Inghilterra, in Australia ... i veicoli viaggiano a sinistra, perciò il sorpasso è a destra.
3. Il semaforo ha tre colori: rosso – giallo – verde. Al verde i veicoli passano, al rosso si devono fermare. Il giallo indica sempre prudenza.

Quadro 9/3

Come viaggiare in Italia.

La rete ferroviaria collega tutte le città della penisola.
Il collegamento Nord-Sud è più veloce di quello Est-Ovest, a causa dell'attraversamento degli Appennini.

La rete autostradale è una delle migliori d'Europa. Anche medie città dell'interno sono collegate alle arterie autostradali per mezzo di superstrade a quattro corsie.

Casello autostradale sull'A1 ad Orte.

Grandi città come Roma, Bologna, Milano, Napoli, Genova hanno raccordi anulari o tangenziali, per evitare l'attraversamento della città.

Molte città sono collegate anche con servizi di pullmann molto confortevoli. La rete aerea collega molte città italiane.

Strada di accesso all'aeroporto internazionale di Fiumicino con monumento a Leonardo da Vinci.

Quadro 10/3

FIRENZE
Panorama

Firenze, 8 Maggio 1986
Caro Paolo,
ti mando questa
immagine di Firenze.
Tempo magnifico,
l'albergo è buono.
Tanti cari saluti
a te e ai tuoi,
Giovanni.

Sig. Paolo Trezzi
Via XIV Settembre, 7
Perugia
06100

Stimoli alla produzione scritta:

1. Scrivete una cartolina ai vostri genitori.
2. Scrivete una cartolina alla vostra (al vostro) insegnante.
3. Descrivete come vi è sembrato il traffico in una città italiana dove avete vissuto per qualche giorno.

Momento grammaticale 3.2 / plurali irregolari

la città	**le città**
l'università	**le università**
l'amica	**le amiche**
la banca	**le banche**
la bottega	**le botteghe**
l'arancia	**le arance**
la valigia	**le valigie**
la camicia	**le camicie**
bianca	**bianche**
sporca	**sporche**
la belga	**le belghe**
la collega	**le colleghe**
la greca	**le greche**

l'albergo	**gli alberghi**
l'amico	**gli amici**
il banco	**i banchi**
l'esercizio	**gli esercizi**
il negozio	**i negozi**
lo zio	**gli zii**
il bar	**i bar**
il film	**i film**
lo sport	**gli sport**
bianco	**bianchi**
sporco	**sporchi**
il belga	**i belgi**
il collega	**i colleghi**
il greco	**i greci**

1. Roma è una grande città.
2. Roma, Milano e Napoli sono tre grandi città.
3. Le università di Padova e di Bologna sono molto antiche. Sono fra le prime università in Europa.

Esercizio 39

trasformate dal singolare al plurale, secondo il modello:

Modello
In questa città c'è un buon albergo.
In queste città ci sono dei buoni alberghi.

1) La banca è aperta al pubblico anche nel pomeriggio.
....
2) In questo negozio si vendono delle belle camicie.
....
3) Piero ha telefonato alla sua amica.
....
4) Il pugilato è uno sport violento
Il pugilato e la lotta libera sono due ....
5) La settimana scorsa ho visto un bel film alla TV.
....
6) sul banco davanti alla lavagna è seduta una signorina belga.
....
7) Ho portato in lavanderia la mia camicia bianca.
....

UNITÀ 4

Quadro 1/4

Fa cattivo tempo

Ragazza: «Che tempaccio! Mi dia un ombrello».
Commessa: «Va bene questo?»
Ragazza: «No! ne vorrei uno un po' più grande. Mi fa vedere quello in vetrina?»
Commessa: «Va bene?»
Ragazza: «Sì, quanto costa?»

Esercizio 40

rispondete alle domande:

1) Che cosa ha comprato la ragazza in quel negozio?

....

2) Ha comprato un ombrello piccolo?

....

3) Quanto costa oggi un buon ombrello?

....

Quadro 2/4

Paolo e Rita

Paolo: «Come mai non sei venuta a lezione stamattina?»
Rita: «Ho dormito fino a tardi. Mi sono svegliata alle 11».
Paolo: «Ti sei sentita male?»
Rita: «No! Ieri sera dopo lo spettacolo sono andata con amici al bar. Ho bevuto un caffè espresso molto forte. Stanotte mi sono addormentata tardi e stamattina non ho sentito la sveglia. Con il sole alto mi sono finalmente svegliata».

Esercizio 41

rispondete alle domande:

1) Chi sono i personaggi del dialogo?
....
2) Sono studenti?
....
3) Dove sono andati la sera precedente?
....
4) Rita è andata a lezione questa mattina?
....
5) Perché no?
....

Stimolo alla produzione orale:

Descrivete le immagini del quadro 1/4 e quelle del quadro 2/4

Momento grammaticale 4.0 / verbi riflessivi

dimenticare			**bagnarsi**	
ho hai ha	dimenticato	l'ombrello	**mi sono ti sei si è**	**bagnata/o**
abbiamo avete hanno			**ci siamo vi siete si sono**	**bagnate/i**

fare tardi		**svegliarsi**		
ho hai ha	fatto tardi	**mi sono ti sei si è**	**svegliata/o**	alle 11
abbiamo avete hanno		**ci siamo vi siete si sono**	**svegliate/i**	

lavarsi		
mi lavo ti lavi si lava ci laviamo vi lavate si lavano	le mani	prima di andare a pranzo

partire		**svegliarsi**	
partirò partirai partirà partiremo partirete partiranno	per Roma alle sei;	**devo svegliarmi devi svegliarti deve svegliarsi dobbiamo svegliarci dovete svegliarvi devono svegliarsi**	alle cinque

trovarsi	bene male
Mi trovo bene in questa città, e tu ti ci trovi bene?	Non molto, non conosco nessuno.
Si trova bene tua sorella a Milano?	Oh, sì! Ci si trova benissimo.
Vi trovate bene in quell'albergo?	Sì, ci troviamo molto bene. È un buon albergo.

farsi male	**mi sono fatta/o male** **si sono fatte/i male**
Se cadi ti fai male! Stai attenta/o, se cadi ti fai male! Se cadete vi fate male!	Ieri sei caduta/o, ma non ti sei fatta/o male. Ti sei fatta/o male? Poco fa siete cadute/i, ma non vi siete fatte/i male.

Quadro 3/4

Una caduta

Signore: — Perché piangi?
Bimbo: — Sono caduto, mi sono fatto male!

Esercizio 42

trasformate al plurale ogni frase secondo il modello:

Modello	Se devo partire alle sei, devo svegliarmi alle cinque. Se dobbiamo partire alle sei, dobbiamo svegliarci alle cinque.

1) Se devi essere a scuola alle otto, devi alzarti alle sette.
....

2) Se vuole alzarsi presto domattina, non deve andare a letto tardi stasera.
....

3) Se vuoi farti il bagno, devi aspettare. Ora non c'è acqua.
....

4) Se vuole ricordarsi di telefonare allo zio da Roma, deve scrivere il numero di telefono nell'agenda.
....

Esercizio 43

rispondete alle domande:

1. A che ora si è alzata/o stamattina? — Stamattina.................................. .... alle sette.
2. Si alza sempre così presto? — Sì..
3. Perché deve alzarsi così presto? — Devo ...., perché devo andare a scuola.
4. Che cosa fa dopo che si è alzata/o? — Dopo che ...., mi lavo.
5. Che cosa fa dopo che si è lavata/o? — ...., mi pettino.
6. Quando fa colazione? — ...., dopo che mi sono vestita/o.
7. È andata/o in discoteca ieri sera? — Sì, ...
8. Si è divertita? — Sì, ...
9. Si è ricordata/o di scrivere una lettera a Sua madre? — No, ...
10. Come si chiama Lei? — ....
11. Si trova bene in quella pensione familiare? — Sì, mi ci trovo molto bene. La signora Laura è una cuoca meravigliosa, prepara i piatti più gustosi della cucina italiana.

Esercizio 44

trasformate ogni frase al plurale, secondo il modello:

Modello

Non mi sono abituata ad alzarmi presto. Non ci siamo abituate ad alzarci presto.

1. Paolo non si è ancora abituato ad alzarsi presto.
   Paolo e Mario ....
2. Domattina partirai per Napoli: devi svegliarti alle 5 e 1/4.
   ....
3. Se vuole divertirsi, stasera deve venire con noi.
   ....
4. Non mi sono ricordata di portare i quaderni.
   ....
5. Graziella non si è ricordata di portare il dizionario.
   Graziella e Marco ....

6. Non posso ricordarmi chi ha telefonato ieri sera.
....
7. Domani è domenica: a che ora si alzerà?
....
8. Sono uscito di casa senza ombrello. Mi sono bagnato.
....
9. La signorina non si sente bene. Vuole andare a casa.
....
10. Paola si guarda nello specchio ogni volta che si pettina e si mette il rossetto.
Paola e Simona...
....
11. Dopo che ti sei lavato, non ti asciughi?
....
12. Mi recherò alla stazione per salutare gli amici che partono.
....
13. Lo studente si è seduto sul banco.
....
14. Perché non si accomoda, Signorina?
...., Signorine?

Momento grammaticale 4.1 / aggettivi e pronomi dimostrativi

quella / quelle	quel / quei quello / quegli
quella / quelle	quello / quelli

Quella borsa è marrone. Quelle borse sono marrone.	Quel foglio è pulito. Quei fogli sono puliti.
Quella storiella è divertente. Quelle storielle sono divertenti.	Quell'ombrello è piccolo. Quegli ombrelli sono piccoli.

Questa valigia è mia, quella è di Carla. Queste valigie sono mie, quelle sono di Carla.	Questo libro e quello sono di Mario. Questi libri e quelli sono di Mario.
Quella bella donna è mia cugina. Quelle belle donne sono le mie cugine.	Quel bell'uomo è un attore. Quei begli uomini sono attori.

bella / belle	bel / bei bello / begli
	bello / belli

Esercizio 45

trasformate ogni frase al plurale secondo il modello:

Modello	Questa macchina è molto veloce. Queste macchine sono molto veloci.

1. Quella macchina non si è fermata al semaforo.
   ....
2. Questo foglio è mio, quello sul tavolo è tuo.
   ....
3. Questa penna è tua, quella sul banco è mia.
   ....
4. Quel giornale sulla sedia è inglese, quello sul tavolo è italiano.
   ....
5. Questo quadro è bello, quello che hai comprato il mese scorso invece no.
   ....
6. Quello studente parla molte lingue.
   ....
7. Non farò più quello sbaglio.
   ....
8. Come si chiama quel tuo zio che vive a Milano?
   ....
9. Chi è quel bell'uomo così elegante? È tuo cugino?
   ....
10. Quell'albergo è molto caro.
    ....
11. Quel bel ragazzo è un giocatore di pallacanestro.
    ....
12. Quella bella ragazza è una brava tennista.
    ....
13. Quel signore è il professore di Paolo.
    ....

Esercizio 46

trasformate secondo il modello:

Modello	È un bel palazzo. È un palazzo molto bello.

1) È un bel panorama.
   ....
2) In questa città ci sono bei palazzi.
   ....
3) Avete fatto delle belle fotografie.
   ....
4) Abbiamo visto un bel film.
   ....
5) In quella pinacoteca ci sono dei bei quadri antichi.
   ....dei quadri antichi..........

6) Hai un bell'orologio.

....

7) Quella ragazza ha delle belle mani.

....

8) Nel tuo giardino ci sono dei begli alberi.

....

9) Al concerto «pop» abbiamo sentito delle belle canzoni moderne.

.... delle canzoni moderne ....

10) Nei Musei Vaticani ci sono delle belle sculture greche e romane

.... delle sculture greche e romane ....

11) Quella signora ha dei bei vestiti.

.... dei vestiti ....

12) Tu hai una bella macchina

....

13) Avete cantato delle belle canzoni.

.... delle canzoni ....

Quadro 4/4

All'agenzia di viaggi

Giovane: «Mi prenoti un posto di II classe nel treno Roma-Amsterdam per sabato».

Impiegata; «Attenda un momento, chiedo al terminale... Mi dispiace ma in questo momento è sovraccarico. Per questa partita Olanda-Inghilterra ci sono tante prenotazioni».

Giovane: «Ma oggi è appena lunedì».

Impiegata: «Lo sa che da due settimane stiamo prenotando posti su quel treno? Speriamo che facciano un treno speciale. Se non può aspettare, mi telefoni più tardi».

Giovane: «Mi raccomando, La prego! Mi trovi un posto».

Impiegata; «Farò del mio meglio, stia sicuro!»

la settimana		
Che giorno è oggi?	Oggi è	il primo Settembre il due Maggio il 25 Dicembre lunedì martedì mercoledì giovedì venerdì sabato domenica
Oggi	è	lunedì
Domani		martedì
Dopo domani		mercoledì
Ieri	era	domenica
Ieri l'altro		sabato
Tre giorni fa		venerdì

quotidiano	È un giornale quotidiano. «Il Corriere della Sera» è un quotidiano di Milano.
settimanale	«Epoca» è una rivista settimanale. «Amica» e «Gioia» sono due riviste settimanali per la donna.
quindicinale	Siamo abbonati ad una buona rivista quindicinale di arredamento.

il mese	**i mesi dell'anno**
Siamo nel mese di **Siamo in**	Gennaio Febbraio Marzo Aprile Maggio Giugno Luglio Agosto Settembre Ottobre Novembre Dicembre
Gennaio ha 31 giorni **Febbraio ne ha 28** **Marzo 31** **Aprile 30**	Trenta dì ha Novembre con April, Giugno e Settembre: di 28 ce n'è uno, tutti gli altri ne han trentuno!

Quadro 5/4

NOVEMBRE

1 Sabato	Tutti i Santi
2 Domenica	Com. Defunti
3 Lunedi	S. Martino di P.
4 Martedi	S. Carlo Borr.
5 Mercoledi	S. Zaccaria
6 Giovedi	S. Leonardo
7 Venerdi	S. Ernesto
8 Sabato	S. Goffredo
9 Domenica	Dedic. Basilica L.
10 Lunedi	S. Leone Magno
11 Martedi	S. Martino di T.
12 Mercoledi	S. Giosafat
13 Giovedi	S. Omobono conf.
14 Venerdi	S. Clementino
15 Sabato	S. Alberto Magno
16 Domenica	S. Geltrude
17 Lunedi	Avvento Ambros.
18 Martedi	D. Bas. S. P. e P.
19 Mercoledi	S. Fausto
20 Giovedi	S. Ottavio
21 Venerdi	Presentaz. S.V.
22 Sabato	S. Cecilia
23 Domenica	Cristo Re
24 Lunedi	S. Clemente I
25 Martedi	S. Gioconda
26 Mercoledi	S. Corrado
27 Giovedi	S. Virgilio
28 Venerdi	S. Sostene
29 Sabato	S. Demetrio
30 Domenica	Avvento Romano

Settimane: 44, 45, 46, 47

LUNEDI		3	10	17	24
MARTEDI		4	11	18	25
MERCOLEDI		5	12	19	26
GIOVEDI		6	13	20	27
VENERDI		7	14	21	28
SABATO	1	8	15	22	29
DOMENICA	2	9	16	23	30

Quanti ne abbiamo oggi? Quando è il tuo compleanno?	Ne abbiamo 20. Il 15 Maggio.
Quanti ne avevamo ieri?	Ne avevamo 19.

Quadro 6/4

Al bar

Mario: «Comincia a far caldo!»
Carla «Eh sì, l'estate è vicina».
Mario: «Io, fra tutte le stagioni, preferisco l'estate: le giornate sono più lunghe e il tempo è sempre bello. Non piove mai, o molto raramente».
Carla: «Io in estate sono sempre stanca, ho sempre sete, bevo moltissimo. Anche ora ho sete. Cameriere!!!»
Cameriere: «Prego, desidera?»
Carla: «Tu, che cosa prendi?»
Mario: «Un gelato alla frutta».
Carla: «Io preferisco un bicchiere grande di birra».

Stimolo alla produzione orale:

— Come si chiamano i due giovani seduti al tavolo?
....
— Perché Mario preferisce l'estate?
....
— Come si sente Carla quando fa caldo?
....
— Che cosa prende Mario?
....
— Che cosa ordina Carla al cameriere?
....

Esercizio 47

rispondete alle seguenti domande:

1) Quando abbiamo cominciato lo studio di questa lingua?
....
2) Ricordate il giorno esatto ed il mese?
....
3) In quale giorno e in quale mese sei nata/o?
....
4) Sai quando è nata tua nonna?
....
5) In quale anno?
....
6) E tuo nonno?
....
7) E tua madre?
....
8) E tuo padre?
....
9) Quali sono i primi tre mesi dell'anno?
....
10) Quali sono gli ultimi tre mesi dell'anno?
....

mensile	È una rivista mensile.
bimestrale	È una pubblicazione bimestrale.
trimestrale	Frequentiamo un corso trimestrale di lingua italiana.

Fra tutte le stagioni preferisco l'estate.	la primavera l'estate l'autunno l'inverno
primaverile estiva/o	È una giornata primaverile. Ho comprato un vestito estivo.
autunnale invernale	È una tipica giornata autunnale: cielo grigio, pioggia, vento.

I.	Il primo mese dell'anno		Gennaio
II.	Il secondo		Febbraio
III.	Il terzo		Marzo
IV.	Il quarto		Aprile
V.	Il quinto		Maggio
VI.	Il sesto		Giugno
VII.	Il settimo	è	Luglio
VIII.	L'ottavo		Agosto
IX.	Il nono		Settembre
X.	Il decimo		Ottobre
XI.	L'undicesimo		Novembre
XII.	Il dodicesimo		Dicembre

Esercizio 48

rispondete alle seguenti domande:

1) Qual è il primo giorno della settimana?
....
2) E il secondo?
....
3) Quanti mesi ci sono in un anno?
....
4) Qual è il primo mese dell'anno?
....
5) E il secondo?
....
6) Qual è l'ultimo mese dell'anno?
....
7) E il penultimo?
....
8) Quante sono le stagioni?
....
9) Quale stagione preferisce?
....
10) Chi preferisce l'inverno?
....
11) Perché Lei preferisce l'inverno?
....
12) Chi preferisce la primavera e perché?
....

Quadro 7/4

Incontro al bar

— Finalmente ci vediamo! Come stai?
— Bene e tu?
— Bene grazie! Posso offrirti qualcosa?
— Volentieri, grazie! prendo un caffè.

4.0.0 Categorie di funzione comunicativa

Ho sete: chiedo un bicchiere d'acqua

Al bar	Al cameriere	Mi dia un'acqua minerale! Un'acqua minerale, prego!
a casa	a mia figlia	Cristina, portami un bicchiere d'acqua!
	a mia moglie	Mi porteresti un bicchiere d'acqua, per piacere?
a casa di un ospite	confidenziale	Ti dispiacerebbe darmi un bicchiere d'acqua?
	formale	Scusi, ho tanta sete, Le dispiacerebbe darmi un bicchiere d'acqua?

Stimolo alla produzione orale:

La famiglia è a tavola all'ora del pranzo.
Paolo ha bisogno di pane. Il cestino del pane è lontano da lui, vicino a sua madre. Come chiede il pane a sua madre? (usate il verbo *passare*).

Quadro 8/4

4.0.1 Categorie di funzione comunicativa

Richiesta di informazioni:

Voglio andare alla stazione; chiedo:	
Ad un signore	Scusi, mi sa indicare la strada per la stazione?
Ad una signora	Scusi, mi sa dire quale autobus va alla stazione?
Ad un vigile	Scusi, mi sa dire dov'è la fermata dell'autobus per la stazione?
	Non sa mica se c'è qui vicino un posteggio di tassì?

Mi trovo in una città per la prima volta. Chiedo informazioni:

Per favore	mi sa indicare può indicarmi	la strada	per l'Azienda Autonoma di Turismo? per l'albergo «Leon d'Oro»? per il policlinico?

Richiesta di altre informazioni in brevi battute:

1. Per favore, mi sa indicare la strada per il museo?
   — Segua questa via fino al terzo semaforo, poi volti a destra.
   In fondo troverà una piazza. Il museo è su quella piazza. Non può sbagliare!

2. Scusi, dove posso trovare una farmacia?
   — Qui a destra, proprio voltato l'angolo.
3. Mi dica, per favore, dove si trova la Banca Commerciale?
   — Prenda quella via fino al secondo semaforo. Al secondo semaforo volti a sinistra, prosegua fino al terzo incrocio. Quando sarà al terzo incrocio domandi ancora: la Banca Commerciale è poco lontano.

Stimolo alla produzione orale:

Provate a chiedere e a dare informazioni per andare:

1. all'Università;
2. allo Stadio;
3. alla Biblioteca Comunale;
4. al Museo archeologico;
5. all'Ospedale;
6. alla Questura.

Quadro 9/4

Richiesta d'informazioni

Un passante chiede al vigile dove si trova la Banca Nazionale del Lavoro.
Il vigile gli dà l'indicazione.
Il passante non capisce, il vigile gliela ripete.

Un tifoso chiede ad un vigile la strada per lo stadio. Il vigile gli dà le indicazioni, gli mostra la strada sulla carta stradale.

Una bambina chiede ad un signore dove si trova il supermercato. Il signore le indica la strada.

I numeri				
1 uno	11 undici	21 ve*ntu*no	tre*nto*tto	trecento
2 due	12 dodici	22 ventidue	....	quattrocento
3 tre	13 tredici	23 ventitré	quaranta	....
4 quattro	14 quattordici	....	cinquanta	mille
5 cinque	15 quindici	28 ve*nto*tto	sessanta	duemila
6 sei	16 sedici	....	settanta	tremila
7 sette	17 *dici*assette	30 trenta	ottanta	....
8 otto	18 *dici*otto	31 tre*ntu*no	novanta	centomila
9 nove	19 *dici*annove	32 trentadue	cento	un milione
10 dieci	20 venti	33 trentatré	duecento	un miliardo

Quadro 10/4

Le quattro operazioni

Quanto fa quattro più tre?	4 + 3 fa 7
Quanto fa cinque meno due?	5 − 2 fa 3
Quanto fa sette per otto?	7 × 8 fa 56
Quanto fa cento diviso dieci?	100 : 10 fa 10

Rispondete

Quanto fa tre più sette?	....
Quanto fa 100 meno 99?	....
Quanto fa 100 per 10?	....
Quanto fa 1000 diviso cento?	....

Quadro 11/4

All'ufficio cambi

Cambio della Lira al 16 Feb. 1983		*Cambio della Lira* al 29 Ott. 1986	
Dollaro USA	1379,80	Dollaro USA	1404,87
Dollaro australiano	1300	Dollaro australiano	903,15
Sterlina	2137,20	Sterlina	1990,90
Franco CH	694,10	Franco CH	838,56
Marco tedesco	572	Marco tedesco	691,52
Franco francese	202,25	Franco francese	211,48
Scellino austriaco	81,91	Scellino austriaco	98,26

Quadro 12/4

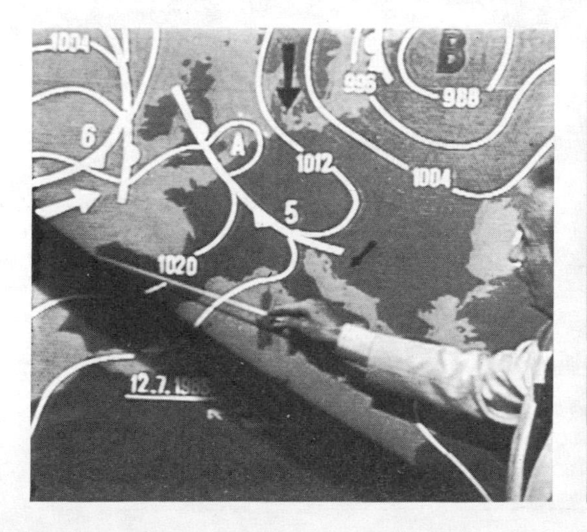

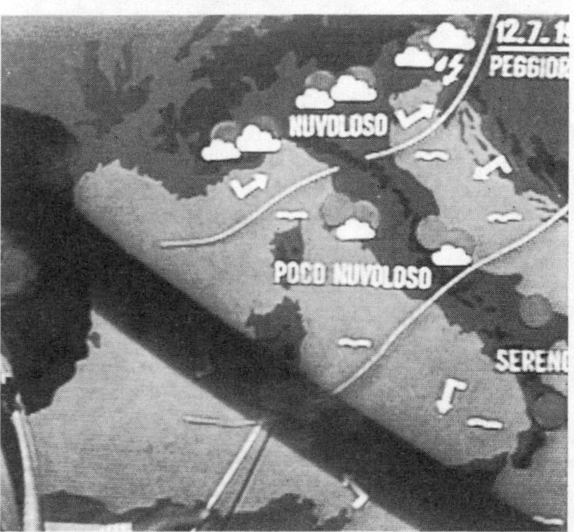

Temperature minime e massime di alcune città italiane al 16 Febbraio 1986.

Città	Min	Max
Bolzano	− 3	+ 11
Verona	+ 2	+ 9
Trieste	+ 3	+ 6
Venezia	+ 1	+ 7
Milano	+ 1	+ 6
Torino	− 5	+ 4
Genova	+ 4	+ 7
Bologna	+ 3	+ 6
Firenze	− 2	+ 8
Perugia	+ 3	+ 6
Roma	+ 4	+ 15
Napoli	+ 5	+ 13
Palermo	+ 12	+ 14
Cagliari	+ 5	+ 13

Temperature minime e massime nel mondo al 16 Febbraio 1986.

Città	Min	Max
Amsterdam, sereno	− 7	0
Atene, sereno	+ 7	+ 16
Beirut, sereno	+ 12	+ 20
Bruxelles, sereno	− 4	0
Buenos Aires, pioggia	+ 19	+ 25
Francoforte, coperto	+ 3	+ 6
Ginevra, coperto	− 4	+ 3
Helsinki, sereno	− 16	− 6
Londra, coperto	+ 1	+ 3
Madrid, sereno	− 10	+ 3
Mosca, sereno	− 10	− 9
New York, sereno	− 2	+ 4
Parigi, coperto	− 1	+ 3

Esercizio 49

osservando la tabella delle temperature minime e massime in alcune città del mondo, rispondete alle seguenti domande:

1. In quali città il cielo era nuvoloso il 16 Febbraio 1986?
 ....
2. Com'era il cielo ad Atene?
 ....
3. In quali città pioveva?
 ....
4. In quale città la temperatura massima era più alta?
 ....
5. In quale città la temperatura minima era più bassa?
 ....
6. A Parigi il cielo era sereno?
 ....

essere	lì lì	per	....
	sul punto	di	
Ero	lì lì	per	cadere arrabbiarmi
Sono stata/o	sul punto	di	perdere la pazienza

stare per	
Stavo per	cadere arrabbiarmi perdere la pazienza

Esercizio 50

riscrivete ogni frase secondo il modello:

Modello	Ero	lì lì	per	abbandonare l'impresa.
		sul punto di		
	Stavo		per	

1) Eravamo lì lì per partire.
....
....
2) Ero lì lì per cadere.
....
....
3) Era lì lì per uscire, quando ha suonato il telefono.
....
....

Quadro 13/4

Dialogo fra lui e lei

lui: — Non ha mica visto il mio dizionario?
lei: — No mi dispiace. Dove l'ha messo?
lui: — L'ho messo sul banco pochi minuti fa e non lo trovo più.
lei: — Per ora prenda il mio!
lui: — Grazie!

Stimolo alla produzione orale:

Ripetete lo stesso dialogo; sostituite a 'il mio dizionario', «la mia penna».

4.0.2. Categorie di funzione comunicativa

Offrire	Ringraziare	
Offro una sigaretta ad un amico:		
«Posso offrirti una sigaretta?» «Vuoi fumare?» «Vuoi una sigaretta?»	«Grazie!» «Grazie mille!»	«Prego!» «Di niente! «Ma ti pare!»
Una signora anziana ha una valigia molto pesante:		
«Signora, posso aiutarLa?»	«Lei è molto gentile, La ringrazio!»	«Ma Le pare!»
In autobus: mi alzo e cedo il posto ad una signora, che tiene in braccio un bambino:		
«Signora, si accomodi!» Le cedo il mio posto!»	«Tante grazie!»	«Di nulla!»

Stimolo alla produzione orale:

1) Che cosa diresti ad un signore che ti accompagna fino all'autobus con il suo ombrello, perché piove?
2) Che cosa risponde ad un'anziana signora che La ringrazia, perché Lei le ha ceduto il Suo posto nel treno?

4.0.3 Categorie di funzione comunicativa

Presentare – Presentazioni		
«Paolo ti presento Clara la mia ragazza».	«Molto lieto. Marco mi ha parlato tanto di te».	«Anch'io sono lieta di conoscerti».
Presento mia moglie alla mia insegnante: «Signorina, permette che Le presenti mia moglie?»	«Piacere, Signora. Spero che si trovi bene nella nostra città!»	«Sì grazie! Mi ci trovo molto bene».
Presentazione fra giovani:	«Ciao! Mi chiamo Clara, come stai?»	«Bene, grazie! io sono Paola».

Stimolo alla produzione orale:

1) Durante un ricevimento la tua insegnante ti presenta a suo marito. Che cosa dirai in risposta al suo: «Molto piacere, di fare la Sua conoscenza!»
2) Lei viene presentato/a ad un noto scrittore. Che cosa dirà?
3) Lei presenta la Sua ragazza alla Sua insegnante d'Italiano.

Quadro 14/4

Un albero e tanti uccelli

Paolo ha sempre una gran voglia di raccontare ai suoi amici qualche avventura o un avvenimento del giorno. E parla e parla: salta da un argomento ad un altro e così perde il filo del discorso divagando.
Qualche volta lo interrompo: «Ma Paolo, smetti di saltare di palo in frasca! torna a bomba! concludi la tua storia».

Stimolo per una ricerca comparata fra L/1 ed L/2:

Con l'aiuto dell'insegnante cercate l'equivalente dei due modi di dire nella vostra lingua:
1) saltare di palo in frasca;
2) tornare a bomba.

Quadro 15/4

La pianta del centro storico di Perugia

Qualche chiarimento sul significato di alcuni numeri e di alcune lettere:

1. Chiesa di S. Costanzo – 2. Chiesa di S. Pietro – 3. Chiesa di Santa Giuliana – 7. Basilica di S. Domenico e Museo Archeologico – 8. Rocca Paolina e Porta Marzia – 9. Porta etrusca della Mandorla (seconda porta della cinta delle mura etrusche) – 13. Palazzo dei Priori (sede della Pinacoteca) – 14. Palazzo del Capitano del Popolo – 17. Fontana Maggiore (Piazza IV Nov.) – 18. S. Bernardino e S. Francesco al prato – 21. Cattedrale di S. Lorenzo – 22. Arco etrusco – 23. Università degli Studi – 24. Palazzo Gallenga: sede della Università per gli Stranieri – 27. Chiesa di Sant'Agostino – 28. Porta Sant' Angelo – 30. Tempio di Sant'Angelo – 31. Chiesa di Santa Maria di Monteluce e Policlinico.

A. Poste e Telegrafi; B. Municipio; C. Telefoni; D. Azienda Turismo...

Stimolo alla produzione orale:

Lavoro in coppia. Osservate la cartina:

1) vi trovate in Piazza IV Novembre e volete andare all'Università per gli stranieri; chiedete quali strade dovrete percorrere;
2) vi trovate in Piazza IV Nov. Volete visitare l'interno della Rocca Paolina. Chiedete o date le adatte informazioni come arrivare là;
3) vi trovate all'Università per gli stranieri; volete visitare la bella chiesa rotonda di Sant'Angelo: domandate quale via dovete prendere.

UNITA' 5

Quadro 1/5

Intervista flash con un bagnino.

— Mi scusi, sono di una Televisione locale. Come si chiama?
Mi chiamo Sergio.

— Da quanto tempo fa il bagnino?
Ho cominciato due anni fa.

— Che cosa fa quando non lavora qui?
Sono studente al terzo anno dell'Istituto Superiore di Educazione fisica.

— Fa altri sport?
Sì, d'inverno scio e vorrei diventare maestro di sci.

— Chi Le dà più da fare qui in spiaggia?
I bambini, ma anche qualche adulto che non sa nuotare.

Stimolo alla produzione orale:

1) Come si chiama il bagnino?
2) Da quanto tempo fa il bagnino?
3) Quali altri sport pratica?
4) Che cosa fa oltre il bagnino?

Quadro 2/5

In salotto

Sergio: Che vuoi bere, Carla?

Carla: Preparami acqua tonica con gin. Tu che prendi?

Sergio: Un wisky con ghiaccio.

Carla: Devi alzarti presto anche domani?

Sergio: Certo. Domani è domenica e devo andare alla spiaggia molto presto.

Carla: Uffa però! Non sei mai libero. Mi sarebbe piaciuto fare un giro in macchina.

Stimolo alla produzione orale e scritta:

1) Parlate di una bella giornata trascorsa al mare.
2) Che cosa avete fatto ieri?
3) Lavoro in coppia: parlate al vostro compagno di una notizia che avete sentito alla TV e che vi ha particolarmente interessato.

Quadro 3/5

In spiaggia

— Facciamo il bagno?
— Sì, ma sai che non so nuotare molto bene, perciò rimaniamo vicino alla riva.
— Che vergogna! Non hai ancora imparato a nuotare! Sono anni che vieni al mare.
— Hai ragione! Quest'inverno andrò in piscina e imparerò bene.

faccio **ho fatto** **hai fatto**	il bagno	al mare. al lago. al fiume. in piscina. nella vasca (da bagno).
	la doccia	

Esercizio 51

trasformate ogni frase nel passato prossimo secondo il modello:

Modello	Si diverte a teatro, Signorina? Si è divertita a teatro, Signorina?

1. Marta si lava i capelli, poi se li asciuga con il fon.
   ....
2. Esco senza ombrello, mi bagno.
   ....
3. Non ci troviamo bene in questa città.
   ....

4. Ci alziamo alle 7 e 30.
....
5. Vi lavate e poi vi asciugate con un asciugamano.
....
6. Ti ricordi di scrivere ai tuoi genitori?
....
7. I bambini si addormentano alle otto.
....
8. Ci addormentiamo con la luce accesa.
....
9. Vi svegliate presto?
....
10. Mi sveglio spesso, non faccio tutto un sonno.
....

Esercizio 52

trasformate ogni frase dal singolare al plurale, secondo i modelli:

Modello	Devo alzarmi presto. Dobbiamo alzarci presto.	Mi sono alzata alle 7. Ci siamo alzate alle 7.

1. Non mi sono abituata/o ad alzarmi presto	....
2. Maria si è svegliata spesso stanotte.	Maria e Paolo ....
3. Domattina partirai per Roma: dovrai svegliarti alle 5.	....
4. Se vuoi divertirti, stasera vieni con noi.	....
5. Non mi sono ricordata/o di portare gli occhiali	....
6. Cristina non si è ricordata di portare il dizionario.	Cristina e Marco ....
7. Non posso ricordarmi chi ha telefonato ieri sera.	....
8. Non mi dimenticherò mai della vostra gentilezza.	....
9. Lo studente non si dimenticherà di portare l'ombrello.	....
10. Paolo si è ammalato.	Paolo e Luisa ....
11. La signora si guarda allo specchio prima di uscire.	....
12. Dopo che mi sono lavata/o, mi asciugo.	....
13. Perché non ti siedi?	....
14. Mi siedo perché voglio riposarmi.	....
15. Per riposarmi mi sono seduta/o.	....
16. Si trova bene qui, Signora?	....

17. Ti sei trovata bene a Venezia? ....
18. Quando voglio distrarmi vado a vedere un film western. ....
19. Perché non si accomoda? Sarò pronta fra due minuti. ....

Quadro 4/5

Le vacanze

Daniele: Dove sei stata il mese scorso? Non ti ho vista mai.
Clara: Ero in vacanza.
Daniele: Ma non ti sei presa una vacanza anche in Febbraio?
Clara: Sì, ma soltanto una settimana. Sono stata, infatti, a Cervinia per la «settimana bianca».
Daniele: E allora dove sei stata il mese scorso?
Clara: Sono stata in Sicilia.
Daniele: In Sicilia? Beata te! sogno da tanto di vedere la Sicilia. Ti sei trovata bene?
Clara: Benissimo! tempo meraviglioso, niente affatto caldo. La gente poi è gentile e cordiale. E che ricchezza di storia e d'arte!
Daniele: Con chi ci sei stata?
Clara: Con mio marito, naturalmente.
Daniele: E i bambini?
Clara: I bambini sono troppo piccoli per un viaggio tanto lungo. Li abbiamo lasciati dai nonni.

Momento grammaticale 5.0

<table>
<tr><td colspan="6">passare = trascorrere</td></tr>
<tr><td rowspan="3">ho
hai
ha</td><td rowspan="3">passato</td><td rowspan="2">una simpatica serata.</td><td rowspan="3">mi sono
ti sei
si è</td><td rowspan="3">divertito/a</td><td rowspan="6">molto.</td></tr>
<tr></tr>
<tr><td rowspan="2">una vacanza meravigliosa.</td></tr>
<tr><td rowspan="3">abbiamo
avete
hanno</td><td rowspan="3">trascorso</td><td rowspan="3">ci siamo
vi siete
si sono</td><td rowspan="3">divertiti/e</td></tr>
<tr><td rowspan="2">un piacevole fine settimana.</td></tr>
<tr></tr>
</table>

Stimolo alla produzione orale:

1) Ti piace viaggiare?
2) Dove hai trascorso il fine settimana passato?
3) Dove pensate di andare il prossimo fine settimana?

Quadro 5/5

— Ho appena fatto il caffè, ne vuoi una tazzina?
— Sì volentieri!

Breve storia del caffè

La pianta del caffè è originaria dell'Abissinia.
Oggi è estesamente coltivata in tutti i paesi compresi fra i tropici (Africa, Arabia, India, America Meridionale e Centrale).
Prospera bene nelle regioni a clima costante fra 15-25 C°, in terreni umidi e riparati dal vento.
La parte della pianta da noi usata per fare il caffè è data dai semi contenuti nel frutto e che di solito sono in numero di due.
Il chicco di caffè ha una faccia convessa e una piana, solcata da una linea mediana.

Stimolo per una ricerca:

1) Sapete quanti caffè bevono in media gli italiani?
2) Con l'aiuto della vostra/del vostro insegnante, fate una ricerca.

Momento grammaticale 5.1 / il verbo piacere e i pronomi personali

piacere		
mi ti gli Le le	**piace**	il caffè. la musica. Venezia. viaggiare
ci vi	**piacciono**	gli spaghetti i fiori i begli abiti

piaciuto/a	**piaciuti/e**		
Ti	è	**piaciuto**	il film?
Le		**piaciuta**	la commedia?
Ti	sono	**piaciuti**	gli attori?
Le		**piaciute**	le attrici?

Si,	mi	è	**piaciuto.**
			piaciuta
Si,	mi	sono	**piaciuti**
			piaciute

No,	non	mi	è	**piaciuto.**
				piaciuta
No,	non	mi	sono	**piaciuti**
				piaciute

Mi	**piace**	questa camicia	Voglio	comprarla.
	piacciono	queste scarpe		comprarle.
	piace	questo vestito		comprarlo.
	piacciono	questi jeans		comprarli.

Esercizio 53

rispondete alle domande, secondo il modello:

Modello

Che cosa piace bere a tua zia? Le piace bere un «Martini».

1) Che cosa ti piace bere, quando hai sete?
....
2) Che cosa piace bere a tua sorella, quando fa caldo?
....
3) E a Lei, che cosa piace bere a colazione, tè o caffè?
....
4) Le piace il vestito di quella ragazza?
....
5) Vi è piaciuta Venezia?
....
6) Vi è piaciuto andare in gondola?
....
7) Vi è piaciuta la polenta con le salsicce?
....
8) Le piace questa pizza?
....
9) Vi piacciono gli spaghetti con le vongole?
....
10) Le sono piaciuti gli gnocchi?
....
11) Ti è piaciuta la commedia?
....
12) E il concerto ti è piaciuto?
....
13) Che cosa ti piacerebbe fare dopo che hai ottenuto il diploma?
....
....

Momento grammaticale 5.2 / pronomi pers. Oggetto Diretto (O.D.)

			lo/li **la/le**		
Prendo	la penna	e	**la**	metto	nel cassetto.
	le matite		**le**		
	il quaderno		**lo**		
	i fogli		**li**		

Esercizio 54

rispondete alle domande, secondo il modello:

Modello	Conosci quella signora?	Sì	la conosco.
		No, non	

1) Vuoi il mio giornale?	No, ...
2) Vuoi i miei dischi?	Sì, ...
3) Vedi la mia borsa?	....
4) Vedete le mie sigarette?	....
5) Conosce quel signore?	....
6) Conoscete quelle ragazze?	....
7) Quando ascolti i dischi?	.... dopo cena.
8) Aspettate voi Paolo e Gino?	Sì, ... noi!
9) Dove incontrerai Maria?	.... al teatro.
10) Aspetterai tu le ragazze?	Sì, ... io!
11) Quando finirai quel lavoro?	.... domani.
12) Quando comprerete il dizionario?	....
13) Prendete il caffè?	....
14) Quando comprerai un altro vestito?	....
15) Inviterai il tuo amico?	....
	....
16) Inviterete i vostri amici?	....
	....
17) Incontri spesso Lucia?	....
	....
18) Guarderete quel film alla TV stasera?	....
	....

Momento grammaticale 5.3 / pronomi pers. O.D. con verbi al pass. prossimo

Ho visto	Manuela		**l'**ho saluta**ta**.
	Manuela e Maria		**le** ho saluta**te**.
	Paolo		**l'**ho saluta**to**.
	Paolo e Antonio		**li** ho saluta**ti**.
Ho preso	la penna		**l'**ho mess**a** nella borsa
	le matite		**le** ho mess**e** nella borsa
	il libro		**l'**ho mess**o** nella borsa
	i fogli		**li** ho mess**i** nella borsa

Quadro 6/5

Chi cerca trova

Nonno: Chi ha visto i miei occhiali?
Rita: Io, nonno, li ho visti.
Nonno: Dove li hai visti?
Rita: Che mi dai se te lo dico?
Nonno: Ti compro un gelato con tante fragole. Ti piacciono le fragole, vero?
Rita: Sì, nonno. Eccoli! li ho trovati sulla poltrona. Ma come mai li perdi sempre?
Nonno: Così tu li trovi e ricevi un regalino.

Stimolo alla produzione orale:

1) Che cosa ha perduto il nonno? ....
2) Chi li ha trovati? ....
3) Dove li aveva lasciati? ....
4) Che cosa riceve Rita ogni volta che trova qualcosa, che il nonno ha perduto? ....

Esercizio 55

riscrivete lo stesso dialogo, sostituendo una volta «la mia pipa», la seconda volta «le mie chiavi».

....
....
....
....
....
....
....
....
....
....
....

Esercizio 56

rispondete alle domande, secondo il modello:

Modello	Hai incontrato Lucia?	Sì / No, non	l'ho incontrata.

1) Quando hai visto Maria l'ultima volta? ....
.... domenica scorsa.
2) Avete visto i miei occhiali? No, ...
3) Avete spento le lampade? ....
4) Hai preso il caffè? ....
5) Ha cambiato i soldi? ....
6) Ha preparato le Sue valigie? ....
7) Hai spedito il telegramma? ....
8) Avete visto la commedia in TV? ....
9) Hai letto l'ultimo libro di Umberto Eco? ....
10) Ha preso la borsa? ....
11) Avete preso l'ombrello? ....
12) Chi ha chiuso le finestre? Noi ....
13) Avete invitato i signori Curti? ....
14) Hai ringraziato la zia? ....
15) Hai preso tu il mio dizionario? ....

Momento grammaticale 5.4 / pronomi pers. O.D. con verbi all'infinito

Voglio Vuoi Vuole Vogliamo Volete Vogliono	comprare	la matita. le penne. il quaderno. i libri.

Voglio Vuoi Vuole Vogliamo Volete Vogliono	comprar**la.** comprar**le.** comprar**lo.** comprar**li.**

Esercizio 57

rispondete alle domande, secondo il modello:

Modello	Vuoi ascoltare i miei dischi?	Sì / No, non	voglio ascoltarli.

1) Hai potuto capire quella commedia? Sì, ...
2) Quando comprerai una nuova moto? Penso di......................................
.... il mese prossimo
3) Vuole comprare quel quadro? ....
4) Quando preparerete le valigie? Pensiamo di...................... stasera.
5) Quando finirai quel lavoro? Credo di......................................
.... prima della fine del mese.

6) Devi ancora comperare i biglietti? ....
7) Volete comprare le sigarette? ....
8) Vuoi conoscere Laura? ....
9) Volete conoscere le mie cugine? ....
10) Vuoi vedere la mia nuova casa? ....
11) Vuole sentire i miei dischi? ....
12) Volete leggere questi giornali? ....
13) Desiderate visitare il museo etrusco? ....
14) Desidera invitare gli studenti? ....
15) Vuoi vedere le fotografie? ....
16) Vuole accendere la TV per favore? ....

convincere/convinto		
L'ho **convinta/o** Mi hai **convinta/o** Ci ha **convinte/i** Li abbiamo **convinti** Le avete **convinte** L'hanno **convinta**	a	prendere una vacanza. partecipare alla festa. smettere di fumare. comprare quella borsa non andare a vedere quel film

Momento grammaticale 5.5 / pron. partitivo «ne»

Quante	riviste commedie	hai ha avete hanno	comprato? letto? ricevuto?

Ne	ho	comprata letta ricevuta	una
	abbiamo	comprate lette ricevute	due, tre molte, poche alcune.
Non **ne**		comprata letta ricevuta	nessuna.

Quanti	libri giornali romanzi	hai ha avete hanno	comprato? letto? ricevuto?

Ne	ho	comprato letto ricevuto	uno.
	abbiamo	comprati letti ricevuti	due, tre molti, pochi, alcuni.
Non **ne**		comprato letto ricevuto	nessuno.

Esercizio 58

rispondete alle domande (usate nelle risposte il pronome «ne») *secondo il modello:*

Modello

Quanti giornali hai comprato?

Ne	ho comprati	due.
Non ne	ho comprato	nessuno.

1) Quanti caffè hai preso? .... tre. .... nessuno.
2) Quante riviste hai comprato? .... una. .... nessuna.
3) Quante commedie hai visto il mese scorso? .... tre. .... nessuna.
4) Quanti studenti ha bocciato, Signorina Rossi? .... molti. .... nessuno.
5) Quanti film western hai visto il mese passato? .... due. .... nessuno.
6) Quante pizze hanno ordinato gli studenti per la festa? .... tante. .... nessuna.
7) Quante città italiane hai visitato? ....
8) Quanti dischi avete ascoltato? ....
9) Quante canzoni italiane ha sentito ieri sera? ....
10) Quante paste avete mangiato? ....
11) Quanti studenti ha invitato? ....
12) Quanti regali hai avuto? ....
13) Quante lettere avete scritto? ....
14) Quanti libri hai letto durante il mese scorso? ....

Momento grammaticale 5.6 / ce la, ce lo, ce le, ce li

Metti	la penna	sul tavolo!
	le matite	
	il giornale	
	i libri	

ce la/ce le	**ce lo/ce li**			
Va bene!	**Ce**	**la**	metto	subito.
		le		
		lo		
		li		

Quante penne	mettete	sul tavolo?
Quanti fogli	mettete	nella borsa?

ce ne		
Ce ne	mettiamo	molte.
	mettiamo	molti.

Non ce ne ..... nessuno ..... nessuna			
Non	ce ne	mettiamo	nessuna.
			nessuno.

Quante rose	mettete	nel vaso?
Quanti fiori		

Quante	.... e	hai	..... o?

Ne	ho	...... a	una.
		...... e	due, tre, poche, molte, tante, alcune.
Non ne		...... a	nessuna.

Quanti	i	hai	..... o?

Ne	ho	...... o	uno.
		i	due, tre, pochi, molti, tanti, alcuni.
Non ne		...... o	nessuno.

Esercizio 59

rispondete alle domande (usate nelle risposte il pronome «ne») *secondo il modello:*

Modello	Quante rose desidera comprare?	Desidero comprarne mezza dozzina.

1) Quanti romanzi vuoi portare in viaggio? .... uno.
2) Quanti libri pensi di leggere durante le vacanze? Penso di.. uno o due.
3) Quante orchidee vuole comprare? .... nessuna.
4) Quante camicie vuoi portare in montagna? .... almeno tre.
5) Quante paia di scarpe vuole comprare? .... due paia.
6) Quanti studenti vuole invitare? .... molti.
7) Quante studentesse vuole interrogare stamattina, professore? ....
8) Quanti dischi vuoi ancora sentire? Non .... nessuno.
9) Quante canzoni volete ancora sentire? Basta! non .... nessuna.

Esercizio 60

rispondete alle domande: usate nelle risposte i pronomi adatti:

1) Hai visto Paola? ....
2) Inviterai Paola e Francesca? ....
3) Ha preso le sigarette? ....
4) Quanti libri ha comprato Marco? ....
5) Avete mangiato le ciliegie quest'anno? ....
6) Hai trovato molti funghi? ....

Esercizio 61

rispondete alle domande secondo il modello:

Modello	Ha messo i fogli nel cassetto? Sì, ce li ho messi.

1) Hai messo il libro nella borsa? ....
2) Ha messo Paolo i libri sul tavolo? ....
3) Avete messo i fiori nel vaso? ....
4) Hai messo le chiavi nella tua borsa? ....
5) Avete messo le camicie nella valigia? ....

Esercizio 62

rispondete alle domande secondo il modello:

Modello	Quante matite hai messo nel cassetto? Ce ne ho messe due.

1) Quanti libri hai messo nella borsa? ....
2) Quante paia di scarpe avete messo nella valigia? ....
....
3) Quante paia di pantaloni ha messo nella valigia? ....
....
4) Quanti fogli hai messo sul tavolo? ....
5) Quante rose ha messo nel vaso? ....

Esercizio 63

rispondete alle domande secondo il modello:

Modello	Hai il dizionario? Sì, ce l'ho.

1) Hai la penna? ....
2) Avete il giornale stamattina? ....
3) Avete le sigarette? ....
4) Hanno gli studenti i libri? ....
5) Avete tutti il quaderno? ....
6) Paola, ha la borsa? ....
7) Paolo, hai le chiavi? ....

Quadro 7/5

Un interrogatorio

Commissario — Dimmi dove ti trovavi martedì scorso tra le due e le tre del pomeriggio.

Imputato — Non lo so, non mi ricordo.

Commissario — Bene! Te lo dico io: martedì alle 2 e 30 eri davanti alla Banca.

Imputato — Ah, sì, è vero!

Commissario — Mi puoi dire che cosa facevi?

Imputato — Stavo aspettando un amico.

Commissario — No! Tu eri già in compagnia, eri con Gianni Manolesta. Stavate osservando il rientro degli impiegati, dopo la sosta per il pranzo. Preparavate il «colpo» che avreste eseguito due giorni dopo.

Imputato — Ma che dice, commissario, Lei è matto! Glielo ripeto, aspettavo un amico e non so niente del «colpo».

Commissario — Ho capito! Non vuoi confessare! Invece ti consiglio di farlo e di dirmi dove avete nascosto il «malloppo». Ti assicuro che avrai una riduzione di pena.

Imputato — Commissario, come glielo devo dire? Io del «colpo» non so proprio niente!

Quale sarà la conclusione di questa storia? Provate ad immaginarla.

Amministrazione della giustizia in Italia

Il sistema giuridico italiano si articola come segue:
1) Pretura, per piccoli processi penali e civili;
2) Tribunale, per cause penali e civili. Il Tribunale è formato da diverse sezioni;
3) Corte d'appello, per cause penali e civili;
4) Corte d'assise, soltanto per cause penali (per delitti efferati, come ad es. omicidi, rapine, rapine a mano armata, partecipazione a delitti, eccetera);
5) Corte d'assise d'appello, per riappellarsi alla sentenza emessa dalla Corte d'Assise;

In tribunale

6) CORTE DI CASSAZIONE, con sede unica a Roma.
Ha voce soltanto in materia di diritto. Accoglie o respinge l'istanza d'appello. Se la accoglie, la sentenza non è ritenuta valida, se la respinge è ritenuta valida. Il ricorso alla Cassazione è possibile per riformare una precedente sentenza, solo se si ritiene erronea una interpretazione giuridica sia nel penale che nel civile (effetti giuridici di un atto o di un fatto).

Pronta azione degli agenti di polizia

Ieri mattina alcuni agenti di Porta del Popolo hanno *scorto* un individuo che *stava forzando* la portiera di un'auto parcheggiata davanti al civico 110 di Viale Tiziano. Il ladro *si è dato alla fuga dirigendosi* verso il Villaggio Olimpico, ma dopo un breve inseguimento *è stato acciuffato* e *condotto* al vicino commissariato: si tratta del trentenne M. M., abitante in via del Governo Vecchio 77. Il M., che è stato trovato in possesso di tre orologi e di *polizze di pegno* per alcune centinaia di migliaia di lire, è stato *tradotto* al carcere sotto l'imputazione di furto aggravato.

(Dal «Messaggero» del 28 maggio 1981 - Cronaca di Roma).

scorto... scorgere, vedere
stava forzando... stava aprendo la portiera con forza
si è dato alla fuga... darsi alla fuga... fuggire via
dirigendosi... prendendo la direzione
è stato acciuffato... acciuffare, prendere
condotto... condurre, portare
polizze di pegno... documenti di pegno; impegnare un oggetto (un orologio, un gioiello ecc.) per ricevere una somma di denaro. L'oggetto resta come garanzia della somma ricevuta e verrà restituito dopo il pagamento della medesima, più un certo interesse.
è stato tradotto... è stato portato.

Imperfetto ~

Com'era il tempo quando eri al mare?	Era splendido, sempre sereno e non troppo caldo.
Che facevi ogni mattina?	Mi alzavo tardi, andavo in spiaggia, prendevo il sole. Poi facevo una lunga nuotata.
Quando hai conosciuto Paola?	L'ho conosciuta una mattina mentre stavo sotto l'ombrellone con i miei amici. Giocavamo a carte quando è arrivata mia sorella con Paola e me l'ha presentata.
Come ti sei trovato in quell'albergo così affollato?	Non bene. Non mi sentivo a mio agio. C'era sempre un grande via vai e troppo rumore.

Momento grammaticale 5.7 / indicativo: imperfetto

essere/ero ~		**avere/avevo** ~	
ero **eri** **era**	stanco/a	**avevo** **avevi** **aveva**	sonno.
eravamo **eravate** **erano**	stanchi/e	**avevamo** **avevate** **avevano**	

mangiare/mangiavo ~			**suonare** /	
Mentre	**mangiavo** **mangiavi** **mangiava**	**mangiavamo** **mangiavate** **mangiavano**	ha suonato il telefono. hanno bussato alla porta. sono arrivati Paolo e Giulia.	
Mentre	**leggevo** **leggevi** **leggeva**	**leggevamo** **leggevate** **leggevano**	il giornale	un colpo di vento ha aperto le finestre. la cameriera ha portato un telegramma
Mentre	**uscivo** **uscivi** **usciva**	**uscivamo** **uscivate** **uscivano**	di casa	è cominciato a piovere.

	~		~	
Quando	**ero eravamo** **eri eravate** **era erano**	al mare in vacanza	**andavo andavamo** **andavi andavate** **andava andavano**	spesso in discoteca.

and- cominci- mangi- parl- studi-	**-avo** **-avi** **-ava** **-avamo** **-avate** **-avano**

av- dic- fac- legg- pon- scriv- traduc-	**-evo** **-evi** **-eva** **-evamo** **-evate** **-evano**

cap- fin- prefer- usc- ven-	**-ivo** **-ivi** **-iva** **-ivamo** **-ivate** **-ivano**

Stimoli alla produzione orale

1) Dov'eri ieri all'una? ....a casa.
2) Dove era (Lei) alle nove di mattina? ....
3) Dove eravate alle quattro del pomeriggio? ....
.... a spasso.
4) E Lei, Signorina, che faceva quando le ho telefonato? ....
....
5) Come passavi le giornate quando eri a Venezia? ....
....

Osservate i diversi usi dell'Imperfetto:

1) Il tempo era bello, la campagna era tutta in fiore, l'aria era piacevolmente profumata.

   (Situazioni descrittive, durature in quel tempo).

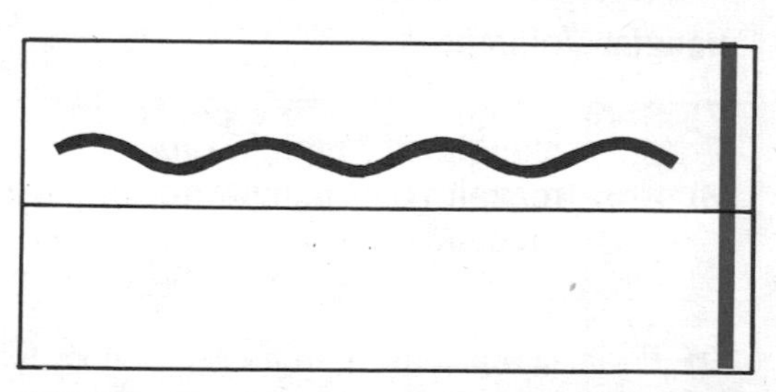

2) Quando ero in vacanza, mi alzavo presto la mattina, il pomeriggio spesso riposavo, la sera mi incontravo con gli amici ed andavamo a letto tardi.

   (Situazione nel passato con azioni ripetute abitualmente).

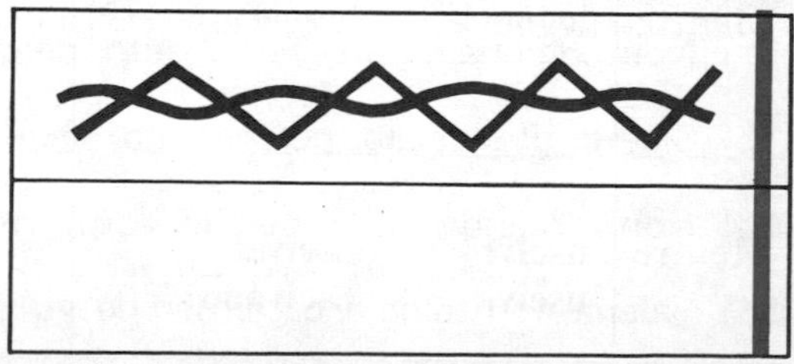

3) Mentre la mia ragazza si pettinava, io mi facevo la barba.

(Azioni contemporanee durature nel passato).

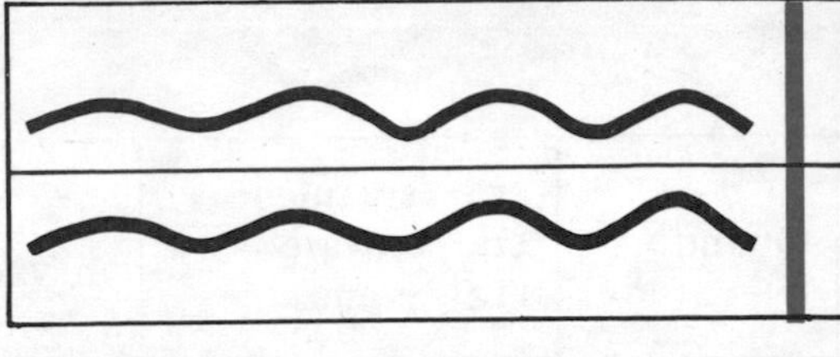

4) Mentre stavamo leggendo ad alta voce un passo della Bibbia, qualcuno ha bussato alla porta.

(Azione duratura nel passato, in contrasto con un'azione istantanea).

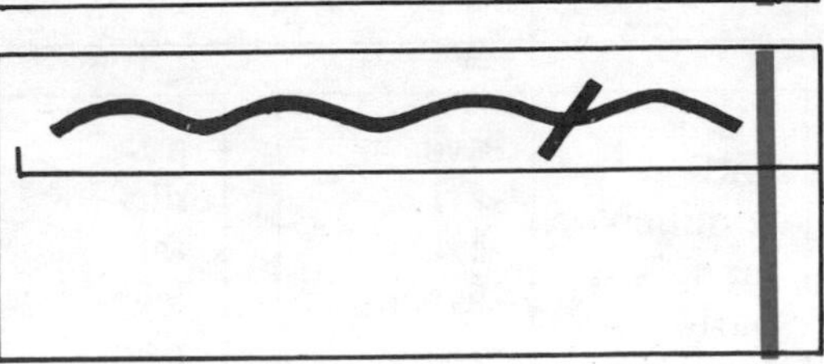

(N.B. La linea verticale, per visualizzare situazioni nel tempo come altrove in disegni, indica la zona del presente).

Esercizio 64

trasformate la frase al tempo passato (il verbo in neretto serve per ricordarvi che al passato dovete usare l'imperfetto), *secondo il modello:*

Modello	Vado a letto, perché **sono** stanca. Sono andata a letto, perché ero stanca.

1) Accendiamo la luce, perché **è** buio. ....
....
2) Accendo la stufa, perché **fa** freddo. ....
....
3) Prendo un'acqua brillante, perché **ho** sete. ....
....
4) Non vanno al cinema, perché **vogliono** riposarsi. ....
....
5) Mangiamo un panino, perché **abbiamo** fame. ....
....
6) Non ti posso telefonare, perché non **ho** i gettoni. ....
....
7) **Sono** molto occupato e perciò non torno a casa. ....
....
8) Non leggo il libro, perché non **ho** voglia. ....
....
9) Paolo prende un'aspirina, perché non **si sente** bene. ....
....
10) Paola va a letto, perché **ha** mal di testa. ....
....
11) Non compriamo un altro vestito, perché non **abbiamo** i soldi. ....
....
12) Smette di studiare, perché **vuol** vedere la partita in TV. ....
....
13) Non tornano a casa, perché **vogliono** ancora camminare. ....
....
14) Valeria non torna a casa, perché **vuole** vedere le vetrine del centro ....
....

15) **Piove** e perciò restiamo a casa...
....
16) Perché non uscite? **Fa** bel tempo! ....
....
17) **Nevica** molto forte e perciò restiamo a casa davanti alla TV.........................
....
18) **Puoi** restare, se **hai** voglia! ....
....
19) **Potete** restare, se vi **fa** piacere! ....
....

Esercizio 65

trasformate al passato, secondo il modello:

Modello	Fa freddo, perciò non esco. Faceva freddo, perciò non sono uscito/a.

1) Fa brutto tempo, perciò, restiamo a casa...
....
2) Piove, perciò prendo l'ombrello..
....
3) Tira vento, perciò chiudiamo le finestre...
....
4) Nevica, perciò accendo il fuoco nel caminetto...
....
5) Sono stanco, perciò mi siedo un po'..
....
6) Non si sentono bene, perciò vanno dal medico...
....
7) Paola non è ancora pronta, perciò devo aspettare.....................................
....

Quadro 9/5

Sulla neve

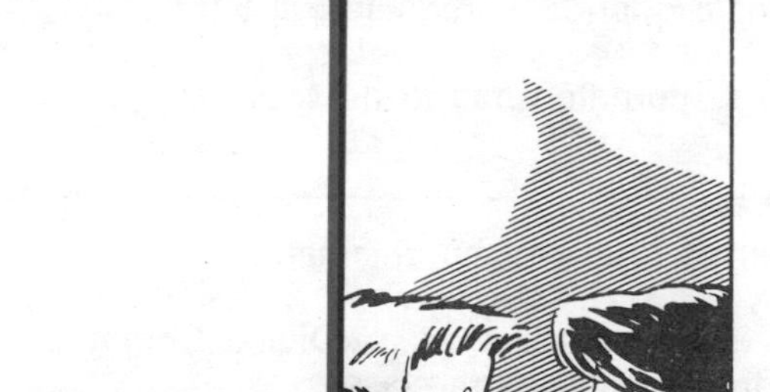

— Sei andato in montagna quest'inverno?
— Sì, come ogni anno.
— Con chi ci sei andato?
— Con il solito gruppo di amici.
— Non è un po' noiosa la vita in montagna?
— Oh no, quando c'è tanta neve per sciare.
— Come passavi le giornate?
— Benissimo, sempre sulla neve!

La mattina mi alzavo presto, facevo un'abbondante colazione e poi stavo tutta la mattinata sui campi da sci. Tornavo in albergo per l'ora di pranzo.
Nel pomeriggio facevo una passeggiata o giocavo a carte con gli amici. La sera andavo a letto presto.

Esercizio 66

riscrivete ogni frase secondo il modello:

Modello

Traduco questa lettera per Marta.
Sto traducendo questa lettera per Marta.

1) Che cosa fai?
....
2) Scrive una lettera a sua madre.
....
3) Penso a quando ero in Olanda.
....
4) Pensiamo a quello che dobbiamo fare.
....
5) Non vedi che parlo?
....
6) I signori Rossi si preparano per andare al teatro.
....
7) La nonna prepara il pollo secondo una vecchia ricetta.
....

Esercizio 67

riscrivete ogni frase secondo il modello:

Modello

Leggevamo il giornale quando ha squillato il telefono.
Stavamo leggendo il giornale quando ha squillato il telefono.

1) Pensavo a cosa mi restava da fare, quando la zia mi ha chiamato.
....
2) Il nostro professore spiegava il canto XI del Paradiso della «Divina Commedia» di Dante Alighieri, quando il bidello è entrato nella nostra classe.
....
....
3) Riflettevo su un problema, quando Rita, mia moglie, mi ha domandato che ora era.
....
4) Paola faceva un disegno quando ha sentito un rumore in cucina.
....
5) Gli studenti scrivevano un esercizio, quando l'insegnante ha detto che la lezione era finita.
....

Elementi linguistici di coesione

insomma = infine = in poche parole = in conclusione	
A Carletto che non è ancora pronto:	Insomma, vuoi venire o no?
A Laura, che sta chiusa nella sua camera.	Mi vuoi dire, insomma, che cosa stai facendo?
Ad un gruppo di ragazzi, che fanno un gran chiasso giù nella piazzetta:	Ma smettetela, insomma! Come ve lo dobbiamo dire.

insomma = così così = abbastanza = non c'è male = non tanto		
Ti è piaciuta la serata dai Bianchi?	Insomma!	(così così) (non proprio molto) (mica tanto)
Ti è passato il mal di testa?	Insomma!	(non del tutto)
Com'è stato il fine settimana?	Insomma!	(così così)

5.0.0. Categorie di funzione comunicativa

prendersela e **consolarsi**	
Carletto ha rotto un giocattolo e piange.	Non te la **prendere**! Ne hai tanti altri. Sai che facciamo? Scriviamo una lettera a Babbo Natale che te ne porti uno uguale. Dunque, via, **consolati** e non piangere più.
Alla nonna novantenne, che si lamenta perché non le riesce più di infilare l'ago per cucire e rammendare le calze.	Non te la **prendere** nonnina! Sei arrivata a 90 anni e ancora sei in buona salute. Sai bene che con l'età qualche noia bisogna sopportarla. **Consolati** piuttosto! Ancora cammini bene, hai un ottimo appetito, digerisci bene e poi... sai che noi tutti ti vogliamo bene.

Stimolo alla produzione orale:

1) La macchina è «in panne». Tuo fratello si dispera, perché non può arrivare in tempo ad un appuntamento importante. Che cosa gli dici?
2) È domenica sera. Luca è arrabbiato, perché non ha fatto 13 al Totocalcio per un solo pronostico sbagliato. Che gli dirai per calmarlo e allo stesso tempo consolarlo?

5.0.1. Categorie di funzione comunicativa

fidarsi... la fiducia	
Parlando dello zio Carlo.	È una persona che mi **dà fiducia**. Puoi sempre contare su di lui.
Parlando della sorella di Paolo.	È molto seria e responsabile. Puoi affidarle qualunque incarico. **Fidati** di lei!
Parlando di Gasparone, capellone, trasandato nel vestire, senza arte né parte.	Gasparone è un tipo che veste in maniera strana, il suo aspetto non **dà molta fiducia**, ma Lei **si fida** ugualmente di lui.

Stimolo alla produzione orale:

1) Lei vuol comprare una macchina di seconda mano. Un Suo conoscente Le propone di venderLe la sua. Lei non si fida molto di quel signore. Che cosa pensa di dire a quel Suo conoscente, per liberarsi della sua offerta?
2) Benché Gasparone sia un tipo che veste in maniera sciatta, benché il suo aspetto non ispiri fiducia, Lei si fida di lui. Perché?
3) Paola esce ogni sera con amici, va spesso in discoteca, torna a casa ad ore piccole, fuma una sigaretta dopo l'altra; ti fideresti di chiamarla a casa tua come baby-sitter?

5.0.2. Categorie di funzione comunicativa

In un Bar:	
Un gruppo di amici:	Che cosa prendiamo? Prendiamo un toast al prosciutto o una pizzetta?

Un signore ad una signora:	Che cosa posso offrirle? un tè, un cappuccino,...
Due amiche: l'una all'altra:	Che cosa prendi? Ci sediamo ad un tavolo o consumiamo in piedi al banco?
Due amici fanno dei complimenti:	— Posso offrirti qualcosa? — Eh, no! questa volta tocca a me. Prendi un caffè o qualcos'altro?

Quadro 10/5

In salotto

— Che cosa guardavate ieri sera alla TV, quando vi ha telefonato Gabriella?
— Stavamo guardando un documentario sul Venezuela.

Quadro 11/5

In Sicilia

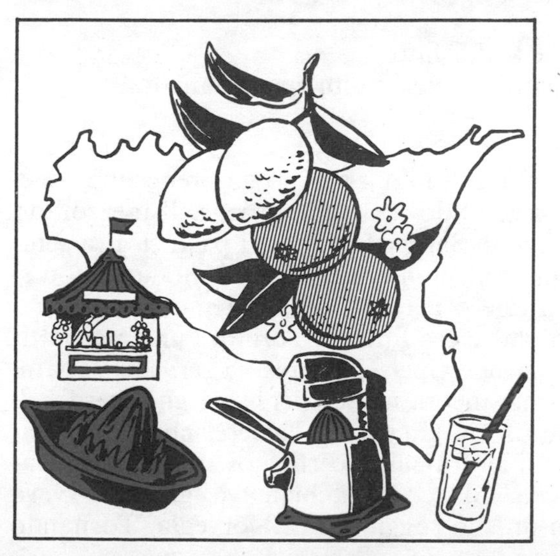

— Com'era il tempo durante il vostro giro in Sicilia?
— Era bellissimo. Faceva un po' troppo caldo, ma l'aria era asciutta.
— Che cosa bevevate per rinfrescarvi?
— Bevevamo delle ottime spremute di limone.

Quadro 12/5

Pompei – Scavi: Via del Foro ed Arco di Caligola.

Quando ero a Napoli per eseguire lavori di archeologia, mi alzavo sempre molto presto la mattina. Dovevc alzarmi presto perché l'autobus per Pompei partiva alle sei e mezza. Il viaggio dal nostro albergo durava circa quarantacinque minuti. Si cominciava subito il lavoro di scavo e verso le undici e mezza c'era una sosta di un'ora e mezzo per una buona colazione, che consumavamo all'ombra di pini secolari. Riprendevamo il lavoro con molto fervore e non smettevamo fino al tramonto del sole.
Tornavamo al nostro albergo stanchi, ma soddisfatti.
È stato veramente un bel periodo che ricorderò per molto tempo ancora.

«Mio padre s'alzava sempre alle quattro del mattino. La sua prima preoccupazione, al risveglio, era andare a guardare se il 'mezzorado' era venuto bene. Il mezzorado era latte acido, che lui aveva imparato a fare in Sardegna, da certi pastori. Era semplicemente yoghurt. Lo yoghurt, in quegli anni, non era ancora di moda: e non si trovava in vendita, come adesso, nelle latterie o nei bar. A quel tempo non erano ancora di moda gli sport invernali; e mio padre era forse, a Torino, l'unico a praticarli. Partiva, non appena cadeva un po' di neve, per Clavières, la sera del sabato, con gli sci sulle spalle. Allora non esistevano ancora né Sestrières, né gli alberghi di Cervinia. Mio padre dormiva, di solito, in un rifugio sopra Clavières chiamato 'Capanna Mautino'. Si tirava dietro a volte i miei fratelli, o certi suoi assistenti, che avevano come lui la passione della montagna. Gli sci, lui li chiamava 'gli ski'. Aveva imparato ad andare in ski da giovane, in un suo soggiorno in Norvegia. Tornando la domenica sera, diceva sempre che però c'era una brutta neve. La neve, era sempre o troppo acquosa, o troppo secca. Come il mezzorado, che non era mai come doveva essere: e gli sembrava sempre o troppo acquoso, o troppo denso».

Da *Lessico Famigliare* di Natalie Ginzburg (G. Einaudi Editore – Torino 1963).

Quadro 13/5

«Quando nostro padre era soldato, alla sera ci sentivamo soli. Dopo cena lei ci radunava attorno al focolare, e ci raccontava quel che sapeva. Secondo me, inventava anche. Erano per lo più storie di santi. Aveva un modo rozzo, popolaresco, ma potente di inventare e di raccontare.

Si aiutava con la mano destra, con dei gesti ieratici come quelli del prete quando spiega il vangelo. Quello probabilmente era il suo modello. Cominciava andando alla ricerca dell'argomento e si capiva benissimo che non sapeva nemmeno lei di che cosa avrebbe parlato. Diceva per esempio 'Stassera' (1) e alzava la mano destra e con l'indice teso, poi l'abbassava. 'Ve parlarò' (2), rialzava e riabbassava la mano destra, 'de Santa Teresa', restava con la mano alzata e l'indice in su. Si faceva un gran silenzio.

Chi non s'era ancora sistemato con la sedia, la metteva giù senza far rumore, vi si accucciava tirando i piedi sul ripiano in modo da aver i ginocchi all'altezza della faccia, chinava la testa sui ginocchi e se li stringeva con le mani. Guardavamo da sotto in su, con gli occhi arrovesciati. Mio fratello era sempre colto di sorpresa, col boccone in bocca, ma questo doveva dipendere dal fatto che mangiava continuamente, benché non ci fosse mai niente da mangiare. Estatico, la contemplava coi grandi occhi blu, come quelli di lei. Smetteva di masticare, e il boccone immobile gli gonfiava la 'ganascia' (3) per mezz'ora».

Da *Un altare per la madre*, Cap. 9, di Ferdinando Camon, 1978, Garzanti.

(1) stassera = stasera
(2) ve parlarò = vi parlerò
(3) ganascia = guancia

Quadro 14/5

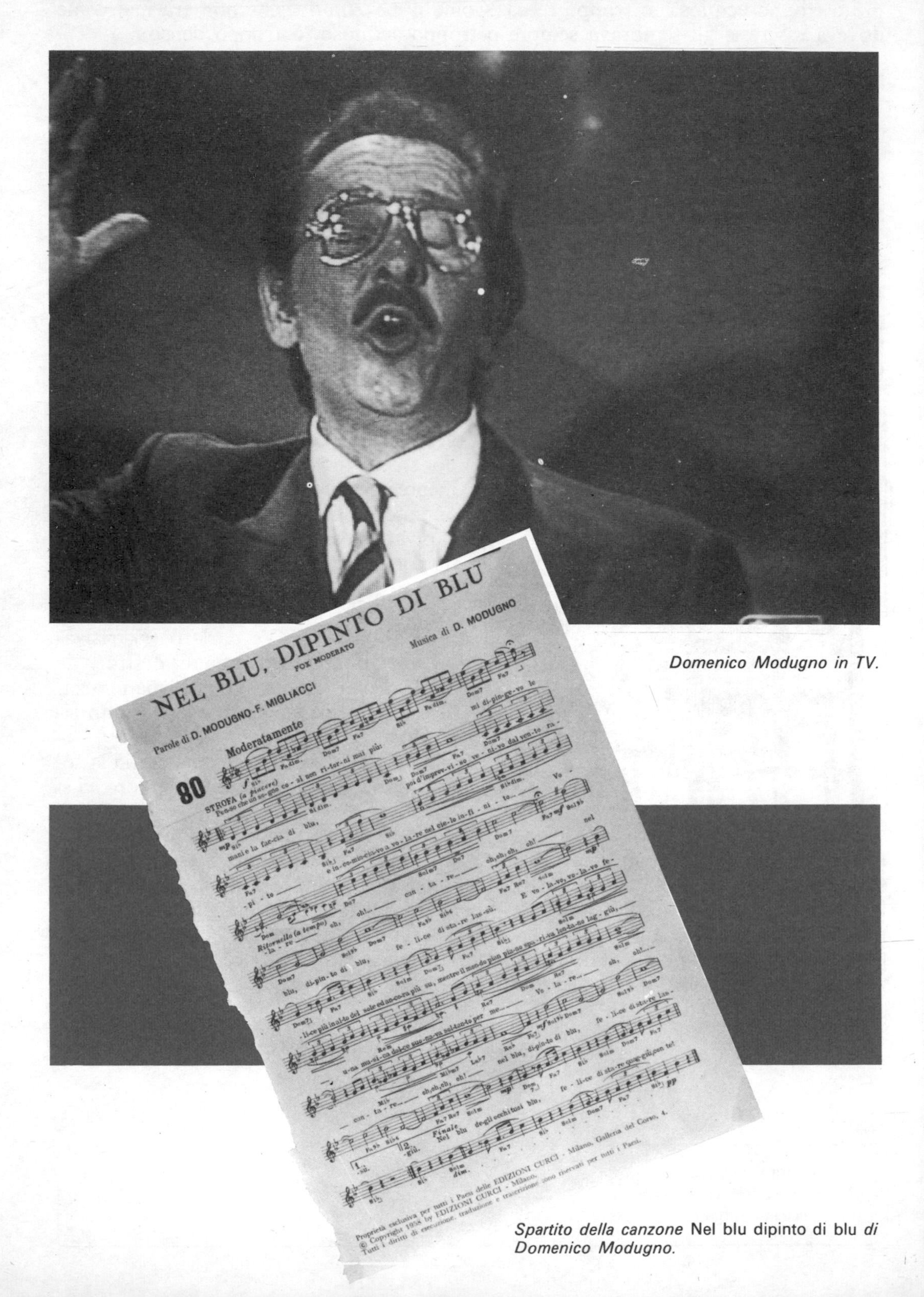

Domenico Modugno in TV.

Spartito della canzone Nel blu dipinto di blu *di Domenico Modugno.*

Nel blu dipinto di blu

Penso che un sogno così
non ritorni mai più:
mi dipingevo le mani e la faccia
di blu,
poi d'improvviso venivo dal vento
rapito...
e incominciavo a volare
nel cielo infinito...
Volare... oh, oh!...
Cantare... oh, oh, oh,oh!...
nel blu, dipinto di blu,
felice di stare lassù...
E volavo, volavo felice
più in alto del sole ed ancora
più su,...
mentre il mondo pian piano spariva
lontano laggiù...
una musica dolce suonava soltanto
per me...
Volare... oh, oh!...
Cantare... oh, oh, oh,oh!...
nel blu, dipinto di blu,
felice di stare lassù...
Nel blu degli occhi tuoi blu,
felice di stare quaggiù
con te!

Quadro 15/5

Dove metti i piedi

La mamma a Pierino:
«Ma guarda dove metti i piedi! Non camminare sempre con la testa fra le nuvole!».

Stimolo per una ricerca comparata fra L/1 ed L/2:

Con l'aiuto dell'insegnante cercate l'equivalente dei seguenti modi di dire nella vostra lingua:
1) avere la testa fra le nuvole;
2) stare con i piedi per terra;
3) fare castelli in aria.

Modi di dire:

Ti ha aiutato Marisa nelle faccende domestiche?	Macchè No di certo! Figurati se quella mi aiuta in casa!
Ti sei sentito/a solo/a?	No, niente affatto!

UNITA' 6

Quadro 1/6

In farmacia

Signore:	«Mi dia un flacone di compresse di Vitamina C. Ho un forte raffreddore».
Una farmacista:	«Le consiglierei anche uno spry per il naso».
Signore:	«No, grazie».
Signora giovane:	«Vorrei un pacco di pannolini per bambini e un barattolo di talco».
Il farmacista:	«E Lei, Signorina, che cosa desidera?»
Signorina:	«Che sciroppo mi consiglia per la tosse?»
Il farmacista:	«Il 'Pulmol' all'Eucaliptolo è ottimo. Lo provi: dà buoni risultati».
Signorina:	«Va bene, me lo dia!»
Il farmacista:	«Eccole lo sciroppo. Desidera qualcos'altro?»
Signorina:	«No, grazie».

Descrizione
Siamo in una farmacia del centro. Ci sono scaffali scorrevoli a molti piani. Ogni piano è pieno di medicinali di ogni genere. I farmacisti indossano camici bianchi, con due tasche e un taschino, da cui sporgono penne e matite.
Una farmacista ha al polso un bell'orologio d'oro e qualche anello alle dita.
Il signore che ha il raffreddore non è più giovane. Non ha il cappello e veste in modo elegante.
La signora giovane porta una giacca di pelle e una gonna marrone a grossi quadri rossi. Sotto la giacca si vede una camicetta rosa con ricami e lustrini. Calza stivali di camoscio molto eleganti.
La ragazza veste in modo «casual»: ampia gonna viola, una larga giacca di lana verde scuro molto lunga, con maniche larghe e collo grande. Ha anche una sciarpa grigia intorno al collo con i due capi che le cadono all'indietro sulla schiena. Ai piedi ha un paio di scarpe rosse da ginnastica. Ha lunghi capelli ricci non pettinati.

Stimolo alla produzione orale e scritta:

1) Ripetete la descrizione al passato.
2) Scrivete la stessa descrizione al passato.

Stimoli alla produzione orale e scritta:

1) Descriva come è vestito lo studente che è seduto davanti a Lei.
2) Descriva come era vestita/o Lei ieri sera.
3) Ricorda come era vestita/o la Sua (il Suo) insegnante ieri mattina?
4) Descriva l'interno di una farmacia del Suo paese.

Esercizio 68:

usate le seguenti funzioni linguistiche in altri contesti situazionali, secondo i modelli:

Modelli

Mi passeresti quella bottiglia?
Mi diresti | Mi sai dire | che ore sono?
Mi daresti un passaggio?
Mi dia | Vorrei | una bustina di aspirina.

1) Mi | passeresti / passerebbe | .... ?

2) Mi | diresti / sai dire | .... ?
   Mi | direbbe / sa dire | .... ?

3) Mi	daresti darebbe presteresti presterebbe	.... ? .... ?

Quadro 2/6

Dialoghi flash

— Sono povero di idee! Che cosa mi consiglieresti di regalare a mia sorella per il suo compleanno?
— Che ne diresti di una bella radiosveglia?
— Buon'idea, grazie tante
— Non so decidermi quale cravatta mettere. Quale di queste mi consiglieresti, Marta?
— Mettiti quella blu a quadratini bianchi. Ti sta bene con codesto vestito!
— Che cosa mi consiglieresti di prendere per questo raffreddore?
— Latte caldo con un po' di grappa e miele e poi ... a letto! È la migliore ricetta da sempre.

Esercizio 69:

usate le seguenti funzioni linguistiche in altri contesti situazionali, secondo i modelli:

Modelli			
	Ti consiglio	di	sederti un po'.
			andare a fare quattro passi.
	Ti consiglierei		mettere un abito scuro.

1) Ti consiglierei di ....
....
....

2) Mi ha consigliato di ....
....
....

3) La consiglierei di ....
....
....

4) Mi consiglierebbe di .... ?
.... ?
.... ?

5) Le consiglieresti di .... ?
.... ?
.... ?

Momento grammaticale 6.0 / condizionale presente

volere	
vorrei	un mazzo di fiori.
vorresti	un gelato?
vorrebbe	mangiare qualcosa.
vorremmo	qualcosa di buono.
vorreste	fumare una sigaretta?
vorrebbero	andare in biblioteca.

mangiare			
mangerei **mangeremmo** **mangeresti** **mangereste** **mangerebbe** **mangerebbero**	ma non	ho abbiamo hai avete ha hanno	fame

leggere				
leggerei **leggeremmo** **leggeresti** **leggereste** **leggerebbe** **leggerebbero**	il giornale	ma	ho abbiamo hai avete ha hanno	dimenticato di comprarlo

aprire			
aprirei **apriremmo** **apriresti** **aprireste** **aprirebbe** **aprirebbero**	la finestra la porta	ma	è freddo. c'è corrente.

essere				
sarei **saremmo** **saresti** **sareste** **sarebbe** **sarebbero**	felice felici	di accettare l'invito	ma non	posso possiamo. puoi potete. può possono.

avere		
avrei **avremmo** **avresti** **avreste** **avrebbe** **avrebbero**	bisogno di	un bicchier d'acqua. un foglio di carta. parlare con la segretaria.

piacere		
mi	**piacerebbe**	ascoltare i tuoi dischi.
ti		venire da noi stasera?
gli		uscire con Paola.
le		parlare con il direttore.
Le		ascoltare della buona musica?
ci		restare ancora una settimana.
vi		comprare una moto o uno scooter?
Piacerebbe loro **Vi piacerebbe**		venire in montagna con noi?

andare	>	**andrei**
potere	>	**potrei**
sapere	>	**saprei**
vedere	>	**vedrei**
tenere	>	**terrei**
venire	>	**verrei**
dire	>	**direi**
fare	>	**farei**
porre	>	**porrei**
tradurre	>	**tradurrei**

parl- **legg-** **scriv-**	**-erei** **-eresti** **-erebbe**	**-eremmo** **-ereste** **-erebbero**
apr- **cap-** **usc-**	**-irei** **-iresti** **-irebbe**	**-iremmo** **-ireste** **-irebbero**

Esercizio 70:

completate ogni frase, secondo il modello:

Modello

(*prestare*) (*servire*)
Ti .... la mia auto, ma .... a me.
Ti presterei la mia auto, ma serve a me.

(*volere*) (*avere*)
1) Vi .... raccontare come è andata, ma non .... tempo.

(*bere*) (*finire*)
2) (Io) .... ancora un po' di quell'eccellente spumante, ma lo .... tutto!

(*mangiare*) (*esserci*)
3) (Noi) .... ancora qualcosa, ma non .... più niente.

(*uscire*) (*essere*)
4) Luisa ...., ma .... molto occupata.

(*giocare*) (*dovere*)
5) Franco .... a carte con noi, ma .... andare subito a casa.
(*scrivere*) (*avere*)
6) (Io) .... una lettera a mio fratello, ma non.................. la carta.
(*andare*) (*fare*)
7) (Noi) .... a spasso, ma............................... cattivo tempo.
(*studiare*) (*essere*)
8) (Esse) .... ancora, ma............................. stanche.
(*venire*) (*vedere*)
9) (Io) .... volentieri con voi al cinema, ma .... già quel film.
(*piacere*) (*avere*)
10) (Ci) .... comprare quel vestito, ma non .... soldi.
(*volere*) (*essere*)
11) (Noi) .... venire a trovarti, ma .... molto occupati in questi giorni.
(*potere*) (*essere*)
12) (Tu) .... riuscire bene nei tuoi studi, ma .... troppo pigro e svogliato.
(*volere*) (*mancare*)
13) (Voi) .... smettere di fumare, ma vi.................. la forza di volontà.
(*andare*) (*preferire*)
14) (Io) .... a sentire quel concerto, ma .... finire il mio lavoro.
(*piacere*) (*dovere*)
15) Gli .... ascoltare qualche disco ancora, ma.......... uscire per fare la spesa.
(*telefonare*) (*sapere*) (*essere*)
16) (Io) .... a Luisa adesso, ma .... che non .... in casa a quest'ora.
(*essere*) (*potere*)
17) (Noi) .... felici di venire alla vostra festa, ma non.....................
(*andare*)
18) Paolo .... a fare una lunga passeggiata con questo bel tempo, ma non
(*volere*)
.... perdere le lezioni di questo pomeriggio.
(*fare*) (*dovere*)
19) Ci .... molto piacere accettare la vostra ospitalità ma .... partire oggi stesso.
(*avere*) (*potere*)
20) (Noi) .... bisogno di prendere delle vacanze, ma non....................

Momento grammaticale 6.1 / pronomi relativi e aggettivi dimostrativi

<table>
<tr><td rowspan="2">Non voglio</td><td>scrivere con questa penna, ma con quella</td><td rowspan="2">che</td><td rowspan="2">è</td><td rowspan="2">sul tavolo.</td></tr>
<tr><td>leggere questo libro, ma quello</td></tr>
</table>

<table>
<tr><td rowspan="2">Non vogliamo leggere</td><td>queste riviste, ma quelle</td><td rowspan="2">che</td><td rowspan="2">sono sulla scrivania.</td></tr>
<tr><td>questi libri, ma quelli</td></tr>
</table>

<table>
<tr><td rowspan="2">Non vuole leggere</td><td>quella rivista, ma codesta</td><td rowspan="2">che</td><td rowspan="2">hai tu.</td></tr>
<tr><td>quel giornale, ma codesto</td></tr>
</table>

questa, e **questo, i**	di cosa o persona vicino a chi parla.

codesta, e **codesto, i**	di cosa o persona vicino a chi ascolta.

quella, e **quello, i**	di cosa o persona lontano da chi parla e da chi ascolta.

Esercizio 71:

trasformate nel plurale, secondo il modello:

Modello

Deve appendere quello specchio alla parete di questa stanza. Deve appendere quegli specchi alle pareti di queste stanze.

1) Questo libro e quello sul banco sono miei.
....
2) Non ho ancora letto quel giornale.
....
3) Vedi quell'albero? È un pino mediterraneo.
....
4) Vuole misurare quel vestito, che è in vetrina?
....
5) Vorresti caricare quell'orologio, per piacere? È fermo da stamattina.
....
6) Questo foglio sul banco è mio, quello sul tavolo è del professore.
....
7) Li vuoi presentare a quello studente?
....
8) In quel palazzo viveva una famiglia molto ricca.
....
9) Non voglio leggere quello stesso romanzo.
....
10) Perché non usi mai codesta penna?
....
11) Questo orologio va bene?
....
12) Quell'appartamento è troppo piccolo.
....
13) Ma non vedi quanto è magro quel cane?
....

Quadro 3/6

Dalla parrucchiera

Signora: «Quanto ci vuole ancora, Anna?»
Anna: «Ancora un quarto d'ora per asciugare i capelli e poi altri quarantacinque minuti per la messa in piega».
Signora: «Le dispiacerebbe telefonare a mio marito e dirgli di passare a prendermi fra un'ora circa?»
Anna: «Certo! Qual è il numero?»
Signora: «74-28-31».
Anna: «Suo marito non è il direttore della Camera di Commercio?»
Signora: «No, no! si sbaglia con mia sorella. Mio marito è architetto. Lavora alla Regione».
Anna: «Che sciocca, mi ero confusa! Vado, telefono e torno subito».
Signora: «Per favore gli dica di andare a casa a prendere il cane. Lo porteremo un po' fuori».
Anna: «Va bene!»

Quadro 4/6

Alla posta

Marilena: «Come va stamattina, Lida? Ti vedo stanca».
Lida: «Oh sì! È vero mi sento stanchissima».
Marilena: «Il lunedì è sempre difficile per tutti».
Lida: «Non è solo questo. Ieri sera sono stata al concerto ed ho fatto tardi».
Marilena: «Al concerto? A quale concerto sei andata?»
Lida: «Al concerto dei «Lunatics».»
Marilena: «È un buon complesso!»
Lida: «Sì, generalmente suonano bene, ma ieri sera hanno suonato da cani. Così ho perduto molte ore di sonno e non mi sono divertita».

Esercizio 72:

rispondete alle domande:

1) Come si chiamano le due ragazze? ....

2) Quale delle due si sente stanchissima? ....
3) Perché è stanca? ....
4) A quale concerto è andata? ....
5) Come suona quel complesso di solito? ....
6) Anche ieri sera ha suonato bene? ....

Quadro 5/6

In un negozio di confezioni

Cliente: «Mi potrebbe cambiare, per piacere, questo pullover?»

Commessa: «Come mai, che cosa c'è che non va?»

Cliente: «Non mi pare che sia la taglia giusta per me».

Commessa: «Le sembra troppo grande o troppo piccolo?»

Cliente: «Troppo piccolo».

Commessa: «Qual è la Sua taglia, mi scusi?»

Cliente: «Non ne sono sicuro. Vorrebbe prendermi le misure?»

Commessa: «Ma certo, perché no! Vediamo! La Sua taglia è il 46. E il pullover di che taglia è?»

Cliente: «44».

Commessa: «Allora ha ragione! Ora glielo cambio».

Cliente: «Grazie».

Quadro 6/6

In un negozio di confezioni - 2

Stimolo alla produzione scritta

Scrivere il dialogo che avviene fra il cliente e la commessa. Il cliente vuole cambiare la camicia, che gli ha regalato sua moglie.

Quadro 7/6

In albergo

Viaggiatore: «Vorrei una camera».
Portiere: «Singola o doppia?»
Viaggiatore: «Doppia, per favore».
Portiere: «Con bagno?»
Viaggiatore: «Certamente, con bagno».
Portiere: «Per quante notti?»
Viaggiatore: «Per una sola notte».
Portiere: «Camera 536 al quinto piano. Mi dà un documento, per favore?»

Quadro 8/6

Al ristorante

Filangeri: «Cameriere! Abbiamo prenotato un tavolo per quattro».
Cameriere: «Come si chiama, scusi?»
Filangeri: «Sono il Dottor Filangeri».
Cameriere: «Ah, bene! mi segua: il Suo tavolo è qui, vicino alla finestra, va bene?»
Filangeri: «Benissimo, grazie».
Cameriere: «Vogliono ordinare subito?»
Filangeri: «Sì, prego».
Cameriere: «Cominciano con un antipasto?»
Filangeri: «Sì, antipasto misto per tutti».
Cameriere: «Vino?»
Filangeri: «Sì, vino bianco e acqua minerale».
Cameriere: «Va bene il vino della «casa», o preferisce un vino speciale?»
Filangeri: «Ci porti una bottiglia di «Torre di Giano».
Cameriere: «Vogliono ordinare anche il primo?»
Filangeri: «Luisa, che cosa prendi?»
Luisa: «Tortellini al ragù».
Paolo: «Per me, tagliatelle al tartufo».
Manuela: «Anche per me»
Filangeri: «Per me spaghetti alla carbonara».
Cameriere: «Va bene».

(*passa del tempo, il cameriere torna e domanda*):

Cameriere: «Hanno scelto il secondo?»
Filangeri: «Sì, due bistecche, un filetto ai ferri, agnello arrosto e insalata per tutti».

(*passa dell'altro tempo, il cameriere torna e domanda*):

Cameriere: «Prendono il dolce?»
Filangeri: «No, ci porti la frutta e un buon caffè».

(*alla fine del pranzo*):

Filangeri: «Cameriere! Il conto per favore».

(*dopo aver pagato il conto e aver lasciato una buona mancia, le due coppie escono*).

Stimolo alla produzione orale:

— Ti piace la cucina italiana?
— Quale «piatto» preferisci?
— Sai quali sono gli ingredienti di questo «piatto» e come si prepara?
— In casa tua si cucinano qualche volta piatti italiani?

Quadro 9/6

Qualche ricetta

1) SPAGHETTI ALLA CARBONARA (PER 4 PERSONE)

Ingredienti: 400 gr. di spaghetti - 100 gr. di guanciale o pancetta di maiale tagliato a dadi piccoli - 20 gr. di margarina - tre uova intere - 30 gr. di parmigiano o di pecorino grattugiato - sale - pepe appena macinato - olio d'oliva.

Preparazione: fate rosolare il guanciale con un cucchiaio di margarina. In una scodella sbattete le uova finché siano ben amalgamate, aggiungetevi allora il parmigiano, due cucchiai di olio d'oliva, un pizzico di sale, il pepe appena macinato, affinché conservi tutta la sua fragranza.
Nel frattempo avrete lessato gli spaghetti in abbondante acqua e un pizzico di sale, li avrete scolati bene. Nella stessa pentola, dove gli spaghetti sono stati lessati, ancora ben calda, versatevi gli spaghetti scolati, il guanciale, le uova dove avete aggiunto tutti quegli ingredienti come detto sopra, e servite subito, dopo aver mescolato ben bene.

2) La polenta

Ingredienti per 6 persone: gr. 500 di farina di granoturco, litri 2 di acqua e un po' di sale.

Preparazione: versate l'acqua possibilmente in un caldaio (in mancanza di questo servitevi di un qualsiasi recipiente), salatela e, quando l'acqua inizierà a bollire, abbassate la fiamma (o togliete addirittura il caldaio dal fuoco) e gettatevi a pioggia la farina con la mano destra, mescolate contemporaneamente per tutta la durata di cottura della polenta con un mestolo di legno. Dopo una mezz'ora la polenta sarà cotta. Per sicurezza regolatevi da questo fattore: la polenta sarà perfettamente cotta quando si staccherà dalla parete del caldaio o del recipiente di cottura.

3) Pollo alla cacciatora

Ingredienti per 4 persone: un pollo da un Kg e mezzo, sei cucchiai d'olio d'oliva, gr. 300 di pomodori pelati, mezzo bicchiere di vino bianco secco, un bicchiere di brodo, un rametto di rosmarino, uno spicchio d'aglio, sale e pepe a proprio gusto.
Preparazione: per prima cosa preparate il pollo come di consueto, lavatelo bene, fatelo a pezzi e metteteli nel tegame. Conditeli con l'olio e con sale e pepe. Aggiungete il rosmarino e l'aglio. Fate rosolare la carne a fuoco allegro, quindi innaffiatela con il vino e, quando questo sarà evaporato, versate nel tegame i pomodori passati con il passa-tutto. Portate a termine la cottura della carne, aggiungendo gradatamente il brodo. Togliete il pollo dal fuoco quando nel fondo del tegame si sarà formato un sugo lievemente concentrato. Togliete e gettate via il rosmarino e l'aglio dal sugo. Mettete la carne nel piatto di portata e innaffiatela con il sugo.

Stimolo alla produzione orale o scritta

descrivete:

1) una ricetta di un piatto molto popolare nel vostro paese;
2) la ricetta di come la vostra nonna preparava un dolce per Natale.

Chiedete alla vostra insegnante
(al vostro insegnante):
1) la ricetta per fare un buon sugo;
2) la ricetta per fare gli gnocchi di patate;
3) la ricetta di un piatto che vi è piaciuto molto.

4) DOLCE: TORTA ALLO YOGURT

Ingredienti: (per 4 persone)
Yogurt .... gr. 125
Farina.. » 70
Olio d'oliva.. » 25
Due ova
Zucchero .... » 30
1/2 bicchiere di Rhum
una cartina di lievito per dolci da 1/2 Kg.
Tre mele
un pizzico di sale.

Preparazione:
Battere le uova con lo zucchero e l'olio; aggiungere lo yogurt ed un pizzico di sale. Tagliare a piccole strisce le mele, aggiungerle, insieme alla cartina, alle uova. Aggiungere lentamente la farina e poi il rhum.
Imburrare una teglia da dolci e cospargerla di farina. Versarvi l'impasto ottenuto. Cottura: in forno a 180° per 40 minuti.

5) UNA FAMOSA SALSA: PESTO ALLA GENOVESE

Ingredienti:
Basilico.. gr. 300
Maggiorana .... » 50
Prezzemolo .... » 50
Un grosso spicchio d'aglio, 1/2 bicchiere d'olio, formaggio pecorino

Preparazione:
Pestate finemente il tutto, aggiungete 50 gr. di formaggio pecorino grattugiato, continuate a pestare, aggiungendo 1/2 bicchiere d'olio, un poco alla volta. Dovete ottenere una pasta di un bel verde.
Questa salsa serve per condire la pasta asciutta, gli gnocchi di patate, il risotto e il minestrone.

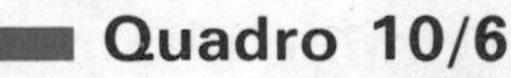

Quadro 10/6

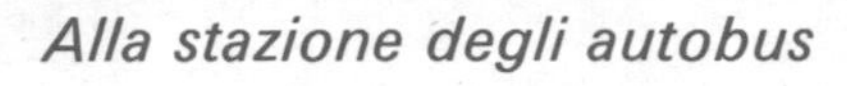

Alla stazione degli autobus

Signore: «Scusi, Signorina, ho perduto la mia borsa stamattina».
Signorina: «Dove l'ha persa?»
Signore: «Nell'autobus N. 32».
Signorina: «Bene, Lei è fortunato. L'ha trovata l'autista».
Signore: «Sia ringraziato il cielo! Ho avuto tanta paura».
Signorina: «Eccogliela! Me l'ha consegnata proprio poco fa».

perdere /perduto /perso		**ritrovare/ritrovato**		
Ho perduto perso	la borsa la valigia la macchina fotografica	Un'ora Due ore	fa	l'ho ritrovata.
	il mazzo delle chiavi l'ombrello	Poco		l'ho ritrovato.

Se non fate presto	**perderete**	il treno. l'autobus. la lezione.
Facciamo qualcosa, non	**perdiamo**	tempo!
Ha giocato a poker	**ha perso**	molto denaro.
Ho da fare, non farmi	**perdere**	tempo!

Quadro 11/6

L'attaccabottoni

Carlo: «Senti un po', fermati un momento!»
Piero: «Ho molta fretta, mi aspettano a casa».
Carlo: «Ma ne vale la pena: è la mia nuova avventura. Dunque ...».
Piero: «Ma che fai, mi attacchi il tuo solito bottone? Scusami, ma devo proprio andare».

Stimolo per una ricerca comparata fra L/1 ed L/2:

Con l'aiuto dell'insegnante cercate l'equivalente del seguente modo di dire: attaccare un bottone a qualcuno.

Quadro 12/6

L'amico insistente

— Vuoi una sigaretta?
— No, grazie. Sto cercando di smettere di fumare.
— Ma va! Prendila!
— No, veramente! Mi è venuta una brutta tosse. È meglio di no, grazie!

Quadro 13/6

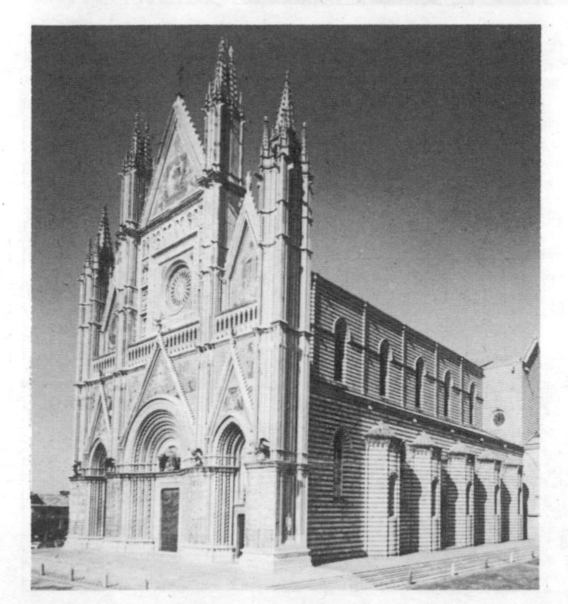

— Dove siete stati il fine-settimana scorso?
— Siamo stati ad Orvieto.
— Ad Orvieto? Molto bene! E come ci siete andati?
— Abbiamo fatto l'autostop.
— Quanto tempo c'è voluto?
— Un paio d'ore.

Orvieto: Duomo, facciata e lato sud.

Momento grammaticale 6.2

Ci	vuole ancora molto tempo. vogliono molti soldi per vivere oggi. vuol ben altro!

Quadro 14/6

Marta è depressa

Marta: «Che noia!»

Rita: «Fa' qualcosa, non stare con le mani in mano».

Marta: «Non ho voglia di fare niente».

Rita: «Muoviti, non stare inattiva, fa' una cosa qualunque! Lavati i capelli, metti in ordine i vestiti nell'armadio, metti la biancheria nei cassetti ... muoviti, non stare lì come una mummia...».

Marta: «Hai ragione, ma proprio non ce la faccio. Mi sento inutile».

Rita: «Sai che ti dico allora? Prenditi una vacanza. Ti ricordi della casetta che ho in riva al lago? Vacci per qualche giorno, fa' qualche passeggiata all'aria aperta, parla con la gente. Parti oggi stesso!»

Quadro 15/6

Si gira!

Il regista: «Fate silenzio, per favore! Bene! Cristian, apri la porta, entra, non ti muovere ora, avanza verso Virginia, prendile la mano, guardala negli occhi ... Non ridere! ... sorridi!
Virginia sorrida a Cristian .. lo guardi negli occhi! Non rida! ... Ora chiuda gli occhi! ... Cristian baciala!
Così va bene. Ora Cristian va verso la porta ... Così va bene, esci e chiudi la porta! Benissimo.
Accendete i riflettori, azionate i microfoni, metti in moto la cinepresa ... Azione!

Quadro 16/6

Momenti così

Momento grammaticale 6.3 / imperativo

Parla **Parli** **Parliamo** **Parlate** **Parlino**	lentamente!

Leggi **Legga** **Leggiamo** **Leggete** **Leggano**	questo libro! questa rivista!

Parti **Parta** **Partiamo** **Partite** **Partano**	domani!

Finisci **Finisca** **Finiamo** **Finite** **Finiscano**	quel lavoro!

Sii **Sia**	gentile!
Siamo **Siate** **Siano**	gentili!

Abbi **Abbia** **Abbiamo** **Abbiate** **Abbiano**	pazienza ancora un po'!

Scrivi **Scriva** **Scriviamo** **Scrivete** **Scrivano**	con la penna!

Non	**scrivere** **scriva** **scriviamo** **scrivete** **scrivano**	con la matita, ma con la penna!

Di'	tutto quello	che	**sai**
Dica			**sa**
Diciamo			**sappiamo**
dite			**sapete**
Dicano			**sanno**

Non	**dire** **dica** **diciamo** **dite** **dicano**	più niente!

Sta' **Stia**	tranquilla/o!
Stiamo **State** **Stiano**	tranquille/i!

Non	**stare** **stia**	preoccupata/o!
	stiamo **state** **stiano**	preoccupate/i!

Dammi **Mi dia** **Diamogli** **Datemi** **Mi diano**	il giornale di questa mattina!

Non	**darmi** **mi dia** **diamogli** **datemi** **mi diano**	il giornale di ieri!

Va' **Vada** **Andiamo** **Andate** **Vadano**	piano!

Non	**andare** **vada** **andiamo** **andate** **vadano**	sempre	in fretta! di corsa!

Fa' **Faccia** **Facciamo** **Fate** **Facciano**	con calma!

Non	**fare** **faccia** **facciamo** **fate** **facciano**	tardi!

Esci **Esca** **Usciamo** **Uscite** **Escano**	un po'!

Non	**uscire** **esca** **usciamo** **uscite** **escano**	con questo cattivo tempo!

6.0.0. Categorie di funzione comunicativa

Siamo a tavola: ho bisogno del pane che però è lontano da me; chiedo:		
ad un amico	Mi passeresti Mi dai Ti dispiace di passarmi	il pane?
	Dammi	Il pane, per favore!
ad un signore con cui ho un rapporto formale	Mi passerebbe Mi dà, per favore Mi darebbe, per favore Le dispiacerebbe di passarmi	il pane?

Stimolo alla produzione orale

1) Siete a tavola, avete bisogno del sale. Chiedete ad una signora di passarvelo.
2) Chiedete ad un amico di passarvelo.

Esercizio 73:

trasformate le seguenti frasi, secondo il modello:

Modello	Devi venire da me stasera. Vieni da me stasera!

1) Deve passare in biblioteca. ....
2) Devono scrivere con la penna. ....
3) Deve essere gentile: deve finire il lavoro per la settimana prossima. ....
4) Dovete avere pazienza; dovete ripassare domani. ....
5) Devi uscire un po'. ....
6) Deve parlare più lentamente, La prego. ....
7) Dovete smettere di parlare tutti insieme. ....
8) Si deve affrettare, perché è tardi. ....
9) Deve leggere questo libro: è veramente interessante. ....
10) Devi fare qualcosa! ....
11) Dovete far presto! ....
12) Devono prendere qualcosa da bere! ....
13) Devi riportare questi libri a Marco! ....
14) Mi devi scusare: sono in ritardo, perché ho perduto l'autobus! ....
15) Dovete leggere ad alta voce! ....
16) Marta deve essere più severa con i suoi scolari! ....

Esercizio 74:

trasformate le seguenti frasi, secondo il modello:

Modello	Non devi farlo più! Non farlo più!

1) Non devi pensarci più! ....
2) Non devono pensarci più! ....
3) Non deve fare sempre tanti complimenti! ....
4) Non dovete essere tanto preoccupati! ....
5) Non dovete fare tanto rumore! ....
6) Non devi parlare così in fretta! ....
7) Non dobbiamo preoccuparci: ci penserà lui! ....
8) Non deve andare più da Paolo: verrà lui da Lei! ....
9) Non dovete affrettarvi: c'è ancora più di un'ora e mezzo alla partenza! ....
10) Non devi prendere questo autobus: non va alla stazione! ....
11) Non dovete dirmi più niente: so quello che c'è da fare! ....
12) Non deve uscire senza ombrello: sta piovendo! ....
13) Non dovete entrare: il concerto è già cominciato! ....
14) Devi far piano: la mamma dorme! ....

Esercizio 75:

trasformate le seguenti frasi, secondo il modello:

Modello

Vorrebbe cantare questa canzone. La canti pure!

1) Vorrebbe fumare una sigaretta. ....
2) Vorrebbe bere una birra. ....
3) Vorrebbe finire quel lavoro. ....
4) Vorrebbe aspettare Maria. ....
5) Vorrebbe prendere un gelato. ....
6) Vorrebbe prenotare le stanze in quell'albergo. ....
7) Vorrebbe comprare quel quadro. ....
8) Vorrebbe mangiare una pizza. ....
9) Vorrebbe finire gli esercizi. ....
10) Vorrebbe ascoltare tutto il concerto. ....

Esercizio 76:

trasformate ogni frase, secondo il modello:

Modello

Potremmo prendere questo libro? E perché no? Lo prendano pure.

1) Potremmo ascoltare questi dischi? ....
2) Potremmo chiedere delle spiegazioni? ....
3) Potremmo invitare le Sue figlie? ....
4) Potremmo tenere ancora i Suoi dischi? ....
5) Potremmo raccontare un paio di storielle? ....
6) Potremmo mostrare le foto? ....
7) Potremmo ordinare i caffè? ....
8) Potremmo accendere la stufa? ....
9) Potremmo uscire? ....

Esercizio 77:

trasformate ogni frase, secondo il modello:

Modello

Potrei chiudere la finestra? No, per favore, non chiuderla.

1) Potrei fumare una sigaretta? ....
2) Potrei aprire la porta? ....
3) Potrei accendere la televisione? ....

4) Potrei prendere la tua macchina? ....
5) Potrei invitare i miei amici? ....
6) Potrei ascoltare la radio? ....
7) Potrei finire quel lavoro? ....
8) Potrei invitare Paola? ....
9) Potrei rifiutare quell'offerta? ....
10) Potrei aprire la finestra? ....

Stimolo alla produzione orale:

1) Invita un amico a casa tua (usa il verbo venire).
2) Invita la tua insegnante a prendere un aperitivo (usa il verbo venire).
3) Chiedi ad uno studente il suo dizionario (usa il verbo prestare).
4) Di' al cameriere di portare il menu e la lista dei vini.

Momento grammaticale 6.4 / imperativo + pronomi

lavare		
Lava **Lavate** **Lavi**	i capelli!	**Lavali!** **Lavateli!** **Li lavi!**
Non lavare		**Non lavarli!**

prendere		**portare**
Prendi **Prendete** **prenda**	il programma!	**Prendilo** e **portamelo!** **Prendetelo** e **portatemelo!** Lo **prenda** e me **lo porti**!
Non prendere	l'autobus!	**Non prenderlo!**

Dammi le chiavi!		**Dammele!**
Dammi **Non darmi** **Ci dia** **Diamogli** **Diamole** **Dateci** **Mi diano**	le chiavi!	**Dammele!** **Non darmele!** **Ce le dia!** **Diamogliele!** **Diamogliele!** **Datecele!** **Me le diano!**

<table>
<tr><td colspan="2">Fammi un caffè!</td><td colspan="4">Fammelo!</td></tr>
<tr><td>Fammi
Mi faccia</td><td rowspan="7">un caffè!</td><td>Fammelo
Me lo faccia</td><td rowspan="7">subito!</td><td>Ho</td><td rowspan="7">Molta fretta.</td></tr>
<tr><td>Gli faccia
Le faccia</td><td>Glielo faccia</td><td rowspan="2">Ha</td></tr>
<tr><td>Facciamogli
Facciamole</td><td>Facciamoglielo</td></tr>
<tr><td>Fatemi</td><td>Fatemelo</td><td>Ho</td></tr>
<tr><td>Fategli</td><td>Fateglielo</td><td>Ha</td></tr>
<tr><td>Mi facciano</td><td>Me lo facciano</td><td>Ho</td></tr>
<tr><td>Gli facciano
Le facciano</td><td>Glielo facciano</td><td>Ha</td></tr>
</table>

andare	
Va a casa! Andate al bar!	Vacci subito! Andateci!
Non andare là adesso!	Non andarci adesso!
Vada là subito!	Ci vada subito!
Non vada là adesso!	Non ci vada adesso!

parlare	
Parlami di Paola!	Parlamene!
Parlateci del vostro viaggio!	Parlatecene!
Ci parli di lui!	Ce ne parli!
Non ci parli più di lui!	Non ce ne parli più!
Non parlarmi più di questo!	Non parlarmene più!

ancora .... (un po’) (qualcosa)	**non più** .... (niente)
Vuoi ancora un po’ di burro? Hai ancora bisogno del dizionario? Prendete ancora qualcosa? Ne prende ancora un po’?	No, non ne voglio più. No, non mi serve più. No, grazie! non prendiamo più niente. No, grazie! non ne voglio più.

Esercizio 78:

trasformate ogni frase, secondo il modello:

Modello

Dammi *il libro*.
Dammelo!

1) Prendete *le matite*. ....
2) Prestagli *il tuo dizionario*! ....
3) Mi cambi queste *10.000 lire*! ....
4) Andatemi a prendere *le sigarette*. ....
5) Scrivetele *una lettera*! ....
6) Mandatemi *una cartolina*! ....
7) Mi passi *il sale*! ....
8) Ci passi *quelle riviste*! ....
9) Passami *quei giornali*! ....

Esercizio 79:

trasformate ogni frase, secondo il modello:

Modello

Prendi un altro caffè! Prendine un altro!

1) Comprate un altro libro! ....
2) Prenda un altro cioccolatino! ....
3) Scrivete un altro esercizio! ....
4) Scrivi un'altra lettera!. ....
5) Mangia un'altra fetta! ....
6) Versami un altro bicchiere! ....
7) Portagli un altro bicchiere (d'acqua)! ....
8) Passale un'altra arancia! ....
9) Bevi un'altra birra! ....

Esercizio 80:

trasformate ogni frase nella forma negativa, secondo il modello:

Modello

Mangiane ancora!
Non mangiarne più!

1) Prendine ancora! ....
2) Bevetene ancora! ....
3) Ne prenda ancora! ....
4) Fumatene ancora! ....
5) Ne prenda ancora un po'! ....
6) Compramene ancora! ....
7) Ne assaggi ancora! ....
8) Parlami ancora di lui! ....

9) Buona questa grappa, ma non ....
....
10) È buona questa torta, ma non..
....

Esercizio 81:

trasformate ogni frase, nella forma negativa:

Modello

Alzati alle cinque! Non alzarti alle cinque!

1) Ascolta quello che ti dicono!...
2) Sedetevi qui vicino al caminetto!...
3) Andate a vedere quella commedia! Andateci!......................................
4) Chiudi quelle finestre! ....
5) Leggete quella rivista! Leggetela! ....
6) Smetta di studiare! ....
7) Si affacci alla finestra! ....
8) Rispondi al telefono! ....
9) Dille che cosa farai! ....
10) Va' a Roma! Vacci!...
11) Si tolga il cappello!...

Esercizio 82:

trasformate ogni frase, secondo i due modelli:

Modelli

1) Devi scrivere quella lettera! *a*) Scrivi quella lettera! *b*) Scrivila! 2) Non dovete prendere quel libro! *a*) Non prendete quel libro! *b*) Non prendetelo!

1) Devi scrivere a Mario. *a*) .... *b*) ....
2) Dovete accendere le lampade. *a*) .... *b*) ....
3) Devi consegnare questo pacco a tuo fratello. *a*) ....
b) ....
4) Dovete restituire i libri al professore. *a*) ....
b) ....
5) Deve indicargli la strada. *a*) .... *b*) ....
6) Dovete chiamare il medico. *a*) .... *b*) ....
7) Devi lavarti le mani. *a*) .... *b*) ....
8) Non dovete dare questi libri a Marta! *a*) ....
b) ....
9) Non deve aprire le finestre. *a*) .... *b*) ....

Quadro 17/6

Fai da te

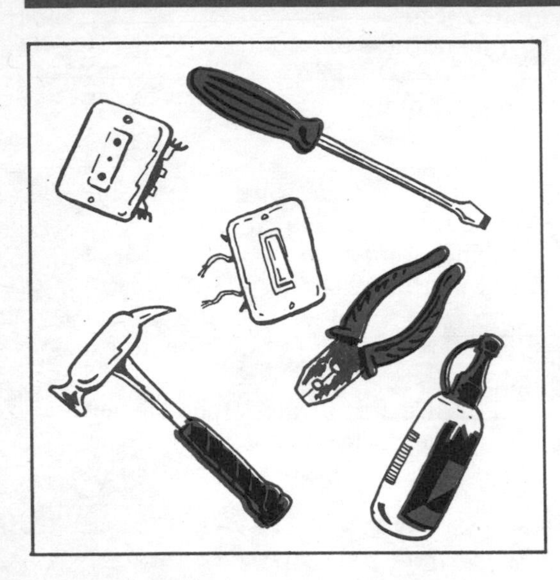

Marco: «Non hai ancora riparato quella presa?»
Franco: «No, non ho avuto tempo».
Marco: «Riparala adesso, allora!»
Franco: «Va bene! Ma il cacciavite, dov'è?»
Marco: «Non lo so, cercalo!»
Franco: «Non lo trovo, la riparerò domani».

Quadro 18/6

Stimoli alla produzione orale:

Alcune cose in casa tua non funzionano; chiedi a tuo fratello o a tuo padre di aiutarti nelle seguenti situazioni:

1) il rubinetto gocciola in continuazione;
2) il lavandino perde: l'acqua esce dal sifone;
3) la sedia ha una gamba più corta;
4) una gamba del tavolo è molto vecchia e rovinata;
5) un cassetto non si apre.

Momento grammaticale 6.5 / ecco + pronomi

Dove è il cacciavite? .... eccolo!
Dove è la presa? .... eccola!
Dove sono le pinze? .... eccole!
Dove sono i chiodi? .... eccoli!
Dove sono le scarpe? .... eccole!

Dove sei, Paola? .... eccomi!
Bambini, dove siete? .... eccoci!

<table>
<tr><td>Ne</td><td colspan="2">Quante sigarette hai fumato?</td><td>Ne ho fumate dieci.
Non ne ho fumata nessuna.</td></tr>
<tr><td>Ne = da</td><td>questo
quel</td><td>posto</td><td>Non posso stare più qui: me ne vado.
Vattene!</td></tr>
<tr><td>Ne = di</td><td>questa
quella</td><td>cosa
persona</td><td>— Non si preoccupi di questo: non se ne preoccupi. Me ne interesserò io.
— Ne parleremo domani.
— Ti piace la mia idea? che (cosa) ne dici?
— Scusa, l'ho fatto senza accorgermene.
— Non lo chiedere a lui: di queste cose non se ne intende.
— Ricordati di dire a tuo fratello che l'aspetto a casa. Non dimenticartene!
— Basta così. Non voglio più sentirne parlare.</td></tr>
</table>

La strada della felicità

La strada della felicità è quella dove abito io col mio Papà, la mia mamma, mia sorella Patrizia, l'automobile, il cane e il nonno Giuseppe che è rimasto solo e vive con noi.
Per me la strada di una città è come una piccola città, con intorno il mondo. La gente va e viene sul tram che assomiglia a un treno ma è più piccolo, o sull'autobus che assomiglia a un'automobile ma è più grande, o addirittura sull'automobile come fa il mio Papà che lavora. Invece il portalettere adopera il motorino perché così fa prima, e la guardia notturna arriva in bicicletta perché così i ladri non la sentono arrivare e non scappano.
La mia strada non è grande ma ha molti occhi che sono le finestre delle case, e dietro a una di queste finestre c'è la mia stanza col letto dove dormo e i giochi e i libri di scuola.
Nella mia strada ci sono un mucchio di automobili di tutte le marche e alla sera c'è anche quella del mio Papà che è molto veloce.

Da *La strada della Felicità* di Aurelio Pellicanò (vivente) - Arnoldo Mondadori, 1975.

6.0.1. Categorie di funzione comunicativa

<table>
<tr><td>Ti dispiacerebbe
Ti dispiace
Potresti
Vorresti
Vuoi</td><td colspan="2">chiudere la finestra?</td></tr>
<tr><td>Vorresti
Vuoi</td><td>farmi il favore</td><td>di chiudere la finestra?</td></tr>
<tr><td>Chiudi la finestra</td><td colspan="2">per favore!
per piacere!</td></tr>
<tr><td>Che ne diresti</td><td colspan="2">di chiudere la finestra?</td></tr>
</table>

Stimoli alla produzione orale:

Quali forme usereste:
1) per dire ad un'amica (ad un amico) di aprire la finestra?
2) per invitare la vostra insegnante ad una festa che darete sabato pomeriggio?
3) per chiedere a vostra sorella (a vostro fratello) di prepararvi la valigia?

Elementi linguistici di coesione

vedrai - vedrà		vedi - vede
Situazione		
Mario non vuole andare a vedere una commedia musicale di un giovane autore al Festival di Spoleto.	Un amico lo esorta.	Vacci e vedrai che ti piacerà.
	L'insegnante di musica cerca di convincerlo	Le garantisco (Le assicuro) che è uno spettacolo che merita. Ci vada e vedrà che Le piacerà.
Sta per piovere: Carla vuole uscire senza ombrello	La mamma vuol farle cambiare idea	Ma non vedi come è nuvolo, sta per piovere. Prendi l'ombrello, dammi retta!
	La padrona della pensione:	Vuole uscire senza ombrello? Non vede che sta per piovere? Prenda l'ombrello e si metta anche l'impermeabile

Stimoli alla produzione orale:

Che cosa direte nelle seguenti situazioni:
1) Paolo ha un forte raffreddore con tosse e febbre. Non vuole rimanere a casa: vorrebbe andare a vedere la partita di calcio.
2) C'è un bel concerto per pianoforte ed orchestra al teatro della città. Un gruppo di studenti preferirebbe andare in discoteca. Voi cercate di convincerli ad andare a sentire il concerto.

Stimolo per una ricerca comparata fra L/1 ed L/2:

Con l'aiuto dell'insegnante cercate l'equivalente dei seguenti modi di dire nella vostra lingua:
1) mangiare a ufo;
2) essere (sentirsi) un pesce fuor d'acqua;
3) cadere dalla padella nella brace.

UNITA' 7

Quadro 1/7

Un pic nic

Marco: «Avete portato la birra?»
Rosi: «Sì, ce l'abbiamo».
Rita: «Ecco il fornello. Ma non vedo la bomboletta del gas. Non ce l'avete?»
Rosi: «Sì che ce l'abbiamo. Ne ho comprata una proprio ieri. Cercala nell'altra borsa».

Quadro 2/7

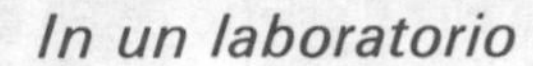

In un laboratorio

— Chi ha preso il cacciavite?
— Ce l'ho io.
— Dove l'hai messo il saldatore?
— È lì, vicino a te, dietro al televisore che stai riparando!

Momento grammaticale 7.0.

Hai un francobollo? Hai un fiammifero?	Sì No, non	ce l'ho,

avete i fogli?	Sì No, non	ce li abbiamo.

Ha le sigarette?	Sì No, non	ce le ho.

Quadro 3/7

Un bugiardo

Mamma: «Di chi è quel pallone?
Pierino: «È mio!»
Mamma: «Tuo? E chi te l'ha dato?»
Pierino: «Me l'ha regalato il nonno».
Mamma: «Il nonno? Ma come? se non viene a trovarci da più d'un mese. Non mi dire bugie, eh!»
Pierino: «L'ho trovato, mamma».
Mamma: «Dove l'hai trovato?»
Pierino: «Là, giù ... sulla piazzetta davanti al portone di Carletto».
Mamma: «Ah, ora comincio a capire: quello è il pallone di Carletto, vero?»

Pierino: «Ma te lo giuro, era fuori sullo scalino».
Mamma: «Vuol dire che Carletto ce l'ha lasciato. Adesso corri da lui a riportarglielo, va bene?»
Pierino: «Sì, ho capito ... va be...ne!»

7.0.0. Categorie di funzione comunicativa

Pierino alla mamma: «È mio, l'ho trovato!»	— Non prendermi in giro. — Non prendermi per il naso.
Pierino alla mamma: «Sono il più bravo a scuola!»	— Non darmela a bere. — Non dire bugie. — Non raccontarmi balle.

Stimoli alla produzione orale

Che cosa direste ad un amico, che vuol farvi credere che:
1) ha comprato una «Ferrari»;
2) ha fatto 13 al totocalcio?

e ad un'amica, la quale vuol farvi credere che:
1) è stata lei a lasciare il suo ragazzo;
2) compra i suoi vestiti soltanto nelle più famose boutiques del centro;
3) che sposerà il nipote di un ricco industriale?

Quadro 4/7

Al telefono

— Pronto, chi parla?
— ....
— Mi dispiace, ma la signorina non è in casa. Che cosa vuole che le dica?
— ....
— Va bene, stia sicuro, glielo dirò.

Quadro 5/7

Carlo e Pierino

Carlo: «Mi presti la tua bicicletta? Vorrei farci un giro».
Pierino: «No, non te la presto».
Carlo: «Ma perché non vuoi prestarmela? Ci faccio soltanto un giretto qui intorno».
Pierino: «No, è mia e non voglio dartela neanche per un giretto!»
Carlo: «Ma io ti faccio giocare con le mie macchinine ed anche con il video-gioco: sei cattivo oggi!»
Pierino: «E va bene, prendila e facci un giretto qui intorno, ma non fare come l'altro ieri, che non tornavi mai!»

Quadro 6/7

Arrivano i nonni

Mamma: «Ecco i nonni che stanno arrivando. Dov'è Caterina?
Carla: «È in giardino che annaffia i fiori».
Mamma: «Corri a dirle che venga subito, i nonni sono arrivati. Ma sbrigati, va' a dirglielo».

Momento grammaticale 7.1. / pronomi personali doppi

1)	Mi	dai presti passi	la penna? le penne? il giornale? i giornali?

Sì	**te la** **te le** **te lo** **te li**	do. presto. passo.

2)	Mi presta	la Sua auto?	Sì	**gliela**	presto	volentieri.
		le Sue video-cassette?		**gliele**		
		il Suo libro?		**glielo**		
		i Suoi dischi?		**glieli**		

3)	Le	ha dato	la penna?	Sì	me l'ha data.
			le penne?		me le ha date.
			il giornale?		me l'ha dato
			i giornali?		me li ha dati

4)	Hai dato	a Mario	la tua penna?	No,	non	**gliel**'ho data.
			le tue penne?			**gliele** ho date.
			il tuo libro?			**gliel**'ho dato.
			i tuoi libri?			**glieli** ho dati.

5)	Hai prestato	a Paola	la tua sciarpa?	Sì	**gliel**'ho prestata.
			le tue scarpe?		**gliele** ho prestate.
			il tuo vestito?		**gliel**'ho prestato.
			i tuoi stivali?		**glieli** ho prestati.

Esercizio 83:

rispondete alle domande usando i pronomi doppi, secondo il modello:

Modello	Mi presti la penna?	Sì, te la presto.

1) Mi presta la Sua penna? — Certamente, ... volentieri: eccogliela
2) Mi passi il libro? — .... subito.
3) Mi dici che cosa pensi? — No, non ....
4) Quando mi presenti la tua amica? — .... domani.
5) Li porterai a tua madre? — Sì, ... stasera.
6) Mi prepareresti un buon caffè? — Sì, ... molto volentieri.
7) Mi dici che cosa hai fatto ieri sera? — No, non ....
8) Quando restituirà i libri a Marta? — .... quando avrò finito di leggerli.
9) Chi preparerà le valigie a Sua sorella? — .... io!

Esercizio 84:

rispondete alle domande usando i pronomi doppi, secondo il modello:

Modello	Le ha riportato il libro il Suo amico?	Sì, me l'ha riportato.

1) Ti ha consegnato le lettere la segretaria? Sì, ...
Quando te le ha consegnate? .... stamattina.
2) Quante cartoline ti ha mandato Irene? .... tre.
3) Chi ti ha consigliato di comprare quest'orologio? .... Mario.
4) Chi vi ha raccontato queste storie? .... Mariella.
5) Chi Le ha regalato queste belle cravatte? .... mia moglie.
6) Mi avete già preparato le valigie? No, non .... ancora .... prepareremo più tardi.
7) Chi ha offerto queste belle rose a tua sorella? .... il suo ragazzo.
8) Dove mi avete messo la borsa? .... sotto la scrivania.
9) Avete portato i giornali a Giorgio? Sì, ... stamattina.

Esercizio 85:

trasformate secondo il modello:

Modello	Penso di presentarti Marta stasera. Penso di presentartela stasera.

1) Penso di presentarLe i miei amici al ricevimento.
....
2) Mi dispiace, non posso prestarti la mia macchina.
....
3) Gradisce una tazza di tè? Posso prepararLe una tazza di tè?
....
4) Voglio farmi fare un vestito su misura.
....
5) Non pensa di riportarmi i miei libri?
....
6) Quando pensa di restituirmi il denaro?
....
7) Vorrebbe spiegarmi la lezione ancora una volta?
....
8) Ci dispiace, non possiamo raccontarti di nuovo questa storia.
....
9) Dovresti farti riparare queste scarpe.
....
10) Non abbiamo avuto tempo di prepararti la cena.
....
11) Quando pensa di restituirmi il dizionario?
....
12) Quando crede di finirgli quel lavoro?
....

Osservate:

1) Gli ho detto	di non uscire.
Gliel'	ho detto.
2) Vi prometto	che farò tutto quello che è necessario.
Ve	lo prometto.
3) Ti assicuro	che me ne interesserò.
Te	lo assicuro.

7.0.1. Categorie di funzione comunicativa

L'autobus che va all'aeroporto partirà fra mezz'ora.	
Ad un amico, che si attarda a preparare la valigia:	Sbrigati! Fa' presto! Non gingillarti!
Ad una signora, che perde tempo davanti allo specchio:	Si sbrighi! Faccia presto! Non perda tempo!
Ai tuoi bambini, che continuano a giocare con le macchinine:	Sbrigatevi! Fate presto! Non perdete tempo! Non gingillatevi!

Momento grammaticale 7.2 / pronomi personali doppi

dare						
do diamo	la	ricevuta	a Mario	la + a lui	**gliela**	do diamo
dai date	le	ricevute	al professore	le + a lui	**gliele**	dai date
dà danno	il	giornale	alla signorina	lo + a lei	**glielo**	dà danno
	i	giornali	alle signorine	li + a loro	**glieli**	

Voglio dare	la rivista le riviste	a te	Voglio	dar**tela** dar**tele**
	il disegno i quadri	a voi		dar**velo** dar**veli**

<table>
<tr><td rowspan="2">Vuole dare</td><td>la pesca
le pesche</td><td>a me</td><td rowspan="2">Vuole</td><td>darmela
darmele</td></tr>
<tr><td>il biglietto
i biglietti</td><td>a noi</td><td>darcelo
darceli</td></tr>
</table>

Ti darò un foglio.	**Te ne** darò uno.
Le darò molti fogli.	**Gliene** darò molti.
Non Le ho dato delle arance.	Non **gliene** ho data nessuna.
Mi ha consegnato poche riviste.	**Me ne** ha consegnate poche.
Vuole darvi tre di questi giornali.	Vuole dar**vene** tre.

Quadro 7/7

Le montagne

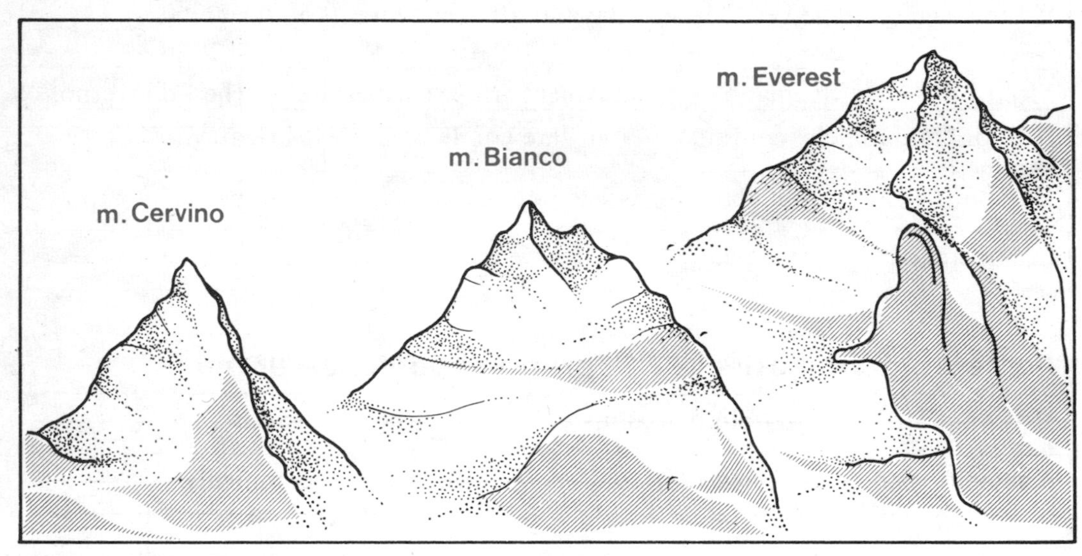

Osservare il profilo di queste tre montagne. Il Cervino, alto m. 4478 è meno alto del Monte Bianco (m. 4810). L'Everest (m. 8848) è più alto del Monte Bianco. Il Monte Bianco è il monte più alto d'Europa. L'Everest è il monte più alto del mondo.

Momento grammaticale 7.3. / comparativi e superlativi

Lo zio di Carlo Lo studente Paolo	è	giovane. alto. ricco. elegante. buono.

Lo zio di Carlo Lo studente Paolo	è	**più** **meno**	giovane alto ricco elegante buono	**di**	Marco. te.

Lo zio di Carlo Lo studente Paolo	è	**tanto** **così**	giovane alto ricco elegante buono	**quanto** **come**	Marco. te.

Piazza Cavour Quella casa Questa tavola	è	**più**	larga	**che**	lunga.

Questo vino	sa	**più**	d'aceto	**che**	di vino.
Molti	viaggiano	**più** volentieri	d'estate	**che**	d'inverno.

Il treno	è	**più** comodo	**dell'**auto		
Con il treno	si viaggia	**più** comodamente	**che**	con l'auto.	

Ho letto	**più** libri inglesi	**che**	francesi.
Ho comprato	**più** pantaloni	**che**	giacche.
Abbiamo visto	**più** film	**che**	commedie.

Più che	parlare, grida.
	camminare, correvano.
	studiare, si è divertita.

Luisa ha	studiato lavorato guadagnato mangiato bevuto	**più** **meno**	**di**	me. te. Luigi. tutti.

Esercizio 86:

Leggete i seguenti dialoghi ad alta voce:

1) In un negozio di calzature al centro:

Signora: «Come mai quegli stivali in vetrina costano tanto di più di questi che sto misurando?»

Commessa: «Quelli sono di pelle di daino. La pelle di daino è molto cara».

2) In una boutique in un moderno centro commerciale una signora sta provando un vestito da sera con pagliuzze d'oro.

Signora: «Ha niente di più elegante di questo modello?»

Commessa: «Certamente signora: abbiamo modelli esclusivi, che naturalmente sono molto più cari».

Signora: «Non m'importa quanto costano! Me ne faccia provare alcuni, La prego».

Commessa: «Si accomodi nella sala blu: ci sono più specchi».

3)

— Quanto hai pagato questo vestito?
— L'ho pagato 350.000 Lire, che te ne pare?
— Non l'hai pagato troppo? Il mio è buono come il tuo e mi è costato molto meno. L'ho preso durante il periodo di svendita. Si risparmia sempre durante il periodo dei «saldi», pensaci la prossima volta.

4) Al mercato nel reparto frutta e verdura, un fruttivendolo grida ad alta voce.

Fruttivendolo: «Che frutta! ... frutta fresca, bella, venite donne! Venite, è la più fresca e la meno cara del mercato: un chilogrammo di pesche a sole 1.500 Lire, ma chi ne compra tre chili pagherà il prezzo di due: un chilo è di regalo.

5) In una trattoria romana:

— Avete vino buono?
— Ma che dice! I nostri vini sono i migliori e i più genuini. Sono vini dei colli romani!

Momento grammaticale 7.4. / comparativi e superlativi

<table>
<tr><td rowspan="2">Questo vino</td><td rowspan="3">è</td><td>**(più buono)**
migliore</td><td rowspan="3">di</td><td rowspan="2">quello che abbiamo
bevuto ieri.</td></tr>
<tr><td>**più buono**
migliore</td></tr>
<tr><td>Tuo fratello</td><td>**più cattivo**
peggiore</td><td>te.</td></tr>
</table>

<table>
<tr><td>Quegli studenti
Paolo e Mario</td><td>parlano</td><td>italiano
francese
inglese</td><td>**meglio**
peggio</td><td>**di**</td><td>me.
Luigi.
noi.</td></tr>
</table>

<table>
<tr><td>Qui</td><td>si sta</td><td>**meglio**
peggio</td><td>**che**</td><td>a Milano.
a Parigi.
in quel posto.
in Francia.</td></tr>
</table>

<table>
<tr><td>Oggi Caterina</td><td>sta</td><td>**meglio**
peggio</td><td>**di**</td><td>ieri.</td></tr>
</table>

<table>
<tr><td rowspan="3">Questa frutta</td><td rowspan="3">è</td><td colspan="2">fresch**issima.**
buon**issima, ottima.**
cattiv**issima, pessima.**
car**issima.**</td></tr>
<tr><td>**molto**
assai
tanto</td><td>fresca
buona
cattiva
cara.</td></tr>
<tr><td colspan="2">fresca, fresca.
buona, buona, ecc.</td></tr>
</table>

<table>
<tr><td rowspan="3">Suo zio</td><td rowspan="3">è</td><td colspan="2">ricch**issimo**
simpatic**issimo**
content**issimo**</td></tr>
<tr><td>**molto**
assai
tanto</td><td>ricco
simpatico
contento</td></tr>
<tr><td colspan="2">ricco, ricco
arciricco
straricco,
simpatico, simpatico
contento, contento
arcicontento.</td></tr>
</table>

<table>
<tr><td rowspan="2">Ha fatto</td><td>molto bene.
benissimo.</td></tr>
<tr><td>molto male
malissimo.</td></tr>
</table>

<table>
<tr><td rowspan="2">Le signorine sono arrivate</td><td>molto presto.
prestissimo.</td></tr>
<tr><td>molto tardi.
tardissimo.</td></tr>
</table>

Verremo	sicur**issimamente**. cert**issimamente**.

Esercizio 87:

trasformate ogni frase secondo il modello:

Modello	Questa mela è buona. Questa mela è buonissima. Questa mela è molto buona.

1) La zia di Clara è generosa ....
....
2) Quegli alberi sono alti. ....
....
3) Marinella e Gabriella sono ragazze simpatiche. ....
....
4) Quella cantante ha una bella voce. ....
....
5) Quella signora abita in un vecchio palazzo. ....
....
6) L'automobile è un mezzo utile. ....
....
7) Quell'università è famosa. ....
....
8) Questa tovaglia, che ho lavato con un nuovo detersivo, è bianca. ....
....
9) Il terreno, che Lei ha comprato per la Sua villa, è caro. ....
....
10) Hanno smesso di lavorare perché sono stanche. ....
....
11) Buona questa birra! È fresca. ....
....
12) Ieri sera a casa vostra siamo stati bene. ....
....

13) Ho molto sonno: stamattina mi sono alzata presto. ....

....

14) Vorrei un bicchiere di latte caldo. ....

....

Osservate:

A Marta piacciono bei vestiti. A Marta piacciono vestiti molto belli.
Preferiamo un grande appartamento. Preferiamo un appartamento molto grande.

Ti assicuro So Sono certo	che	è	una brava ragazza. una ragazza molto brava.
			un buon orologio. un orologio molto buono.

Momento grammaticale 7.5. / essere + aggettivo + di + infinito / avere + nome + di + infinito

Sono	**stanco/a**	**di**	**fare**	sempre le stesse cose.
	contento/a **soddisfatto/a**		**aver preso**	quella decisione.
	capace **in grado**		**fare**	quel lavoro. quella traduzione.

Ho **Abbiamo**	**bisogno**	**di**	**ripetere** le ultime due lezioni.
	l'abitudine		**leggere** un po' prima di andare a letto.
	voglia		**prendere** una vacanza anche breve.

Esercizio 88:

trasformate ogni frase nel plurale, secondo il modello:

Modello	Sono certo di venire da te stasera. Siamo certi di venire da te stasera.

1) Paolo non è sicuro di finire quel lavoro per domani.
   Paolo e Francesca ....
2) Sei già stanco di lavorare?
   ....

3) Cristina è soddisfatta di aver superato gli esami.
Cristina e Valeria...

4) Non sono capace di ripetere quella poesia a memoria.
....

5) Sei in grado di dirmi in quale città si trova la torre pendente?
....

6) Non ho più bisogno di uscire.
....

7) Hai sempre l'abitudine di alzarti presto?
....

8) Ha voglia di prendere un gelato?
....

9) Sei contenta di aver finito quegli esercizi noiosi?
....

Momento grammaticale 7.6. / verbo riuscire

<table>
<tr><td colspan="4">(Non) riesco riesci riesce — riusciamo riuscite riescono</td><td>a</td><td rowspan="2">capire tutto quello che Paolo dice.</td></tr>
<tr><td colspan="2">(Non) mi
ti
gli
le
Le
ci
vi
(gli)</td><td colspan="2">riesce
(loro)</td><td>di</td></tr>
<tr><td rowspan="2">(Non)</td><td></td><td>sono</td><td>riuscita/o</td><td>a</td><td rowspan="2">preparare tutto per la cena.</td></tr>
<tr><td>mi</td><td>è</td><td>riuscito</td><td>di</td></tr>
</table>

Esercizio 89:

trasformate ogni frase secondo il modello:

Modello

Gli studenti riescono a capire le lezioni. Gli studenti sono riusciti a capire le lezioni.

1) Paolo riesce a vincere la partita finale di Bridge.
....

2) Riusciamo a finire la traduzione.
....

3) Non tutti riescono a imparare a memoria la poesia.
....

4) Non riesco ad aprire la porta.
....

5) Non riusciamo a vedere bene.
....

Momento grammaticale 7.7. / indic. pres e pass. potere, volere, dovere+verbi riflessivi

posso **voglio** **devo**		**fermarmi** ancora un po'.
Ho	**potuto** **voluto** **dovuto**	**fermarmi** ancora un po'.
Mi sono	**potuto/a** **voluto/a** **dovuto/a**	**fermare** più a lungo.

Esercizio 90:

trasformate ogni frase secondo il modello:

Modello	Non posso fermarmi più di una settimana. Non ho potuto fermarmi più di una settimana. Non mi sono potuta fermare più di una settimana.

1) Deve sbrigarsi.
....
2) Dobbiamo affrettarci.
....
3) Non possiamo abituarci al clima di questa città.
..................................quella..................................
..................................quella..................................
4) Vorrei sistemarmi in un buon appartamento.
....
....
5) Dovresti alzarti alle 6.00.
....
....
6) Paola, vorresti metterti un abito scuro?
....
....

prestare	**prendere** **avere** **in prestito**
Ti posso prestare la mia macchina, ma devi stare attento: non correre come un pazzo.	Abbiamo preso in prestito una certa somma di denaro per comprare una macchina nuova.
Chi Le ha prestato questa valigia?	L'ho avuta in prestito da una mia amica italiana

farsi prestare	
Da chi ti farai prestare dei soldi, se ne avrai bisogno?	Me li farò prestare da qualche amico.
Da chi ti sei fatta prestare questo bell'abito da sera?	Me lo son fatto prestare da mia zia. Ne ha di bellissimi
Da chi ti sei fatto prestare questo motorino?	Me lo son fatto prestare dalla mia ragazza.

restituire	rendere
Prima di partire devo restituire i libri in biblioteca.	Mario non mi ha ancora reso il denaro che gli ho prestato.

noleggiare = prendere a noleggio
prendere a nolo

Esercizio 91:

trasformate ogni frase secondo il modello:

Modello

Paolo ha noleggiato una piccola Fiat.
Paolo ha preso a noleggio una piccola Fiat.

1) Antonio vuol fare il giro del Lago Trasimeno. Vuol noleggiare una moto.
....
....
2) Carla e Francesca noleggeranno una macchina dopo il loro arrivo a New York.
....
....
3) Se volete noleggiare un motoscafo, vi consiglio di rivolgervi all'Agenzia «Nautica». Ha (Pratica) delle tariffe minori di altri noleggiatori.
....
....
4) In montagna potete noleggiare sci e scarponi per tutta la settimana bianca.
....
....

Una settimana fa Mario doveva andare a Bologna; siccome la sua macchina era dal carrozziere, ne ha presa una a noleggio. Sull'autostrada in un sorpasso è stato tamponato da un'altra macchina, che andava a forte velocità. È stato sbattuto contro il guard-rail. Lui non s'è fatto niente: è uscito miracolosamente illeso. La macchina quasi distrutta. L'assicurazione ha già provveduto al risarcimento.

In Italia l'assicurazione è obbligatoria.

Quadro 8/7

Perugia: Piazza IV Novembre con la nuova pavimentazione.

La Piazza IV Novembre a Perugia, una delle più belle d'Italia. Al centro la Fontana Maggiore, su disegno dell'architetto Fra Bevignate, monaco benedettino nato a Perugia verso la metà del XIII secolo.
Già nel 1254 il Consiglio Generale del Popolo aveva in mente la costruzione di una nuova importante fontana.
L'opera insigne fu compiuta fra il 1275 e il 1278.

Quadro 9/7

Nell'Ottobre 1979 gli scalpellini, come nei secoli passati, squadrano i lastroni di pietra per la nuova pavimentazione.

Perugia: Piazza IV Novembre nell'Ottobre 1979 durante i lavori per la nuova pavimentazione.

Tutta la circonferenza della vasca inferiore è ornata da sculture a «bassorilievo» eseguite da Nicola Pisano e dai suoi aiuti.

Quadro 10/7

La vendemmia nel secolo XIII

La raccolta dell'uva: un contadino trasporta un cesto pieno d'uva.

Un contadino pesta l'uva con i suoi piedi in un recipiente di pietra. In alto a destra il segno zodiacale di Settembre «la Bilancia».

Quadro 11/7

La vendemmia ai nostri giorni

La raccolta dell'uva con l'aiuto di un mezzo meccanico.

I grappoli vengono separati dai chicchi meccanicamente.

Un contadino versa il mosto in una botte.

Bottiglie di vino di diverse annate.

Quadro 12/7

Perugia: Fontana Maggiore: vasca inferiore.

In queste due formelle Nicola Pisano rappresenta un contadino che ara la terra. L'aratro è tirato da una coppia di buoi. In alto è scolpito il segno zodiacale di Novembre «il Sagittario».
Nell'altra formella un giovane (socius) che getta i semi: è il seminatore.

Stimolo per una ricerca comparata fra L/1 ed L/2

Con l'aiuto dell'insegnante cercate l'equivalente dei seguenti modi di dire nella vostra lingua:
1) mettere troppa carne al fuoco;
2) perdere la bussola;
3) acqua in bocca;
4) affogare in un bicchier d'acqua;
5) alzare un po' troppo il gomito.

I segni dello zodiaco

ARIETE (21 Marzo - 20 Aprile)

I nati sotto questo segno sono entusiasti, generosi, hanno un carattere vivace. Il loro coraggio li porta ad amare l'avventura ed il rischio. Il loro spirito intraprendente non accetta di essere sottomesso ad altri. Sono pieni di energia, impulsivi, portati alla discussione, vivono proiettati nel futuro. Ma ricordate: l'Ariete vuole tutto e subito!

TORO (21 Aprile - 20 Maggio)

Ama tutto ciò che possiede, è ostinato, attaccato alle tradizioni. Tutto questo gli dà un'immagine solida, sicura, fidata, ma lo rende geloso, poco disponibile ai cambiamenti; è pigro e amante della buona tavola. Può risultare monotono e quindi noioso. Ha un buon senso degli affari, è capace di guadagnare soldi e soprattutto sa conservarli. Preferisce la vita in campagna più che quella in città, ma in una casa comoda, che soddisfi le sue esigenze.

GEMELLI (21 Maggio - 22 Giugno)

I Gemelli vogliono sempre aver ragione e spesso ci riescono grazie alle loro capacità dialettiche e alla loro simpatia. Vengono spesso giudicati superficiali per il loro desiderio di novità, per il loro dinamismo (fisicamente sono considerati «i più giovanili» dello zodiaco, per il loro bisogno di molte amicizie e per il desiderio di cose diverse contemporaneamente).

CANCRO (23 Giugno - 23 Luglio)

Non è facile vivere con i nati sotto questo segno, perché si lasciano guidare dall'istinto più che dalla ragione, perciò cambiano d'umore facilmente, a volte però sono sensibili e comprensivi, altre volte invece sono irascibili ed aggressivi. La loro durezza esteriore nasconde in fondo il bisogno di protezione e di approvazione al loro operato. Vivono di ricordi, ma si impegnano anche con tenacia in tutto quello che fanno e quasi sempre raggiungono quello che si propongono.

LEONE (24 Luglio - 23 Agosto)

Contrariamente al cancro, il leone non è complicato o difficile da capire: si sente un re, un capo. È sempre sicuro di sè, vuole emergere, non accetta le critiche. Naturalmente questo può portarlo ad essere prepotente e presuntuoso. È un grande lavoratore, ottimista, quasi sempre allegro, non ha difficoltà nel trovarsi in ogni ambiente il suo «regno».

VERGINE (24 Agosto - 23 Settembre)

Ha un grande senso pratico, tende a curare i particolari nelle cose, è molto attento a tutti i problemi della salute e dell'igiene. Questo può dare qualche problema ai figli dei nati sotto questo segno (essi infatti mal sopportano il disordine e sono spesso esagerati nelle critiche), ma d'altro lato essi offrono grandi vantaggi a chi lavora con loro, soprattutto se riescono a controllare la propria ansia e la pignoleria.

BILANCIA (24 Settembre - 23 Ottobre)

Come nella bilancia del loro simbolo essi cercano un rapporto stabile in cui il dare e l'avere siano in equilibrio perfetto. Sono individui affascinanti, amanti delle cose belle, bravi padroni di casa, vivono di solito in abitazioni comode e raffinate. Sono però anche permalosi, lunatici e tendono al perfezionismo.

SCORPIONE (24 Ottobre - 22 Novembre)

I nati sotto questo segno sono dotati di una notevole energia, che usano in tutto quello che fanno. Questa energia li rende padroni di ogni situazione, ma anche un po' gelosi (e non solo in amore). Non sono portati ad una vita monotona: amano le novità ed odiano i pregiudizi. Il loro fascino sta soprattutto nell'essere sempre un po' misteriosi.

SAGITTARIO (23 Novembre - 22 Dicembre)

Curioso e desideroso di imparare sempre cose nuove, al sagittario piace viaggiare, studiare (soprattutto le lingue), raggiungere sempre qualcosa di più. Non vuole restare imprigionato nè in una piccola casa, nè nel matrimonio, nè in un lavoro monotono. Questo suo desiderio di cambiare lo può rendere irrequieto, imprudente, capriccioso, ma ha il merito di imparare a migliorare attraverso i propri sbagli. Portato per lo sport e per la vita all'aria aperta, lo possiamo vedere vestito in modo anticonvenzionale e pratico.

CAPRICORNO (23 Dicembre - 19 Gennaio)

La perseveranza è la sua caratteristica principale. Usa tutta la sua energia per raggiungere un buon posto nel lavoro e nella vita, e questo purtroppo gli fa perdere di vista gli aspetti più umani dell'esistenza. Tende al pessimismo, al conformismo, spesso è troppo esigente ma non gli manca il senso dell'umorismo. Autosufficiente, ama la solitudine.

ACQUARIO (20 Gennaio - 19 Febbraio)

Indipendente e socievole allo stesso tempo, il nato sotto questo segno ha capacità diplomatiche, apertura di idee e molta curiosità. Anticonformista e imprevedibile, ama le riforme e le innovazioni. È ben disposto a sacrificare tutto al proprio ideale. Il suo desiderio di libertà talvolta lo porta alla ribellione o alla eccentricità.

PESCI (20 Febbraio - 21 Marzo)

Molto sensibili e privi di senso pratico, si lasciano influenzare da chi sta loro vicino e cercano sempre protezione e solidarietà. La prevalenza del sentimento sulla ragione li porta ad avere doti di premonizione e di preveggenza. Nel lavoro non accettano la routine, ma amano dedicarsi alle attività artistiche, nelle quali eccellono.

Stimoli alla produzione orale:

A) 1. Quando sei nata/o? (In quale mese, in quale giorno?) (Quand'è il tuo compleanno?) ....
2. Qual è il tuo segno zodiacale? ....
3. Ti riconosci nelle caratteristiche del tuo segno zodiacale? ....

B) 1. Leggi regolarmente il tuo oroscopo? ....
Prima di cominciare un lavoro o prima di concludere un affare, consulti l'oroscopo? ....
3. Chi legge l'oroscopo nella tua famiglia? ....
4. Per la vita sentimentale consultate e tenete conto di quanto dice l'oroscopo? ....
5. Credete all'influsso degli astri nella vita dell'uomo? ....

C) Con quali qualità positive e negative vi identificate? ....

Momento grammaticale 7.8 / pronomi relativi

Quel signore Quella signora	**che**	esce	ora dal bar	è	molto elegante.
Quei signori Quelle signore		escono		sono	molto eleganti.

Il libro	**che**	vedi su quel tavolo	è	mio.
La borsa				mia.
I libri			sono	miei.
Le borse				mie.

Il giovane	al	**quale**	hai chieso la strada	è	straniero.
La giovane	alla				straniera.
I ragazzi	ai	**quali**	ti sei rivolto	sono	stranieri.
Le ragazze	alle				straniere.
Il regista	del	**quale**	parliamo	è	polacco.
La regista	della				italiana.
Il regista	di	**cui**	parliamo	è	polacco.
La regista					italiana.

soggetto ed oggetto			
	il la	quale	che
	i le	quali	

con preposizione					
al quale **ai quali** **alla quale** **alle quali**		**a cui**	**con il quale** **con i quali** **con la quale** **con le quali**	**con cui**
del quale **dei quali** **della quale** **delle quali**		**di cui**	**nel quale** **nei quali** **nella quale** **nelle quali**	**in cui**
dal quale **dai quali** **dalla quale** **dalle quali**		**da cui**	**per il quale** **per i quali** **per la quale** **per le quali**	**per cui**
fra	**il quale** **i quali** **la quale** **le quali**	**fra cui**	**sul quale** **sui quali** **sulla quale** **sulle quali**	**su cui**

Esercizio 92:

trasformate secondo il modello:

Modello	Lo studente è entrato poco fa. Lo studente si chiama Pietro. Lo studente, che è entrato poco fa, si chiama Pietro.

1) Quella signora si serve in una famosa boutique di Firenze. Quella signora è mia zia.
....

2) Quelle ragazze studiano a Perugia. Quelle ragazze sono australiane.
....

3) Quegli studenti sono seduti vicino alla porta. Quegli studenti sono greci.
....

4) Caterina spende molto per i vestiti. Caterina è sempre elegantissima.
....

5) Quel signore è tornato proprio ieri dall'Australia. Quel signore è lo zio di Paola.
....

Esercizio 93:

rispondete secondo il modello:

Modello	Quale libro hai letto? (tu mi hai prestato). Ho letto il libro, che tu mi hai prestato.

1) Quale enciclopedia hai comprato? (tu mi hai consigliato)
....
2) Quali sigarette state fumando? (lo zio ci ha portato dagli USA)
....
3) Quale vino mi ha offerto? (ho comprato ad Orvieto sabato scorso)
....

Esercizio 94:

rispondete secondo il modello:

Modello	Di quale signorina stai parlando? (ti ho presentato giorni fa). Di quella, che ti ho presentato giorni fa.

1) Di quale film state parlando? (abbiamo visto la settimana scorsa)
....
2) Di quale villa sta parlando Pietro? (ha costruito al mare)
....
3) Di quale articolo sta parlando Stefano? (è apparso nella rivista «Epoca»)
....
4) Di quali signore sta parlando? (ho conosciuto al mare quest'estate).
....

Esercizio 95:

completate secondo il modello:

Modello	Il soggetto di conversazione, ... il professore vi ha dato, è interessante ed attuale. Il soggetto di conversazione, che il professore vi ha dato è interessante ed attuale.

1) Ecco il libro, ... cercavate.
2) Avete visto le penne, ... erano sulla scrivania?
3) Dovete riconsegnare in biblioteca i libri, ... avete preso in prestito.
4) Vi è piaciuta la commedia,.......................... hanno trasmesso in TV ieri sera?
5) Non sono ancora pronti i certificati,.................. ho richiesto una settimana fa.
6) I modelli,.............................. sono esposti in vetrina, non sono in vendita.
7) Ho dimenticato al bar il giornale,.. mi hai prestato.

Esercizio 96:

trasformate secondo il modello:

Modello	Ecco il professore. Ti ho spesso parlato di quel professore. Ecco il professore, di cui ti ho spesso parlato.

1) Ecco i giocatori di pallacanestro. Vi ho spesso parlato di questi giocatori.
....
2) Ecco la cantante Raffaella. Le ho parlato tanto di questa cantante.
....
3) Ecco l'ultimo libro di Camon. Vi ho già parlato di questo libro.
....
4) Ecco Giorgio. Le ho parlato spesso di Giorgio.
....
5) Ecco le riviste arrivate dalla Polonia. Vi ho già parlato di queste riviste.
....

Esercizio 97:

sostituite ad ogni frase la forma «quale» con la forma «cui», secondo il modello:

Modello	Gianni, *al quale* non piace la pizza, ha ordinato spaghetti alla carbonara. Gianni, a cui non piace la pizza, ha ordinato spaghetti alla carbonara

1) Carolina, *della quale* non abbiamo notizie da molto tempo, dovrebbe trovarsi ancora in Canada.
....
....
2) Nostra zia, *alla quale* abbiamo telefonato ieri sera, ci ha assicurato che per Natale sarà da noi.
....
....
3) Nostro figlio maggiore, *al quale* abbiamo regalato una bella «Moto Guzzi», farà un giro per l'Europa con altri appassionati «centauri»
....
....
4) I giochi, *con i quali* i giovani preferiscono passare qualche ora di svago, sono giochi elettronici.
....
....
5) La signora, *alla quale* mi sono rivolto per un'informazione, era straniera e non parlava una parola d'italiano.
....
....

UNITÀ 8

Quadro 1/8

I nuovi jeans

— Lucia, che te ne pare dei miei nuovi jeans?
— Sono veramente belli .... ma non credi che ti stiano un po' troppo stretti?
— Oh no! mi ci sento proprio bene.

Quadro 2/8

Fa cattivo tempo

— Che tempaccio! Sarà meglio che tu rimanga a casa, Carlo!
— Ma non posso! Sai, mamma, che devo andare all'allenamento. Tutta la squadra mi aspetta.

Quadro 3/8

Penso che Mario sia distratto 

— Mario ti ha telefonato a che ora parte il treno per Milano?
— Macché! Credo che si sia dimenticato di passare alla CIT.
— Sarà meglio che ci vada tu, non credi?

Quadro 4/8

Forse non tutti i posti sono esauriti

— Ti sei ricordato di prendere i biglietti per l'opera?
— No, ma dicono che i posti siano esauriti da più d'una settimana.
— Perché non telefoni, per sapere se è vero?

Momento grammaticale 8.0. / congiuntivo presente

<table>
<tr><td rowspan="6">Penso
Pensiamo

Credo
Crediamo</td><td rowspan="6">che</td><td rowspan="2">tu
egli
lei/Lei</td><td>abbia</td><td>ragione.</td></tr>
<tr><td>sia</td><td>stanca/o.</td></tr>
<tr><td rowspan="2">voi</td><td>abbiate</td><td>ragione.</td></tr>
<tr><td>siate</td><td>stanche/i.</td></tr>
<tr><td>loro</td><td>abbiano</td><td>ragione.</td></tr>
<tr><td>Loro</td><td>siano</td><td>stanche/i.</td></tr>
<tr><td rowspan="2">Pensa

Pensano</td><td rowspan="2">di</td><td rowspan="2"></td><td>aver</td><td>ragione.</td></tr>
<tr><td>essere</td><td>in ritardo.</td></tr>
</table>

È meglio È necessario	che	io tu egli lei/Lei	**legga**	qualche giornale	francese. tedesco inglese.
		noi voi loro Loro tutti	**leggiamo** **leggiate** **leggano**		italiano. spagnolo. americano.
			leggere		

Penso Temo	che	tu egli lei/Lei	**faccia**	tardi.
Pensiamo temiamo		voi loro Loro	**facciate** **facciano**	

Immagino Immaginiamo Suppongo Supponiamo Spero	che	tu egli lei/Lei	**stia**	bene	in quell'albergo.
		voi Loro	**stiate** **stiano**		in quella pensione.
Speriamo	di		**stare**		

Si dice Si crede Si pensa	che	io tu egli lei/Lei	**parli**	bene	il francese. il tedesco. l'inglese. l'italiano.
Dicono Credono Pensano		noi voi Loro	**parliamo** **parliate** **parlino**		lo spagnolo. lo slavo.

È probabile È possibile	che	io tu egli lei/Lei	**sia**	occupata/o	nel pomeriggio.
		noi voi Loro	**siamo** **siate** **siano**	occupate/i	

È possibile	che	io tu egli lei/Lei	**possa**	venire la settimana prossima.
		noi voi Loro	**possiamo** **possiate** **possano**	

È probabile È possibile	che	io tu egli lei/Lei	ti mi ci	**dia**	presto una bella notizia.
		noi voi Loro	Le ci gli	**diamo** **diate** **diano**	

Voglio Desidero Vogliamo Desideriamo	che	tu egli lei/Lei	**venga**	da me.
		voi loro Loro	**veniate** **vengano**	
		tutti	**facciano**	quel lavoro entro domani.
Bisogna			**fare**	

Temi Temete Hai paura Avete paura	che	— Paolo non **si riposi** abbastanza. — Teresa non **stia** bene. — **possa** fare cattivo tempo. — Luisa non **venga**?
	di	— non arrivare in tempo all'aeroporto. — perdere l'autobus?

Premessa: *Mi rendo conto che dovrei restare a casa, perché fa freddo e sono anche raffreddato, ma ....*		
uscirò	benché sebbene nonostante che quantunque	**faccia** freddo ed **abbia** il raffreddore.

Premessa: *Apprezzo la tua opinione su quel film, ...*			
ma	benché sebbene nonostante che quantunque	tu mi **abbia** espresso la tua critica assolutamente negativa,	andrò ugualmente a vederlo.

Premessa: *Non sono disposto ad accettare incondizionatamente la tua offerta.*		
L'accetterò	a patto che a condizione che purché	tu non **sia** contrario all'assunzione di due altri tecnici.

Gli scriverai?	Sì, affinché perché	**si renda** conto della mie ragioni. **sia** così **chiarita** la mia posizione. **si decida** a parlarne con il suo superiore.

Non siamo	sicuri/e	che	gli studenti possano venire.
	certi/e	di	poter venire.

Attenzione: se le due frasi hanno lo stesso soggetto, invece del Congiuntivo si usa l'Infinito

Non si dice:

penso che io venga pensa che egli venga pensano che loro vengano	stasera.

ma:

penso pensa pensano	di	venire	stasera.

parlare		**leggere**		**aprire**		**capire**	
parli	**parliamo** **parliate** **parlino**	**legga**	**leggiamo** **leggiate** **leggano**	**apra**	**apriamo** **apriate** **aprano**	**capisca**	**capiamo** **capiate** **capiscano**

andare		dire		tenere		volere	
vada	**andiamo** **andiate** **vadano**	**dica**	**diciamo** **diciate** **dicano**	**tenga**	**teniamo** **teniate** **tengano**	**voglia**	**vogliamo** **vogliate** **vogliano**

fare		potere		salire		uscire	
faccia	**facciamo** **facciate** **facciano**	**possa**	**possiamo** **possiate** **possano**	**salga**	**saliamo** **saliate** **salgano**	**esca**	**usciamo** **usciate** **escano**

Momento grammaticale 8.1. / congiuntivo passato

Credo	che	tu non **abbia capito**.
		voi vi **siate svegliati** troppo tardi.
		Simona non **abbia ritrovato** la sua borsa.
		gli studenti non **siano** più **partiti**.

È possibile	che	lui si **sia sbagliato**.
		non tutti si **siano divertiti** a quella festa.

sia partita/o	**siamo partite/i**
abbia scritto	**abbiamo scritto**
mi sia divertita/o	**ci siamo divertite/i**

Stimoli alla produzione orale

1) Non sai se Marta sia stata soddisfatta del tuo regalo, perché non ti ha fatto sapere nulla. Telefonale e prova a chiederle perché non si è fatta viva.	Temo che il mio regalo non ti (*piacere*)
2) Chiamo Laura al telefono per la terza volta ma non ho nessuna risposta.	Penso che a) (*uscire*) b) (*staccare*) il telefono

Esercizio 98:

completatate ogni frase

1) (*leggere*) Voglio che tu .... questo libro.
2) (*parlare*) Il professore vuole che io .... sempre italiano.
3) (*piovere*) Speriamo che stasera non ....
4) (*restare*) Desideriamo che tu .... ancora con noi.
5) (*cantare*) Vogliamo che Lei ci.................... un'altra canzone napoletana.
6) (*venire*) Speriamo che anche tua sorella .... alla festa.
7) (*riportare*) È necessario che voi .... questi libri in biblioteca.
8) (*capire*) Temo che lo studente non mi .... quando parlo in fretta.
9) (*mandare*) Speriamo che nostro zio .... un mazzo di fiori alla mamma per il suo compleanno.
10) (*avere*) Desidero parlare con te, spero che tu .... una mezz'ora di tempo da dedicarmi
11) (*restituire*) Ti presto volentieri questo libro, a patto che tu me lo.......... presto.
12) (*essere*) Verrò con te, benché .... piuttosto occupato.

Esercizio 99:

trasformate secondo il modello:

Modello	Forse Paolo dorme ancora. È probabile che Paolo dorma ancora.

1) Forse non si sentono bene.
   È possibile che..
2) Forse non vuole venire.
   Può darsi che ....
3) Forse ci scriveranno dal Giappone.
   È probabile che ci ....
4) Forse non ci vedete bene con questa luce troppo debole.
   È possibile che non ci ....
5) Forse Paola non si occupa più di questi affari.
   È possibile che..
6) Forse non può più partire.
   È possibile che..
7) Forse non ne vuol sapere più niente.
   Può essere che..
8) Forse non gli riesce bene quel lavoro.
   È probabile che ....
9) Forse ci telefona da Firenze.
   Può darsi che ....

Esercizio 100:

completetate ogni frase secondo il modello:

Modello	Paolo parte alle 15.00. Penso che Paolo parta alle 15.00.

1) Marta vuole comprare un'altra pelliccia.
   Si dice che Marta...
2) La nuova Fiat con un litro di benzina fa 20 km alla velocità di 90 km/h. (novanta chilometri all'ora).
   Sembra che...
3) Studiate bene la pianta della città.
   Vogliamo che voi...
4) I nostri studenti vogliono fare un viaggio in Europa.
   È veramente una buona idea che..
5) Michele ha fatto 13 al totocalcio.
   Si dice che...
6) I metalmeccanici delle acciaierie di Terni sono in sciopero da due giorni.
   Sembra che...
7) Dovrai fare delle ricerche su questo soggetto.
   È bene che tu...
8) Chissà se i Signori Rossi potranno venire?
   Temiamo che i Signori Rossi non ....
9) Dovete alzarvi presto ogni mattina.
   Vogliamo che voi vi ....
10) Questo apparecchio non funziona bene.
   Sembra che...

Esercizio 101:

completetate ogni frase secondo il modello:

Modello	Mariolina non ha capito. Temo che Mariolina non abbia capito.

1) Gli studenti non hanno ancora finito gli esercizi.
   Temi che gli studenti non ....
2) Forse Maria non è venuta.
   Pensiamo che Maria non..
3) Non ti sei alzato presto ieri mattina.
   Non credo che tu ti...
4) Pietro ha bevuto troppo ieri sera.
   Pensiamo che Pietro...
5) Laura non ha capito quella lezione, perché ha fatto molti sbagli.
   Credo che Laura non ...., perché ha fatto molti sbagli.
6) Tutti si sono divertiti al Carnevale di Viareggio.
   Crediamo che tutti si ....
7) Non so se tu hai detto la verità.
   Non sono sicuro che tu ....
8) Lo zio gli ha mandato un bel regalo.
   Speriamo che lo zio gli...

9) Non hai capito quello che intendevo dire.
Penso che tu non.. quello che intendevo dire.
10) Non si sono fermati allo «STOP».
Può darsi che non si ....
11) Marta ha perduto la coincidenza per Firenze.
Ho paura che..
12) Hanno dimenticato il nostro indirizzo.
Temo che...

Esercizio 102:

trasformate ogni frase secondo il modello:

Modello

È possibile È probabile	che Paolo venga a trovarmi.
Chissà che Paolo non venga a trovarmi.	

1) È probabile che Marisa si faccia viva uno di questi giorni.
Chissà che ....
2) Credo che voi vi decidiate a prendere una vacanza.
Chissà che ....
3) È probabile che Antonio mi mandi qualche notizia dall'Africa.
Chissà che ....
4) È probabile che il colpevole finisca per confessare il suo delitto.
Chissà che ....

Esercizio 103:

trasformate ogni frase secondo il modello:

Modello

È necessario che tutti vadano a vedere quel museo. È necessario andare a vedere quel museo.

1) È necessario che tutti lavorino
....
2) È necessario che tutti lavorino per la pace nel mondo.
....
3) È necessario che tutti si prendano una vacanza.
....
4) Bisogna che tutti siano sinceri.
....
5) Bisogna che tutti aiutino chi è nel bisogno.
....
6) Bisogna che tutti leggano buoni libri.
....
7) Bisogna che tutti leggano i giornali ogni giorno.
....
8) È necessario che tutti ascoltino le notizie alla TV o alla Radio.
....

Esercizio 104:

trasformate secondo il modello:

Modello	Forse andrò a Venezia. Penso di andare a Venezia.

1) Forse Paolo e Cristina si fermeranno ancora una settimana.
....
2) Forse noi facciamo quattro passi.
....
3) Forse gli telefoneremo domani.
....

Esercizio 105:

trasformate al passato secondo il modello:

Modello	Credo che vada a Milano con sua sorella. Credo che sia andata a Milano con sua sorella.

1) Penso che tu voglia scherzare.
....
2) Crede che voi lo capiate.
....
3) Speriamo che gli studenti decidano di studiare un'altra lingua.
....
4) Spero che Paola vada a trovare i suoi genitori.
....
5) Speriamo che tutti gli studenti facciano gli esercizi.
....
6) Spera che lei si decida a farsi visitare da un buon medico.
....
7) Pensiamo che Jenny torni in Australia.
....
8) Penso che tu vada a trovare tua madre.
....
9) Immaginiamo che Carla ci scriva da Losanna.
....

Momento grammaticale 8.2.

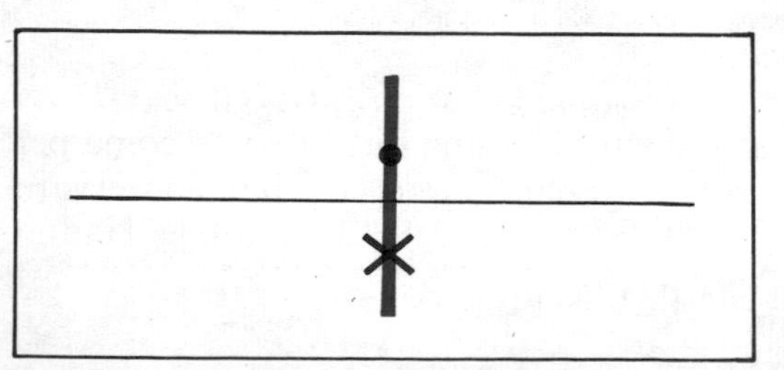

A)

Presente *Presente*

Penso che tu abbia ragione.
Si dice che Marta stia male.
È possibile che loro non conoscano il tuo numero di telefono.

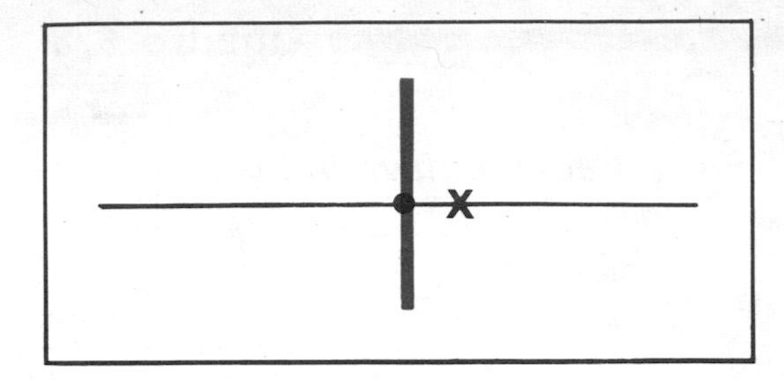

B)

Presente *Futuro*

Spero che	verrà venga	stasera.
Credo che	verrà venga	con sua sorella.

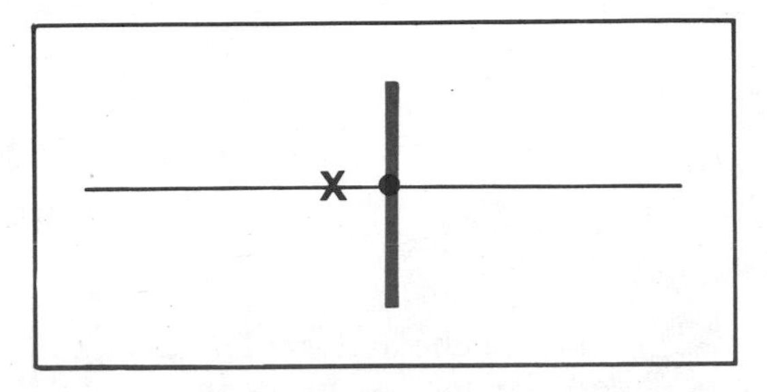

C) *Presente* *Passato*

Crediamo che sia tornato a casa.
abbia avuto qualche difficoltà.

Ho l'impressione che non abbiate capito quell'articolo di giornale.

Quadro 5/8

Pompei Scavi: Via del Foro. Sullo sfondo: porta d'ingresso al foro.

— Ho saputo che sei stata a Pompei. Che impressione ti hanno fatto gli scavi?
— Non saprei come esprimerti tante sensazioni. Sembra una città risorta come per incanto! Soprattutto non pensavo che tanti affreschi fossero così ben conservati, dopo quel terribile evento del 79 dopo Cristo. E i nuovi scavi? Incredibile! Hanno riportato alla luce la Palestra e il bell'Anfiteatro.
È un vero peccato che tu non sia venuto.

Quadro 6/8

Forse Paolo andava in piscina

— Dove credi che andasse Paolo ieri?
— Credo che andasse in piscina.

Quadro 7/8

Cristina tornava a casa?

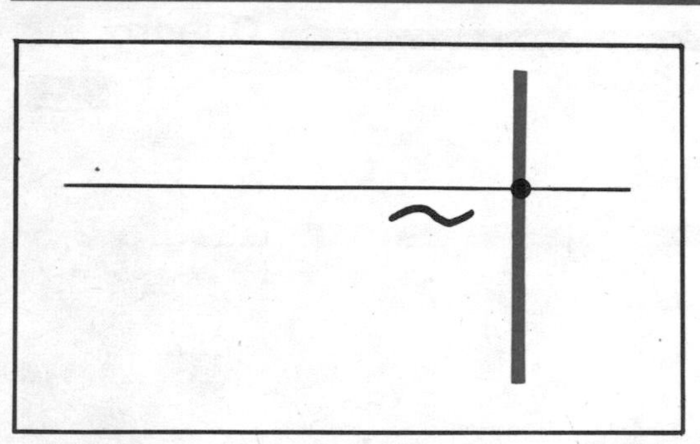

— Ieri sera Cristina andava verso l'ingresso della metropolitana. Credi che tornasse a casa?
— Sì, certo!

Quadro 8/8

Durante la colazione

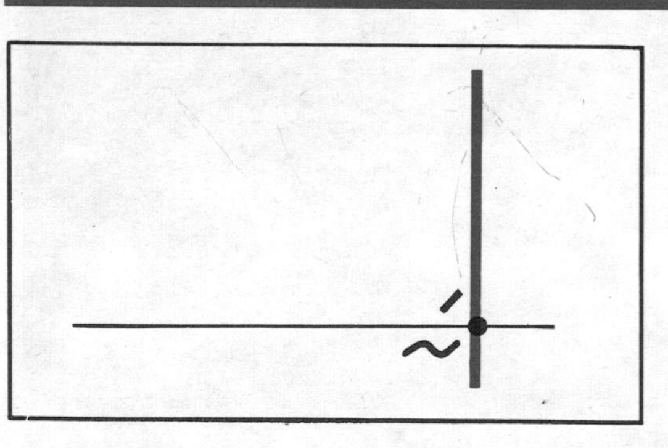

— Quando credi che abbia letto quell'articolo?
— Mi pare che lo leggesse stamattina durante la colazione.

Momento grammaticale 8.3.

Penso **Pensiamo**	che	andasse alla stazione.

Esercizio 106:

trasformate secondo il modello:

Modello	Crede che sia malata. (ora) Crede che fosse malata. (allora)

1) Penso che siano occupati.
....
2) Pensiamo che si preparino a partire.
....
3) Credo che sia in biblioteca.
....
4) Crediamo che preparino le valigie.
....
5) Penso che vadano alla stazione.
....
6) Credo che dorma.
....
7) Pensa che sia in ospedale.
....

Quadro 9/8

Roma: Piazza S. Pietro.

— Pensavamo che la Piazza San Pietro fosse molto più piccola!

Quadro 10/8

Roma: il Tevere.

— Tutti s'illudevano che il Tevere fosse ancora limpido, invece - purtroppo - è inquinato come tanti altri fiumi meno famosi.

Quadro 11/8

Antonio e Cleopatra

— Cleopatra sperava che Antonio restasse per sempre con lei.

Quadro 12/8

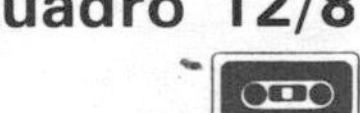

A1: un incidente.

— Vedendo la macchina rovesciata tutti pensavano che fra gli occupanti ci fossero dei morti. Invece, per un vero miracolo, soltanto feriti leggeri.

Quadro 13/8

Perché no!

Valeria: «Paolo, ma dove ti eri cacciato? Non ti si vede da più d'una settimana! Pensavo che non stessi bene o che ti fosse successo qualcosa».

Paolo: «No, Valeria, sto benissimo e non mi è successo niente. Non avevo voglia di frequentare le lezioni e così mi son preso una vacanza».

Valeria: «Se è così, hai fatto bene! Che fai stasera? Ti piacerebbe venire con noi in discoteca?»

Paolo: «Perché no!»

Quadro 14/8

Dolomiti: la Marmolada (sci estivo sul ghiacciaio).

— Hai avuto fortuna! Quando ti ho visto cadere in una nuvola di neve, ho pensato che ti fossi rotto qualche osso. Poi ho visto che ti sei rialzato, hai rimesso gli sci ed hai proseguito la discesa. Allora ho tirato un gran sospiro di sollievo.

Momento grammaticale 8.4. / congiuntivo imperfetto

Pensavo Pensavamo Credevo Credevamo Mi pareva Ci pareva	che	tu Lei	**avessi** **avesse**	fretta.
		voi loro Loro	**aveste** **avessero**	
Avevo l'impressione Avevamo l'impressione	di		**essere**	fuori strada.

Molti credevano	**che**	io tu	**parlassi**	correttamente	il tedesco. l'inglese.
		Lei	**parlasse**		il francese.
		noi voi Loro	**parlassimo** **parlaste** **parlassero**		il polacco. lo spagnolo. lo svedese.

Era meglio	**che**	io tu Lei	**leggessi** **leggesse**	qualche rivista italiana.
Era necessario		noi voi loro	**leggessimo** **leggeste** **leggessero**	

Era	probabile possibile	**che**	io tu	**fossi**	**occupato/a**	ancora a correggere l'esercizio.
			Lei	**fosse**		
			noi voi loro	**fossimo** **foste** **fossero**	**occupati/e**	

Pensava Pensavano Supponeva Supponevano	**che**	Lei	**avesse**	**fatto**	un bella vacanza nelle isole Eolie.
		Loro	**avessero**		

<table>
<tr><td rowspan="3">Volevo
Desideravo
Mi premeva</td><td rowspan="3">che</td><td>tu</td><td>venissi</td><td rowspan="3">da me.</td></tr>
<tr><td>Lei</td><td>venisse</td></tr>
<tr><td>voi
Loro</td><td>veniste
venissero</td></tr>
</table>

<table>
<tr><td rowspan="4">Bisognava

Era necessario</td><td rowspan="3">che</td><td>tu</td><td>facessi</td><td rowspan="4">quel test.</td></tr>
<tr><td>Lei</td><td>facesse</td></tr>
<tr><td>tutti</td><td>facessero</td></tr>
<tr><td colspan="2"></td><td>fare</td></tr>
</table>

<table>
<tr><td rowspan="2">Non eravamo</td><td rowspan="2">certi/e
sicuri</td><td>che</td><td>gli amici fossero venuti o che avessero telefonato.
quel film avesse avuto un grande successo.
quella commedia avrebbe incontrato il favore del pubblico.</td></tr>
<tr><td>di</td><td>potercela fare.</td></tr>
</table>

Attenzione: anche nella relazione al passato se le due frasi hanno lo stesso soggetto, invece del Congiuntivo si usa l'Infinito.

Non si dovrà dire perciò:

<table>
<tr><td>Pensavo</td><td rowspan="3">che</td><td>venissi.</td></tr>
<tr><td>Pensava</td><td>venisse.</td></tr>
<tr><td>Pensavano</td><td>venissero.</td></tr>
</table>

ma:

<table>
<tr><td>Pensavo
Pensava
Pensavano</td><td>di</td><td>venire.</td></tr>
</table>

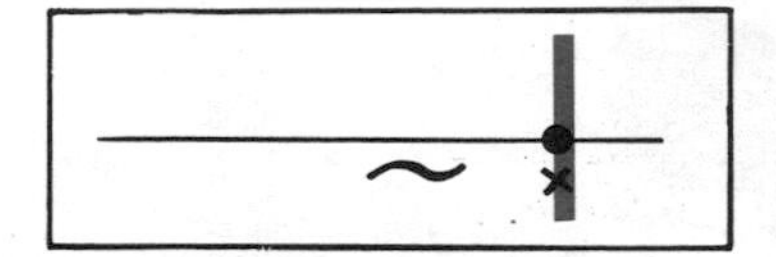

<table>
<tr><td>Sei già qui?</td><td colspan="2"></td></tr>
<tr><td>Non credevo</td><td>che</td><td>saresti arrivato così presto.</td></tr>
</table>

parlare

parlassi **parlassi** **parlasse**	**parlassimo** **parlaste** **parlassero**

leggere

leggessi **leggessi** **leggesse**	**leggessimo** **leggeste** **leggessero**

uscire

uscissi **uscissi** **uscisse**	**uscissimo** **usciste** **uscissero**

andare

andassi	andassimo
andassi	andaste
andasse	andassero

dare

dessi	dessimo
dessi	deste
desse	dessero

dire (dicere)

dicessi	dicessimo
dicessi	diceste
dicesse	dicessero

fare (facere)

facessi	facessimo
facessi	faceste
facesse	facessero

stare

stessi	stessimo
stessi	steste
stesse	stessero

volere

volessi	volessimo
volessi	voleste
volesse	volessero

fossi partito/a	fossimo partiti/e
avessi letto	avessimo letto
mi fossi divertito/a	ci fossimo divertiti/e

Stimoli alla produzione orale e scritta

1) Da un po' di tempo circolava la voce che il prezzo della benzina doveva aumentare.	Che cosa temevano tutti?
2) Il fine settimana passato volevamo fare una gita sui «Monti Sibillini» (Appennini centrali).	Gli studenti avevano paura che per il fine settimana (*fare*) cattivo tempo.

I monti Sibillini.

3) Luisa è uscita tardi dalla casa dei suoi amici, dove c'era stata una piccola festa.	I suoi amici avevano paura che Luisa (*perdere*) l'ultima corsa dell'autobus.

4) Siete andati a Firenze, avete ammirato le «Porte del Paradiso» di Lorenzo Ghiberti. Esprimete la vostra meraviglia.	Non credevamo che la scultura su tavole di bronzo (*raggiungere*) una tale perfezione. È giusto che le (*chiamare*) Porte del Paradiso.

Ghiberti, «porta del Paradiso». Formella che rappresenta la storia di Isacco. Firenze, Battistero.

5) Vuole ancora vedermi, prima che io parta per Melbourne?	Sì, vorrei che Lei (*portare*) un piccolo pacco a mio zio, che vive laggiù. Sarà anche molto felice di conoscerLa.	
6) Una coppia di giovani sposi sta per lasciare il paesello per trasferirsi in una città del nord, dove ha trovato lavoro.	Marco, lo sposo, dice «Sono contento di questo trasferimento a Torino, dove abbiamo un buon lavoro. Mi auguro che a te non (*dispiacere*) troppo dover lasciare il nostro piccolo paese. Spero anche che tu (*potere*) essere soddisfatta e felice». (*Immaginate che cosa gli risponde la giovane sposa*).	
7) Un amico, che ha un pezzo di terra nei pressi del Lago Trasimeno, ti invita perché tu gli dia una mano nella raccolta delle olive. Formula le tue risposte secondo i seguenti casi.	1) Accetteresti volentieri, perché la vita in campagna ti piace molto, ma non puoi. 2) Accetti volentieri, a condizione che tu possa portare anche la tua amica Susi e il suo cagnolino.	
8) Hai conosciuto la nuova segretaria? Che opinione hai di lei?	Credo che	(*essere*) una ragazza seria; non (*avere*) grilli per la testa; si (*potere*) aver fiducia in lei; si (*potere*) affidarle un incarico di responsabilità.

Esercizio 107:

completetate ogni frase al passato

1) (*parlare*) Il professore voleva che voi .... sempre italiano.
2) (*piovere*) Speravamo che ieri non ....
3) (*essere*) Gli studenti speravano che gli esami........................... facili.
4) (*leggere*) Desideravamo che tu....................................... quei libri.
5) (*telefonare*) Speravo che Lei mi.............................., prima di partire.
6) (*mandare*) Credevo che tu.......................... un bel mazzo di fiori a tua madre per il suo compleanno.
7) (*cantare*) Volevamo che Rosella.............. qualche canzone di Modugno.
8) (*potere*) Ho spedito il denaro a mio fratello affinché .... comprare i libri che gli occorrevano per l'Università.
9) (*fare*) Benché .... brutto tempo, sono uscito lo stesso per la mia solita passeggiata.
10) (*avere*) Avevo bisogno di parlare con lei, speravo che Lei................. un po' di tempo.
11) (*partire*) Non vedevo Mario da tanti giorni, credevo che ...., invece l'ho visto stamattina in centro.
12) (*riportare*) Era necessario che Lei.......................... i libri in biblioteca.

Esercizio 108:

trasformate ogni frase secondo il modello:

Modello	Forse Marta non era in casa. Era probabile che Marta non fosse in casa.

1) Forse Giorgio e Luisa avevano fretta.
   Era possibile che Giorgio e Luisa...
2) Forse Michele si sbagliava.
   Pensavo che Michele si ....
3) Forse quei ragazzi non erano soddisfatti dell'ambiente familiare in cui vivevano.
   Era possibile che quei ragazzi non .... in cui vivevano.
4) Forse non potevate finire quel lavoro in tempo.
   Pensavo che non ....
5) Forse Paola prendeva l'ultima corsa della metropolitana.
   Era possibile che...
6) Forse l'orologio di Carlo andava indietro e perciò arrivava sempre in ritardo.
   Poteva darsi che .... e perciò arrivava sempre in ritardo.
7) Forse non gli faceva piacere di partecipare alla gita ad Arezzo.
   Credevamo che non gli...
8) Forse non avevano interesse a visitare i musei della città.
   Supponevamo che non...
9) Forse tornavano a casa, perché c'era troppa confusione.
   Pensavamo che ...., perché c'era troppa confusione.

Esercizio 109:

completate ogni frase secondo il modello:

Modello	Paolo è partito con il treno delle 19.00. Pensavo che Paolo fosse partito con il treno delle 19.00.

1) Raffaella non aveva ancora finito il pullover per suo marito.
   Credevamo che Raffaella non ....
2) Non mi ero deciso a telefonare a Manuela.
   Era meglio che ti..
3) Luigi e Mariella si sono incontrati per caso al bar.
   Si diceva che Luigi e Mariella si..
4) Ci eravamo alzati presto per prendere il battello per Sirmione sul Lago di Garda.
   Era necessario che voi vi ....
5) Avevano avuto un gran successo con quella commedia.
   Credevamo che (essi) ....
6) Lo zio aveva lasciato un testamento a favore dei suoi due nipoti.
   Credevamo che lo zio..
7) Gli operai del gas non avevano ancora completato gli allacci al nostro appartamento.
   Temevamo che gli operai del gas..
8) Il balletto del Bolscioi è arrivato alla «Scala».
   Pensavamo che il balletto del Bolscioi ....
9) Gli studenti non avevano completato le ricerche sulla pittura del secolo XIV nella Basilica di San Francesco ad Assisi.
   Temevo che gli studenti non ....
   ....

Esercizio 110:

trasformate ogni frase secondo il modello:

Modello	Margherita ci scriverà dal Giappone. Pensavamo che Margherita ci avrebbe scritto dal Giappone.

1) Manuela comprerà un nuovo cappotto.
   Pensavo che Manuela..
2) Giuliano mi farà sapere le sue intenzioni.
   Speravo che Giuliano mi ....
3) Mi presterai la tua macchina, in caso di bisogno.
   Immaginavo che mi..
4) Verrete con noi in gita domenica prossima.
   Non eravamo sicuri che ....
5) Non uscirete con questo brutto tempo!
   Credevamo che non .... con quel brutto tempo.
6) Verrai a trovarmi in campagna sabato prossimo?
   Pensavo che tu .... sabato scorso.
7) Forse arriveranno con il prossimo volo.
   Pensavamo che.. con il volo successivo.
8) «Forse mi telefonerà!».
   Speravo che mi ....

9) Sicuramente andranno a vedere «Il Rigoletto» a Firenze durante la stagione del «Maggio Fiorentino».
Eravamo sicuri che essi...
....

10) Gli «sposini» si fermeranno a Venezia soltanto due giorni durante il loro «viaggio di nozze».
Pensavamo che gli sposini si.. per lo meno una settimana, durante il loro «viaggio di nozze».

Momento grammaticale 8.5.

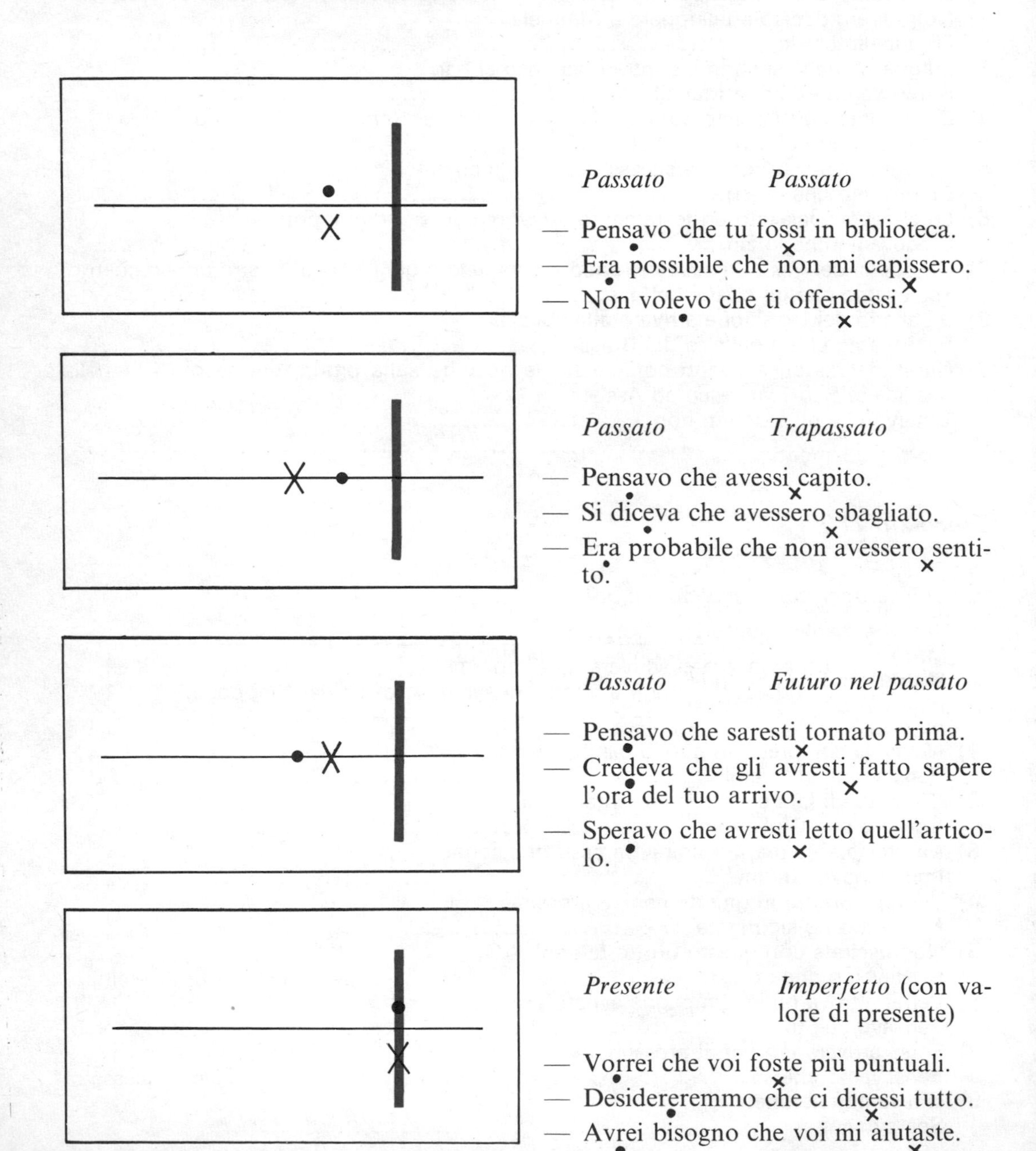

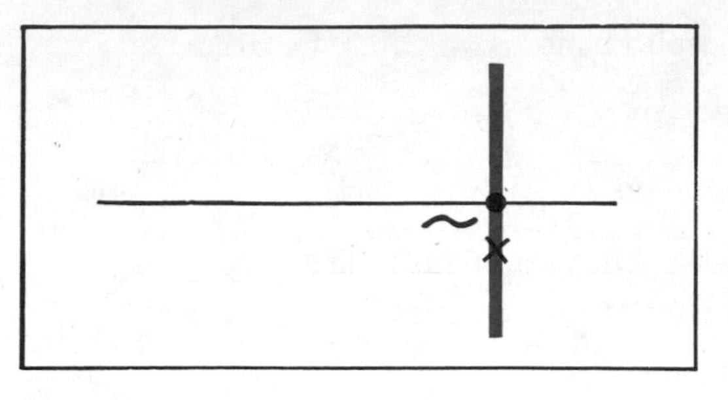

Presente *Passato* *Futuro nel passato* (con estensione al presente)

— Sei pronta? Non pensavo che saresti stata così svelta.

Esercizio 111:

trasformate ogni frase secondo il modello:

Modello	Devi dirmelo adesso. Vorrei che me lo dicessi adesso.

1) Dovete smettere di litigare.
Vorrei che voi..
2) Devi fare più attenzione.
Vorremmo che tu..
3) Mi andresti a prendere le sigarette?
Mi piacerebbe che tu mi..
4) Perché non glielo dici tu?
Non sarebbe meglio che glielo.. tu?
5) Perché ti lamenti sempre?
Vorrei che tu non ti..
6) Perché non mi dici dove stai andando?
Vorrei che mi.. dove stai andando.
7) È necessario che Lei mi dica tutto quello che ha saputo.
Sarebbe necessario che Lei mi.......................... tutto quello che ha saputo.
8) È meglio che tu prenda una decisione.
Sarebbe meglio che tu..
9) Marta vuole che tu le porti un regalo da Napoli.
Marta vorrebbe che tu le..
10) Pietro vuole che tu gli dia una mano.
Pietro vorrebbe che tu gli..
11) Lo zio di Antonio ha perduto l'autobus. Desidera che tu lo accompagni con la tua auto.
Lo zio di Antonio ha perduto l'autobus. Desidererebbe che tu lo..................

Esercizio 112:

trasformate ogni frase secondo il modello:

Modello	Pensavo che Paolo non potesse venire. Paolo pensava di non poter venire.

1) Credeva che Luisa facesse tardi.
Luisa credeva di..

2) Avevo l'impressione che voi non aveste capito bene.
   Avevate l'impressione di non ....
3) Speravamo che Mario potesse venire alla festa.
   Mario sperava di ....
4) Temevo che mia sorella non arrivasse in tempo.
   Mia sorella temeva di non ....
5) Temevamo che nostro fratello non ricevesse il denaro prima della sua partenza.
   Nostro fratello temeva di non..

Esercizio 113:

completate le frasi secondo il modello:

Modello	*a*) Bisognava che noi fossimo più attivi. *b*) Bisognava che tutti fossero più attivi. *c*) Bisognava essere più attivi.

1) Era meglio che tu me lo dicessi subito.
   Era meglio che tutti me lo dicessero subito.
   Era meglio ....
2) Era necessario che tu ti fermassi ancora qualche settimana.
   Era necessario che tutti..
   Era necessario ....
3) Occorreva che voi vi impegnaste di più.
   Occorreva che tutti ....
   Occorreva..
4) Bisognava che Lei frequentasse le lezioni ogni giorno.
   Bisognava che tutti..
   Bisognava..
5) Era meglio che tu gli comunicassi in tempo i dati del computer.
   Era meglio che tutti..
   Era meglio ....

Quadro 15/8

Tifoso: «Se il pallone non avesse colpito il palo, sarebbe stato gol, e la mia squadra avrebbe vinto!»

— Se mi avessi dato retta e avessi smesso di giocare, ora non saresti al verde (senza soldi).

— Se mi fossi alzata prima e non avessi perso tanto tempo davanti allo specchio, ora sarei su quel treno che sta sparendo all'orizzonte.

— Se mi avessi telefonato stamattina presto, mi avresti trovato a casa!

Esercizio 114:

trasformate ogni frase secondo il modello:

Modello	Non fa freddo, non mi metto il cappotto. Se facesse freddo, mi metterei il cappotto.

1) Non mi sento bene, non esco.
   Se mi ....
2) Non ho voglia di studiare: vado al cinema.
   Se ...., non..
3) Non me la sento di telefonare a Marta; le scriverò una lettera.
   Se me la ...., non ....

4) Non ho abbastanza denaro; non compro quel bel pullover.
Se..

5) Non ha gli occhiali, non può leggere il giornale.
Se ...., ...

6) Non abbiamo tempo, non possiamo trattenerci ancora.
Se ...., ...

7) Non piove, non prendo l'ombrello.
Se ...., ...

Esercizio 115:

completate ogni frase secondo il modello:

Modello	Non ho capito, perciò ho fatto molti sbagli. Se avessi capito, non avrei fatto molti sbagli.

1) Non mi sono alzata presto, perciò sono arrivata tardi a scuola.
Se mi ...., non ....

2) Non ha vinto al Totocalcio, perciò non ha comprato una Ferrari, ma una piccola Fiat.
Se ...., ...

3) Abbiamo dimenticato gli occhiali a casa, perciò non abbiamo potuto leggere il giornale.
Se non ...., ...

4) Non ha smesso di giocare a poker al momento giusto, e perciò ha perduto tutto quello che aveva vinto.
Se..,
non ....

5) Non mi ha dato retta ed ora si trova in una brutta situazione.
Se mi ...., ora non si
....

6) Non sono stati attenti alla conferenza, e perciò non hanno capito e si sono annoiati.
Se..,
.... e non ....

7) Ho avuto da fare, non sono potuto venire con te.
Se non...................., ...

8) Non siete venuti al concerto, vi siete annoiati a casa.
Se ...., non vi...

9) Non sei andata a quella «svendita», potevi risparmiare molto.
Se tu ...., ...

10) Non volevo e non l'ho fatto.
Se ...., ...

Esercizio 116:

completate secondo il modello:

Modello	Se avessi tempo resterei ancora un po'. Magari (*avere*) avessi tempo!

1) Forse tornerà il bel tempo.
Magari (*tornare*)...!

2) Se fosse vero, saresti contento?
Magari (*essere*) ....!
3) Se Luisa ti telefonasse, faresti salti di gioia?
Magari mi (*telefonare*) ....!
4) Mi hanno detto che andrai a Taormina, è vero?
Magari (*essere*) ....!
5) Non ti piacerebbe comprare quella pelliccia?
Magari (*avere*) .... tanti soldi! La comprerei subito.
6) Ho sentito dire che verrà con noi a Capri anche Manuela, che ne dici?
Magari (*venire*) .... ! Sarei felicissimo.
7) Non c'è neve, non possiamo sciare!
È vero, è proprio un guaio. Magari (*nevicare*) ....!

Esercizio 117:

completatate secondo il modello:

Modello

Gli zii mi hanno invitato a New York, non ci sono andato. Ora mi dispiace.
Magari ci (*andare*) *fossi andato*!

1) L'anno scorso mi hanno offerto un appartamento al mare per 50 milioni. Quest'anno ne vale più di 70.
Magari lo (*comprare*) ....!
2) Durante l'anno scolastico mi sono divertito un po' troppo. La settimana scorsa ho dato gli esami e mi sono andati male.
Magari (*studiare*) .... di più!
3) L'anno scorso ho passato le mie vacanze in Italia a Riccione. Vicino a questa città ci sono tanti altri posti molto noti e belli, che non ho potuto visitare, perché era difficile raggiungerli senza macchina.
Magari (*portare*) .... la mia macchina!

Momento grammaticale 8.6. / magari

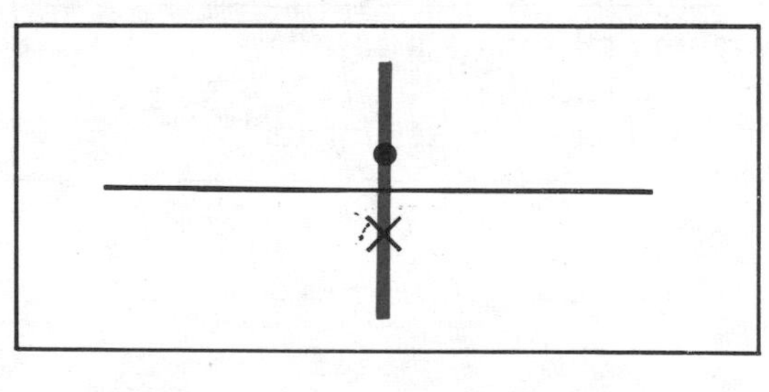

Se fosse vero, sarei felice.
Magari fosse vero!

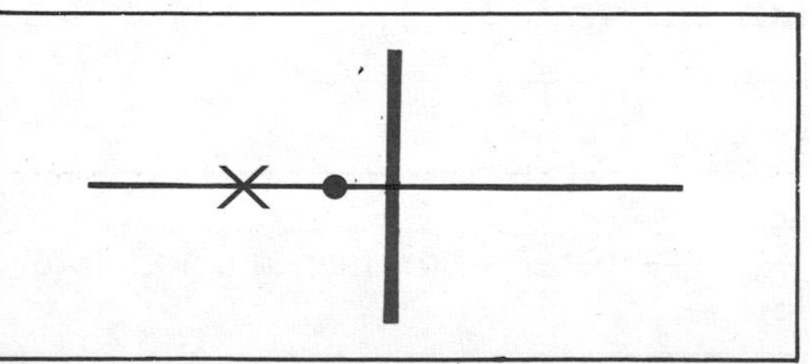

Se l'avessi saputo, te l'avrei detto.
Magari l'avessi saputo!

Momento grammaticale 8.7.

Credo	**che**	**Vada** alla stazione. **sia andato** alla stazione. **andrà** alla stazione. **andasse** alla stazione.

Credevo	**che**	**andasse** alla stazione. **fosse andato** alla stazione. **sarebbe andato** alla stazione

Se ho voglia, studio.
Se avessi voglia, studierei.
Se avessi avuto voglia, avrei studiato.
Se avessi studiato, ora non faresti tanti sbagli.

8.0.0. Categorie di funzione comunicativa

Devo telefonare		
Sono a casa di un amico:	— Mi fai telefonare? — Posso fare una telefonata? — Se non ti dispiace	userei il tuo telefono! telefonerei a casa.
Mi trovo in un negozio di abbigliamento, dove non c'è un telefono a gettoni devo chiedere a mia moglie il suo numero di taglia:	Le dispiace	se uso il Suo telefono?
	Potrei	usare il Suo telefono?
Sono a cena da conoscenti:	— Potrei fare una telefonata a casa? — Mi permette di telefonare? — Le dispiace se faccio una telefonata?	

8.0.1. Categorie di funzione comunicativa

A) *asserzione categorica*		
Dichiaro	che non sono responsabile	di quanto è accaduto.
Giuro	di non essere responsabile	

B) *asserzione meno categorica*	
Non vorrei sembrare categorico, ma posso dirtelo, puoi fidarti di me	non ne so niente!

C) *asserzione con dubbio*			
Non so		se	Paolo sia responsabile dell'incidente.
Non sono	sicuro/a certo/a convinto/a	che	essi siano stati / fossero presenti al fatto. Carla sia proprio estranea al fatto.

Magari

A) magari, (lo vorrei!) fosse vero! (forte desiderio)	
1) Verresti con noi domenica a sciare?	Magari! (Sì, volentieri).
2) Ti piacerebbe quella moto?	Magari avessi tanti soldi! La comprerei subito.
3) Ma poi sarà vero!	Magari fosse vero!
4) Riusciranno a prendere quei banditi?	Magari li prendessero tutti!

B) magari (= forse)
1) Dai giornali sembra possibile un accordo dei sindacati con i dirigenti di quella fabbrica, magari poi non sarà così facile.
2) Ma ne sei sicuro? Magari me lo dici per consolarmi.

C) magari (= invece/piuttosto)	
1) Tutti decidono di prendere una pizza. «E tu, Carla, ti andrebbe una pizza?»	«La pizza proprio no. Prendo, magari, un calzone al formaggio e spinaci».
2) Al telefono «Vieni con noi a fare delle spese?»	«Oggi non posso, magari domani».

«Magari» nell'uso di autori moderni:

Cap. II.

«Ci sono solo i maestri elementari che a trent'anni, solo per un momento, *magari*, si possono sentire vecchi.»

Giovanni Mosca, *Ricordi di scuola*, Rizzoli.

Atto I

«.... Questo qui è molto innamorato di me, e io *magari* me lo sposo, così lui mi paga tutti i miei debiti, e sto tranquilla, al caldo, con questo vecchietto, decoroso, buono, tranquillo, sarà come un padre per me».

Atto II:

Pietro: «Vorresti dire che non mi avresti sposato, se fossi stato povero?

Giuliana: «Non lo so! capisci che non lo so! Non l'ho ancora capito. Non ho avuto tempo di capirlo. Perché ci siamo sposati così di furia? Che furia c'era?»

Pietro: «Mi hai detto: sposami, per carità! sennò se non mi sposi tu, chi mi sposa? sennò finisce che mi butto dalla finestra. Non hai detto così?»

Giuliana: «Sì, ho detto così. Ma era un modo di dire. Non c'era mica nessuna necessità di sposarmi così di furia. Non ero mica incinta. Tua madre avrà *magari* creduto che mi sposavi perché ero incinta. Le hai spiegato che non sono incinta, a tua madre?»

Pietro: «Sì»

Giuliana: «Che furia c'era? Ci siamo sposati come se stesse bruciando la casa. Perché? Non era meglio riflettere un poco?»

Pietro: «Io ho riflettuto. *Magari* è stata una riflessione durata lo spazio di un minuto secondo. Ma non è detto che le riflessioni devono durare dei secoli. Una riflessione lucida, lampeggiante, di un minuto secondo, può bastare».

Natalie Ginzburg, dalla commedia *Ti ho sposato per allegria.*

Cap. IV

«.... Eppure, per una di quelle intuizioni dell'animo, apparentemente assurde, che *magari* al momento non ci si bada ma rimangono dentro, per poi ridestarsi a distanza di mesi e di anni, quando il meccanismo del destino scatterà, Antonio ebbe un presentimento: come se quell'incontro avesse importanza nella sua vita, come se il coincidere rapidissimo degli sguardi avesse stabilito fra loro due un legame che non si sarebbe spezzato mai più, a loro stessa insaputa. Già in passato, più di una volta, aveva constatato la incredibile potenza dell'amore, capace di riannodare, con infinita sagacia e pazienza, attraverso vertiginose catene di apparenti casi, due sottilissimi fili che si erano persi nella confusione della vita, da un capo all'altro del mondo».

Cap. XIX

«.... Senza contare che lei, Laide, se per caso informata delle cosa, sarebbe andata in bestia, capace *magari* di mandarlo a dar via l'anima alla presenza di tutti».

Dino Buzzati, *Un amore*, Mondadori.

Il Papà

Il mio Papà è sempre stanco perché lavora molto, anzi nella ditta dove è impiegato lavora solo lui, gli altri non fanno niente, guardano lui che lavora o se lavorano fanno soltanto sciocchezze e lui deve rimediare.
La mamma dice che non è giusto, che dovrebbero pagarlo di più, però lo tormenta anche quando è stanco e gli chiede i soldi nel momento sbagliato e lui dice che non ce la fa.
Il mio Papà è molto istruito perchè legge il giornale, e se le formazioni della nazionale e il governo li decidesse lui, noi saremmo la prima nazione del mondo. Invece non gli danno retta.
Il Papà ha le basette lunghe perché gli piacciono alla mamma.

La mamma

La mamma ha i capelli lunghi perché piacciono al Papà. La mamma al sabato va dal parrucchiere e quando ritorna riferisce tutte le storie che le altre signore raccontano al parrucchiere per far vedere che sono ricche. I mariti e i figli che hanno, le automobili, le ville, i frigoriferi, i maestri di sci e la lavapiatti. Il Papà si offende ogni volta e dice che lui è stanco e che più di quello che fa non può fare e che se non guadagna abbastanza non è colpa sua e di cambiare parrucchiere. Ma la mamma non gli dà retta perché è di professione casalinga e, a parte la televisione, se non va dal Rino non ha molte occasioni di conoscere il mondo e farsi una cultura.

Aurelio Pellicanò, *La strada della felicità*, Arnoldo Mondadori, 1975.

Quadro 16/8

La Sacra di San Michele (Torino).

Per raggiungere comodamente, o quasi, questo straordinario monumento medievale si deve prendere la strada statale Torino-Susa. Si entra così nell'abitato di Avigliana, si costeggia la bella riviera di un lago, poi ci si insinua nell'esigua striscia di terra che separa il lago da un altro più piccolo, infine ci si inerpica per una strada stretta e tortuosa su per i colli morenici, residuo di antichissimi ghiacciai. Dopo qualche chilometro, dove s'apre uno squarcio fra i castagni, la Sacra è apparizione improvvisa e sorprendente; stagliata nel cielo d'estate o velata di nuvole, non è facile sottrarsi al suo fascino. «Dico che in certi punti, dal basso, sembrava che la roccia si prolungasse verso il cielo, senza soluzione di tinte e di materia, e diventasse a un certo punto mastio e torrione (opera di giganti che avessero familiarità e con la terra e col cielo)»; è Adso da Melk che racconta, il novizio benedettino di «Il nome della rosa». Sicuramente anche Umberto Eco è salito quassù a cercare atmosfera per il suo romanzo.

(Libera riduzione dall'articolo *Compie mille anni e resta un mistero; passato, presente e futuro della Sacra di San Michele.* Mensile «Bell'Italia» n. 4, agosto 1986, Editoriale Giorgio Mondadori).

UNITA' 9

Quadro 1/9

Un incidente

Dialogo fra due compagni di Liceo Classico: Marco, (l'infortunato) e Luca.

Luca: «Che ti disse tuo padre, quando gli chiedesti, per l'ennesima volta, di comprarti il motorino?»

Marco: «Quello che tanti padri ripetono con monotonia. Che dovevo scordarmi il motorino, perché troppo pericoloso, che tanti giovani muoiono o restano invalidi in seguito ad incidenti stradali. Infine concluse che non me l'avrebbe comprato mai».

Luca: «. . . . e tu allora . . . .».

Marco: «Io allora presi a noleggio un 'Gilerino 125'; avrei voluto un bolide, un'Honda 750, ma il noleggiatore aveva solo una moto di piccola cilindrata. Per fortuna!»

Luca: «Non ho capito bene come successe l'incidente. Dunque tu eri al semaforo . . .».

Marco: «Sì, al verde partii, ma una macchina che stava attraversando col rosso mi sbattè a terra. Non ricordo altro. Mi ritrovai all'ospedale con la mamma e il papà che piangevano intorno al mio lettino».

Stimolo alla discussione in classe e poi alla composizione scritta

1) Quali sono i vantaggi per un giovane/una giovane di avere un mezzo motorizzato individuale?
2) La spensieratezza propria dei giovani, il senso di sicurezza, i riflessi pronti, quando sono alla guida di un mezzo motorizzato implicano dei grossi pericoli Che cosa ne pensa?

Momento grammaticale 9.0. / passato remoto

andai **andasti** **andò** **andammo** **andaste** **andarono**	in Australia	quando	avevo avevi aveva avevamo avevate avevano	19 anni.

dissi **dicesti** **disse** **dicemmo** **diceste** **dissero**	a Roberto	di telefonare	dall'Australia.

chiesi **chiedesti** **chiese** **chiedemmo** **chiedeste** **chiesero**	al portiere	se	avevo avevi aveva avevamo avevate avevano	avuto	chiamate al telefono.

fui **fosti** **fu**	contento/a	di	sapere che tutto era andato bene.
fummo **foste** **furono**	contenti/e		

Quella mattina	**mi alzai** **ti alzasti** **si alzò** **ci alzammo** **vi alzaste** **si alzarono**	alle nove,	**mi tuffai** **ti tuffasti** **si tuffò** **ci tuffammo** **vi tuffaste** **si tuffarono**	in piscina per una buona nuotata.

finii **finisti** **finì** **finimmo** **finiste** **finirono**	quel lavoro e	**uscii** **uscisti** **uscì** **uscimmo** **usciste** **uscirono**	per prendere	un po' d'aria. una boccata d'aria.

Vide	l'ostacolo	**frenò**	bruscamente, lo	**evitò**

Quadro 2/9

Melbourne: parco con Koala.

Dialogo fra Carlo e Rita al «Bar Centrale».

Carlo: «Finalmente sei arrivata! È da più di mezz'ora che ti aspetto».
Rita: «Scusami tanto, volevo avvertirti del ritardo, ma non sapevo come farlo. Questo bar non ha il telefono».
Carlo: «T'è successo qualcosa?»
Rita: «Niente di grave, anzi! Ha telefonato la nonna: voleva vedermi subito. 'Una grande sorpresa!' diceva. Sono corsa da lei e ... lo zio Giovanni era arrivato da Sydney. È stata un'emozione che non so dirti. Non lo vedevo da dieci anni».
Carlo: «Ed è arrivato così dall'Australia senza un preavviso!»
Rita: «Non lo conosci: è un tipo imprevedibile, come quando su due piedi lasciò l'impiego a Torino e se ne andò laggiù, dove il fratello di suo padre viveva dal principio del secolo».

La baia di Sydney vista dall'aereo.

Carlo: «M'interessano tanto le storie dei nostri emigrati, ma prima che tu mi racconti quella di tuo zio e dello zio di lui, prendiamo qualcosa: ti va un cappuccino, un'aranciata o che cosa?»

Rita: «Mi andrebbe molto una tazza di cioccolato e una brioscia. La sorpresa mi ha messo appetito!»

Carlo: «Cameriere! Un cioccolato con panna, un cappuccino e qualche brioscia. Dài Rita! Ora comincia il racconto».

Stimolo alla produzione orale

Organizzate voi la storia dei due emigrati in terra d'Australia, tenendo presente i seguenti dati:

1) Lo zio di Rita si chiama Giovanni.
2) Lo zio di Giovanni si chiamava Riccardo.

1° racconto - Riccardo emigrò in Australia nel 1912, prima che cominciasse la I Guerra Mondiale.
Al principio ebbe molte difficoltà, perché non trovava lavoro. Finalmente andò nel Queensland a tagliare la canna. Tagliò canna per circa 10 anni, poi si mise a lavorare in un cantiere edile e fece fortuna. Nel 1947 tornò nella sua natìa Asti (Piemonte). Due anni dopo fu investito da una moto e morì in ospedale, senza aver ripreso conoscenza.

2° racconto - Giovanni emigrò in Australia prima che suo zio tornasse in Italia. A quel tempo era già ingegnere meccanico alla Fiat di Torino.
Rilevò l'azienda di suo zio e in pochi anni fece una grande fortuna, grazie all'invenzione e costruzione di macchine edili (montacarichi, presse per parti pre-fabbricate, ecc.).
S'innamorò di una bella australiana, che conobbe ad una festa. La sposò una settimana dopo. Ebbe tre figli, che ora studiano all'Università di Sydney.
È un uomo felice con due patrie: l'Italia, paese del suo passato, l'Australia, paese del suo futuro e di quello dei suoi figli.

Momento grammaticale 9.1 / passato remoto

Quando la	**vidi**	**ebbi**	l'impressione di	averla già conosciuta.
	vedesti	**avesti**		
	vide	**ebbe**		
	vedemmo	**avemmo**		
	vedeste	**aveste**		
	videro	**ebbero**		

feci	finta	di non	vederli	ed	**entrai**	in un negozio.
facesti					**entrasti**	
fece					**entrò**	
facemmo					**entrammo**	
faceste					**entraste**	
fecero					**entrarono**	

mi misi	a			che non s'era ancora levato il sole.
ti mettesti		lavorare	sul campo,	sul far del giorno.
si mise		tagliare	la legna	
ci mettemmo		cogliere	l'uva,	
vi metteste		studiare	la grammatica	
si misero				

-ARE

and- **cant-** **parl-** **recit-**	**ai** **asti** **ò** **ammo** **aste** **arono**

-ERE

ced- **cred-** **dov-** **insist-** **ricev-** **mi sed-** **tem-**	**ei (etti)** **esti** **è (ette)** **emmo** **este** **erono (ettero)**

-IRE

apr- **cap-** **fin-** **sent-** **usc-**	**ii** **isti** **ì** **immo** **iste** **irono**

Flessione di alcuni verbi irregolari

	-DERE		-NDERE	
accendere	acce	**-si**	accend	
chiedere	chie		chied	**-esti**
chiudere	chiu		chiud	
decidere	deci	**-se**	decid	
perdere	per		perd	**-emmo**
prendere	pre		prend	**-este**
rendere	re		rend	
scendere	sce	**-sero**	scend	

-NCERE	-GERE		-GLIERE	-NGERE
cogliere	col	**-si**	cogli	
dipingere	dipin		diping	**-esti**
giungere	giun	**-se**	giung	
piangere	pian		piang	**-emmo**
scegliere	scel		scegli	**-este**
vincere	vin	**-sero**	vinc	

-CERE	-GGERE	-TERE	-RRE	-VERE
di (ce) RE	di	**-ssi**	dic	
distruggere	distru		distrugg	**-esti**
leggere	le	**-sse**	legg	
muovere	mo		mov	**-emmo**
scrivere	scri		scriv	**-este**
tradurre	tradu		traduc	
vivere	vi	**-ssero**	viv	

bere (bevere)	**dare**	**conoscere**	**sapere**	**stare**
bevvi	**diedi**	**conobbi**	**seppi**	**stetti**
bevesti	**desti**	**conoscesti**	**sapesti**	**stesti**
bevve	**diede**	**conobbe**	**seppe**	**stette**
bevemmo	**demmo**	**conoscemmo**	**sapemmo**	**stemmo**
beveste	**deste**	**conosceste**	**sapeste**	**steste**
bevvero	**diedero**	**conobbero**	**seppero**	**stettero**

tenere	**vedere**	**venire**	**volere**
tenni	**vidi**	**venni**	**volli**
tenesti	**vedesti**	**venisti**	**volesti**
tenne	**vide**	**venne**	**volle**
tenemmo	**vedemmo**	**venimmo**	**volemmo**
teneste	**vedeste**	**veniste**	**voleste**
tennero	**videro**	**vennero**	**vollero**

Esercizio 118:

trasformate ogni frase secondo il modello:

Modello	Ho comprato questa moto, quando avevo 20 anni. Comprai la prima moto, quando avevo 20 anni.

1) Abbiamo visto i bambini, che giocavano.
....
2) Ha preso quel libro, che era nel cassetto.
....
3) Sono usciti, quando ancora stava piovendo.
....
4) Ho continuato a leggere quel libro; era molto interessante.
....
5) Abbiamo deciso di andarla a trovare: voleva vederci.
....
6) Ha fatto finta di non vedermi ed è entrata in un negozio.
....
7) Si sono messi a correre, per non arrivare tardi.
....
8) C'è stata una lite terribile. La polizia è arrivata e li ha portati tutti in Questura.
....
9) Hai fatto tardi? Sì, ho fatto tardi.
...........? Sì,...

Momento grammaticale 9.2

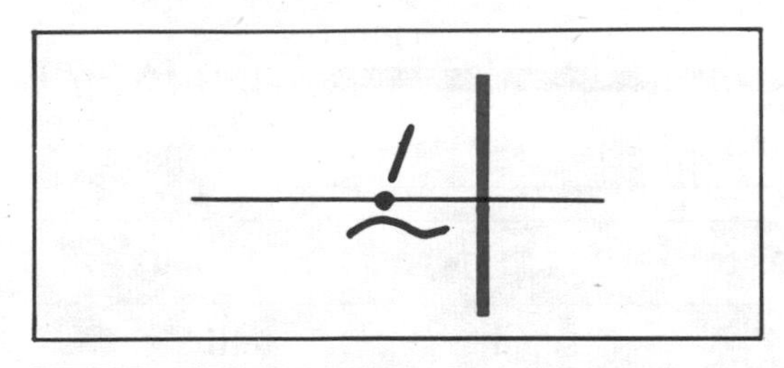

Emigrò in Australia, quando aveva 19 anni.

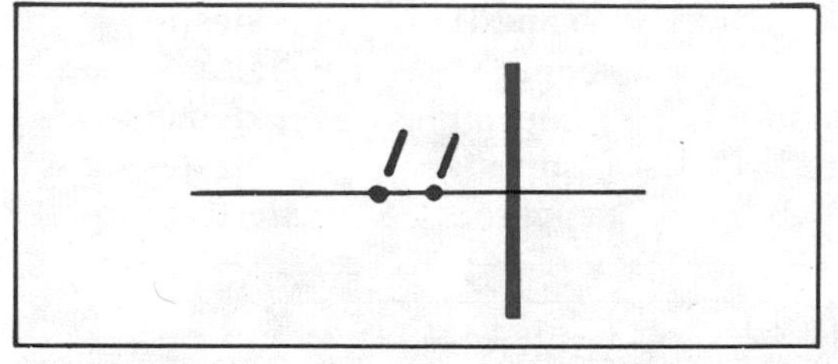

Appena vide quella bella ragazza, s'innamorò di lei.

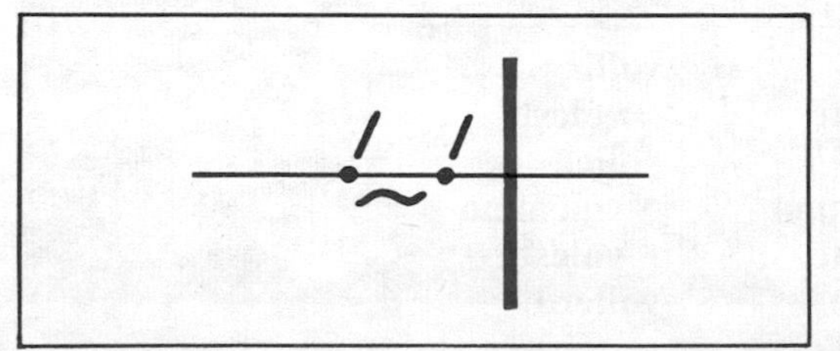

Feci il numero: la linea era libera. Sentii la voce di Mary.

Quadro 3/9

Clara e Toni parlano al Telefono

Toni: «Ti dico che ho i biglietti, due poltroncine di terza fila, proprio al centro ...
Dici che non puoi venire, ma che problemi ci sono?»

Clara: «A dirti la verità è un'opera che non mi attrae; non la conosco ... e non m'interessa».

Toni: «Ho capito! tu fai come quei bambini che dicono 'non mi piace' prima di gustare un frutto nuovo. La musica è meravigliosa! Il pezzo 'Mia piccola Liù ...' è commovente, il finale è forte e drammatico, tiene il fiato sospeso quando il tenore canta 'Nessun dorma, .. e all'alba vincerò!'»

Clara: «Ma ho sentito in TV che il Ministero della Cultura in Cina ha assicurato che nella storia del medioevo cinese non c'è nessuna principessa così crudele, da mandare a morte quei principi che vogliono sposarla, ma che non riescono a risolvere i suoi tre enigmi».

Toni: «Sì, l'ho sentito anch'io. Ma a parte la verità o meno della storia, è uno spettacolo meraviglioso, la musica è divina! È di Puccini, non c'è altro da aggiungere, non ti sembra? ... Dunque ...?»

Clara: «Mi hai proprio convinta. Ci verrò!»

Quadro 4/9

Verona: panorama della città con il fiume Adige.

Stimolo alla ricerca e alla composizione scritta

1) Fate ricerche sull'opera «Turandot» di Giacomo Puccini.
2) Scrivete delle riflessioni sull'opera.

Stimolo alla ricerca ed alla composizione scritta

1) Leggete il libretto, o un riassunto, dell'opera «Aida» di G. Verdi.
2) Fate ricerche sul periodo storico al quale l'opera si riferisce.
3) Fate ricerche sul periodo storico del tempo nel quale G. Verdi visse.
4) Rispondete alle seguenti domande:
   a) Chi era Radames?
   b) Di chi era innamorato?
   c) Chi era Aida, prima di diventare schiava degli Egizi?
   d) Chi era Amneris?
   e) Di chi era innamorata Amneris?
   f) Perché Radames venne condannato a morte?
   g) A quale tipo di morte venne condannato?
   h) Che cosa fece Aida, dopo che ebbe sentito che Radames era stato condannato a morte?

Momento grammaticale 9.3. / trapassato remoto-passato remoto

<table>
<tr><td rowspan="2">Dopo che</td><td>fui
fosti
fu</td><td>entrato/a</td><td rowspan="2">nella stanza</td><td>accesi
accendesti
accese</td><td rowspan="2">la lampada.</td></tr>
<tr><td>fummo
foste
furono</td><td>entrati/e</td><td>accendemmo
accendeste
accesero</td></tr>
</table>

<table>
<tr><td>Come
Non appena che</td><td>ebbi
avesti
ebbe
avemmo
aveste
ebbero</td><td>saputo</td><td>che</td><td>quella
ditta</td><td>era
seria</td><td>accettai
accettasti
accettò
accettammo
accettaste
accettarono</td><td>l'offerta
di
lavoro.</td></tr>
</table>

Esercizio 119:

trasformate secondo il modello:

Modello	Gli telefonai, poi andai da lui. *a*) Dopo che gli ebbi telefonato, andai da lui. *b*) Dopo avergli telefonato, andai da lui.

1) Misi il cappotto, poi uscii.
   a) ....
   b) ....
2) Comprammo un bel mazzo di rose, poi andammo dai nonni.
   a) ....
   b) ....
3) Entrò in quell'impresa edile, poi fece fortuna.
   a) ....
   b) ....

Momento grammaticale 9.4.

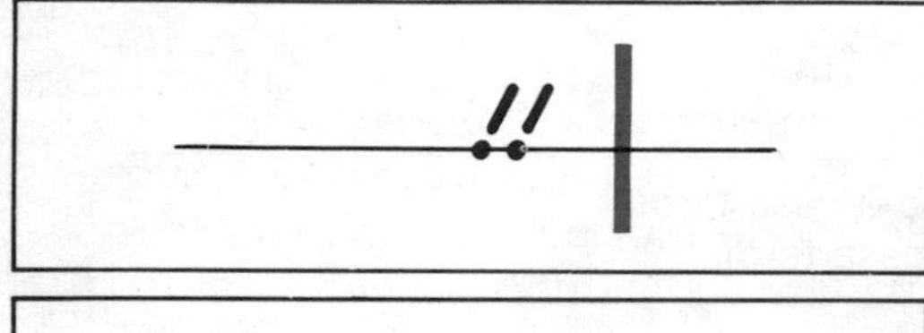

Prima entrò nella stanza, poi accese la lampada.

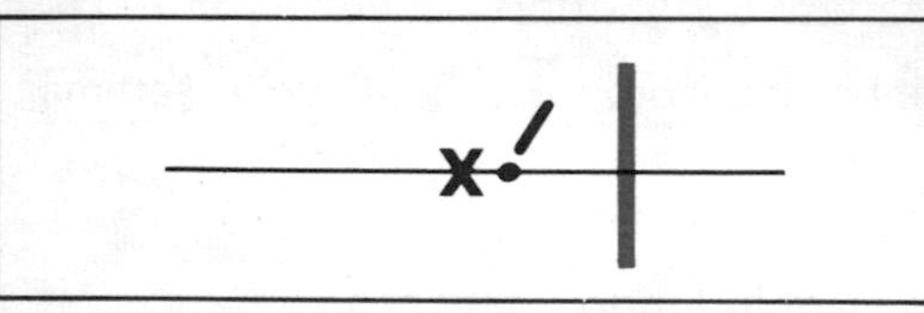

Dopo che fu entrato nella stanza, accese la lampada.

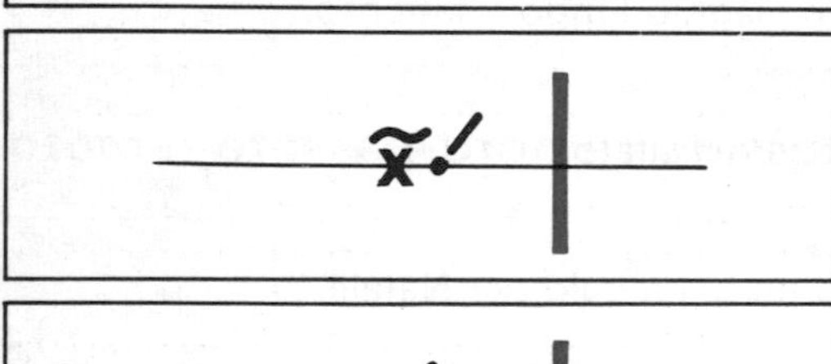

Mi disse che aveva avuto paura.

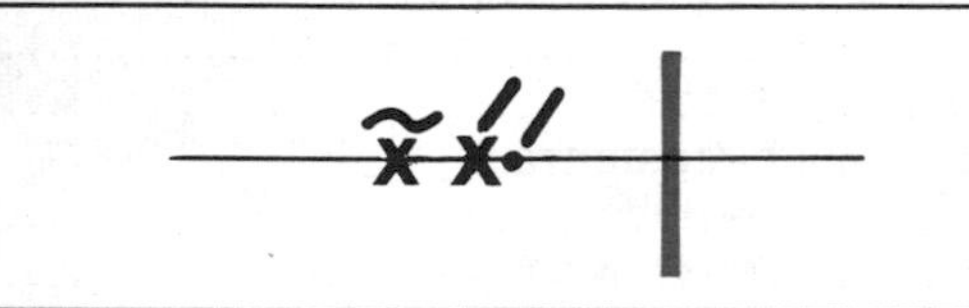

Dopo che gli ebbi telefonato, che Mario aveva perduto al gioco, gli mandò un vaglia telegrafico.

Esercizio 120:

trasformate secondo il modello:

Modello	L'ho informato, che avevo perduto l'autobus. L'informai, che avevo perduto l'autobus.

1) Mi ha risposto, che non aveva capito.
   ....

2) Gli ho detto, che avevo fatto tutto.

....

3) Ha ammirato la borsa, che le avevo comprato.

....

4) Hanno chiesto il nome delle persone, che avevano partecipato alla festa.

....

5) Mi sono alzata per vedere che tempo faceva.

....

6) Luisa ha spedito un telegramma di auguri a sua madre, perché non aveva avuto tempo di scriverle una lettera.

....

....

7) Ci siamo seduti, perché eravamo stanchi.

....

8) Abbiamo aperto le finestre, perché faceva caldo.

....

9) Sono andata al mercato, perché mi sono accorta che non avevo più frutta.

....

Esercizio 121:

trasformate secondo il modello:

Modello	Le ho detto, che sarei tornato a casa tardi. Le dissi, che sarei tornato a casa tardi.

1) Mi ha fatto sapere, che la macchina sarebbe stata pronta venerdì della settimana successiva.

....

....

2) Non ha voluto capire, che sarebbe stato un viaggio lungo e faticoso.

....

....

3) Non si sono informati sul paese, che avrebbero visitato.

....

....

4) Mi hanno scritto, che mi avrebbe mandato un bel regalo per Natale.

....

....

5) Ci ha fatto sapere, che ci avrebbe aiutato in quella circostanza.

....

....

6) Le ho promesso che sarei andata a trovare la sua cara nonnina.

....

....

7) Mi ha assicurato, che mi avrebbe telefonato.

....

....

8) Mi ha detto, che non sarebbe più partito.

....

....

9) Vi ho informato, che avrei fatto tardi.

....

....

Momento grammaticale 9.5.

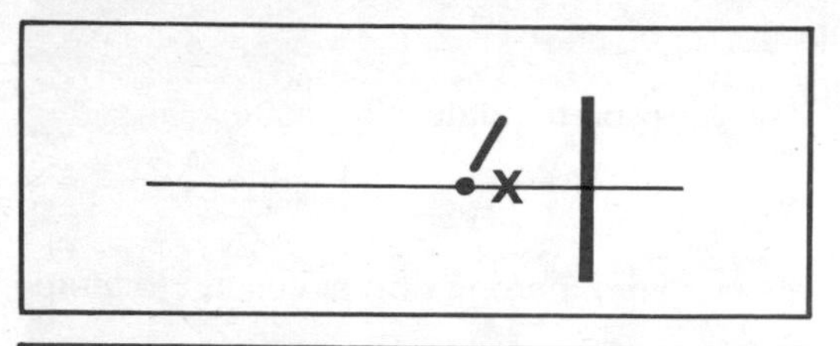

Non volle capire, che sarebbe stato un viaggio lungo e faticoso

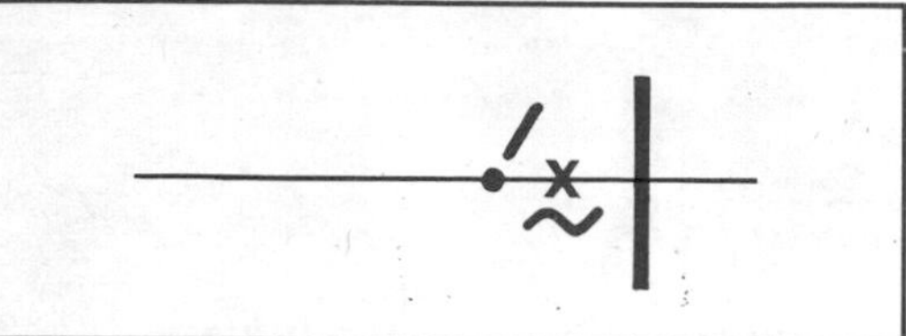

Gli comunicai, che Luisa avrebbe rimandato la partenza perché stava male.

Quadro 5/9

Assisi. Basilica di San Francesco: vista delle due chiese.

La Basilica di San Francesco ad Assisi è formata di due chiese sovrapposte. La costruzione fu iniziata nel 1228, soltanto due anni dopo la morte del Santo, per impulso di Frate Elia, che ne era stato anche l'ideatore. Nel 1253 poteva dirsi compiuta. I portici, che circondano la piazza inferiore risalgono al XV secolo.
Chiesa superiore: ad una navata, snella e luminosa, di pura struttura gotica, prototipo di tante altre chiese dedicate a San Francesco. Nella zona inferiore delle

Assisi. Basilica di San Francesco: interno della Chiesa superiore.

pareti si trova il celebre ciclo di 28 grandi affreschi, che illustrano altrettanti episodi della vita del Santo, e nei quali Giotto (1267-1337) affermò la novità della sua arte e tutta la potenza plastica.

Notizie tratte da *Umbria*, Guida d'Italia del Touring Club Italiano, Milano 1950.

Quadro 6/9

Rappresenta: «come il beato Francesco, in ricordo del Natale di Cristo, chiese che si *appressasse* un presepio, che si *apportasse* del fieno e che si *conducessero* un bue e un asino in una grotta fuori del paesino di Greccio (Sabina); indi predicò su la natività del Re povero, e mentre il sant'uomo era in orazione, un cavaliere vide il bambino Gesù in luogo di quello che il Santo aveva apportato».

Giotto: il Presepio a Greccio (Sabina).

Giotto: il miracolo della sorgente.

Rappresenta: «il beato Francesco, ascendendo un monte in groppa all'asino di un povero uomo, poiché egli era infermo, per quest'uomo che si sentiva morire dalla sete, pregando, fece scaturire da una pietra dell'acqua, che né prima vi era stata né poi fu più vista».

Giotto: la predica agli uccelli.

Rappresenta: «Andando il beato Francesco a Bevagna (Umbria), predicò a molti uccelli, i quali, agitandosi con gioia, stendevano i colli, battevano le ali, aprivano i becchi e toccavano la sua tonaca; e tutte queste cose vedevano i suoi seguaci che aspettavano sulla via».

C. Troiano e A. Pompei, *Guida illustrata di Assisi*, Casa Editrice Francescana Frati Minori Conventuali - Assisi, 1969.

Per notizie più ampie sulla vita di San Francesco, in particolare sui quattro episodi illustrati da Giotto, potete consultare l'opera di Tommaso da Celano, *Vita di San Francesco d'Assisi* e *Trattato dei Miracoli*.

Stimolo alla produzione orale e scritta

1) Con l'aiuto dell'insegnante riscrivete in italiano moderno i tre brani relativi al quadro 6/9.
2) Descrivete uno degli affreschi di Giotto, che vi è piaciuto di più.

Invito alla lettura - Ritratto morale e fisico di San Francesco.

«Come era incantevole, splendido e glorioso nella sua innocente vita, nella semplicità del parlare, nella purezza del cuore, nell'amore di Dio, nella carità verso i fratelli, nella prontezza dell'obbedienza, nella gentilezza della condiscendenza, nell'aspetto angelico!

Amabile nel tratto, per natura placido, affabile nel parlare, opportuno nell'esortare, fedelissimo nell'adempimento degli uffici a lui affidati, accorto nel consigliare, efficace nell'azione, grazioso in tutto. Sereno di spirito, dolce di animo, assennato, assorto nella contemplazione, assiduo nella preghiera, sempre pieno di fervore; costante nei propositi, saldo nelle virtù, perseverante nella grazia, e sempre uguale a se stesso. Veloce nel perdonare, lento ad adirarsi, d'ingegno acuto, ben dotato di memoria, sottile nelle discussioni, prudente nel decidere, e in tutto semplice. Severo con se stesso, indulgente con gli altri, discreto sempre ... »

Tommaso da Celano, *op. cit.*,

Quadro 7/9

Milano: Basilica di Sant'Ambrogio.

La cristianità milanese aveva raccolte e custodite le salme dei propri martiri. Dopo l'editto di Costantino (313) le custodì in piccole cappelline in loro onore.
Sant'Ambrogio volle costruire tra il 379 e il 386 una chiesa che intitolò «Basilica Martirum». Nel 397 vi fu collocata la salma di Sant'Ambrogio, come egli aveva personalmente disposto.
Da allora l'affetto dei milanesi verso il loro grande vescovo, fece cambiare il nome originario della basilica in quello di «Sant'Ambrogio».

Quadro 8/9

Cattedrale di Bitonto, Puglia

Cattedrale di Trani, Puglia.

Le caratteristiche architettoniche della Basilica lombarda di Sant'Ambrogio, si ritrovano particolarmente nelle varie cattedrali della Lombardia, ma anche in quelle pugliesi.

Quadro 9/9

L'architetto Biagio Rossetti iniziò la costruzione di questo palazzo verso il 1492. Ricevette l'aspetto che ha attualmente nella seconda metà del '500 per volontà del Cardinale Luigi d'Este che ne fu il proprietario.

Sia la facciata che il fianco sono rivestiti fino al cornicione da oltre 12.000 blocchi di marmo tagliati a punta di diamante (da qui il nome al palazzo).

Nel 1842 il palazzo venne acquistato dal Comune di Ferrara e fu così trasformato in pinacoteca: vi si conservano — tra gli altri — quadri della celebre «Scuola ferrarese».

Gualtiero Medri: *Ferrara, brevemente illustrata nei suoi principali monumenti*, Luchini & Bianchini, Ferrara 1933.

Ferrara: Palazzo dei Diamanti.

Quadro 10/9

La Casa dell'Ariosto. È a pochi passi dalla Chiesa dei Cappuccini la Via Mirasole, ora Via Ariosto, in cui intatta nell'austera architettura del primo Cinquecento s'innalza la *Parva Domus* del Poeta, ove egli trascorse gli ultimi anni di vita, portando a perfezione il suo capolavoro (il poema *L'Orlando Furioso*).
Il disegno della facciata si attribuisce a Gerolamo Carpi e si ritiene che questo in Ferrara sia il primo esempio di costruzione in cui abolito ogni oramento, l'effetto viene affidato a pretti elementi architettonici.
Sopra la finestra mediana del piano superiore in una targa in cotto fatta apporre da Virginio Ariosto, figlio naturale del poeta, si legge *Sic Domus Haec Areosta Propitios Deos Habeat Olim Ut Pindarica* in cui è espresso l'augurio che «questa casa Ariostea propizi abbia gli Dei come già quella di Pindaro».

Gualtiero Medri, *op. cit.*

Ferrara: Casa del poeta Lodovico Ariosto.

Stimolo alla produzione orale e scritta

Osservate i due palazzi uno qui sopra, l'altro alla pagina precedente: rispondete alle seguenti domande:

1) quale dei due palazzi è più grande, più rappresentativo?

2) quale dei due palazzi è — secondo voi — più ricco di quadri e di affreschi?

3) La Casa del Poeta Lodovico Ariosto (1474-1533) chiamata da lui *Parva Domus* (la piccola casa) in confronto ai palazzi dei ricchi e dei potenti.
In realtà, come possiamo vedere ancora oggi, era un palazzo signorile molto decoroso.
Come erano le case della gente comune?

4) Il Cinquecento è il secolo del «RINASCIMENTO». Fate una piccola ricerca sui più famosi palazzi del Rinascimento a Firenze, ad Urbino e a Roma.

Stimolo per una ricerca comparata fa L/1 ed L/2:

Con l'aiuto dell'insegnante cercate l'equivalente dei seguenti modi di dire nella vostra lingua:

1) andare a gonfie vele;
2) fare un buco nell'acqua;
3) la montagna ha partorito un topo.

Quadro 11/9

Roma, capitale del nuovo Stato (1861-1870)

Giuseppe Garibaldi, al comando dei suoi volontari, e con l'aiuto di volontari siciliani, aveva liberato la Sicilia (Spedizione dei Mille: 6 Maggio - 20 Luglio 1860).
Il 20 agosto Garibaldi passò lo Stretto di Messina e procedette verso Napoli, dove entrò il 7 Settembre, innalzando lo stendardo «Italia e Vittorio Emanuele».
Il parlamento piemontese, su proposta di Camillo Cavour, acclamò Roma capitale d'Italia, ma i tempi non erano maturi per la sua realizzazione. Nel Maggio 1862 Garibaldi organizzò, di sua iniziativa, una nuova spedizione su Roma, ma fu fermato ad Aspromonte dalle truppe del Re Vittorio Emanuele II, il quale si era impegnato con la Francia a non attaccare lo Stato pontificio.
Intanto, per calmare gli animi di coloro che volevano il trasferimento della capitale a Roma, fu stabilito il trasporto della capitale da Torino a Firenze, trasferimento che fu effettuato nel Giugno 1865.
Nel 1866 si ebbe la liberazione del Veneto dall'Austria ed un plebiscito del 21/22 Ottobre ne sanzionò l'unione al Regno d'Italia. Nell'Ottobre 1867 Garibaldi organizzò un nuovo tentativo per liberare Roma, ma non ebbe successo, perché la Francia aveva inviato truppe in appoggio a quelle pontificie.
Scoppiata la guerra franco-germanica (Luglio 1870), Napoleone III dovette richiamare le truppe da Roma.
Allora il partito d'azione e l'opinione pubblica s'imposero irresistibilmente, perché venisse troncato ogni indugio. Il 20 Settembre 1870 le truppe italiane entrarono in Roma per la breccia di Porta Pia. Il 2 Ottobre un plebiscito sanzionò l'unione di Roma all'Italia. Nel Luglio 1871 avvenne il trasferimento della capitale a Roma.

Libera riduzione da *Grande Dizionario Enciclopedico UTET*, voce Italia, Vol. X.

Quadro 1/10

New York vista dalla terrazza del grattacielo Rockfeller.

Il 747 Alitalia sta atterrando a Fiumicino.

Una telefonata da New York: John telefona al suo amico Paolo a Roma:

John: «Ciao Paolo! Come stai? Faccio una telefonata breve, per comunicarti che domani arriverò a Fiumicino».

Paolo: «Sono contento di vederti e verrò a prenderti all'aeroporto con Mara. Con quale volo arriverai?»
John: «Con il volo AZ 810 che atterrerà a Roma alle 8 di mattina».

> Paolo riferisce a Mara la telefonata che ha ricevuto da John.
> Paolo: «Poco fa ha telefonato John e ha detto che arriverà domani a Fiumicino».
> Mara: «Gli hai chiesto a che ora arriverà?»
> Paolo: «Sì, mi ha detto che viaggerà con il volo AZ 810, che sarà a Roma domattina alle 8».
> Mara: «Gli hai detto che andremo a prenderlo all'aeroporto?»
> Paolo: «Sì, certamente e gli ho detto che ci sarai anche tu».

Quadro 2/10

Stefano e Carla

«Ho urgente bisogno di parlare con Carla. Sai a che ora esce dall'ufficio?»
....

> Racconto a mia sorella la telefonata di Stefano.
> «Qualche giorno fa Stefano mi ha telefonato perché aveva urgente bisogno di parlare con Carla. Mi ha chiesto se sapevo a che ora sarebbe uscita dall'ufficio».

Quadro 3/10

Paestum: Il tempio di Era, già detto di Nettuno.

Agrigento: Tempio della Concordia.

Dialogo fra due amiche:

Laura: «Non vedo Stefania da più d'un mese, sai dove è?»
Caterina: «Ha fatto una gita nel Sud Italia ed in Sicilia».
Laura: «Che fortunata! Anch'io sogno da tanto tempo un viaggio nei luoghi della Magna Grecia. Che ti ha raccontato?»
Caterina: «È entusiasta di tutto il viaggio. Mi ha raccontato del viale dei Templi ad Agrigento, dove ha trovato un giovane molto colto. Le ha fatto da guida e poi l'ha invitata a casa sua. No, no! non credere che sia il solito 'pappagallo'. Sua madre le ha preparato un tipico pranzo siciliano».

Laura non vede Stefania da più di un mese e domanda a Caterina se sa dove è. Caterina le risponde che Stefania ha fatto una gita nel Sud Italia ed in Sicilia e poi le racconta del buon incontro che Stefania ha fatto ad Agrigento.

Momento grammaticale 10.0. / passato-futuro nel passato (condizionale passato)

Discorso Diretto	***Discorso Indiretto***
Presente/Presente 1) Giorgio dice: «Oggi sono occupato».	*Presente/Presente* Giorgio dice che oggi è occupato.
Presente/Futuro 2) Marta telefona a sua zia: «Domani non potrò venire da te!»	*Presente/Futuro* Marta telefona a sua zia e le dice che domani non potrà andare da lei.
Passato/Passato 3) Stamattina Carla mi ha detto: «Ieri sera sono andata dai miei nonni in campagna». 4) Carla mi disse: «Ieri sera sono andata dai miei nonni, che abitano in campagna».	*Passato/Passato* Stamattina Carla mi ha detto che ieri sera è andata dai suoi nonni in campagna. Carla mi disse che la sera precedente era andata dai suoi nonni, che abitano in campagna.
Passato/Futuro 5) Carla mi disse: «Domani sera andrò dai miei nonni, che vivono in campagna».	*Passato/Futuro nel passato (condizionale passato)* Carla mi disse che la sera successiva sarebbe andata dai suoi nonni, che vivono in campagna».
Passato/Passato Marta mi chiese: «Che cosa hai comprato al mercato?»	*Passato/Trapassato* Marta mi chiese che cosa avevo comprato al mercato.
Presente/Imperativo 6) Paolo mi chiede: «Prestami la tua moto!»	*Presente/Infinito* Paolo mi chiede di prestargli la mia moto.

Discorso Diretto	*Discorso Indiretto*
Passato/Imperativo	*Passato* a) + *infinito* b) + *imperfetto* (*dovere*) + *infinito*
7) Simona mi rispose molto arrabbiata: «Vattene!»	Simona mi rispose molto arrabbiata a) di andarmene b) che dovevo andarmene.
8) La mamma si rivolse a Luca e gli disse: «Va giù in cantina e prendi un fiasco di vino d'Orvieto!»	La mamma si rivolse a Luca e gli disse *a*) di andare giù in cantina e di prendere un fiasco di vino d'Orvieto *b*) che doveva andare giù in cantina e prendere un fiasco di vino d'Orvieto.

Presente/Presente Adriano mi domanda: «Dove stai andando?» Marta mi chiede: «Chi lo dice?» Ti domando: «Che cosa stai facendo?»	*Presente/Presente* Adriano mi domanda dove sto andando. Marta mi chiede chi lo dice. Mi domanda che cosa sto facendo.
Passato/Presente Adriano mi domandò: «Cosa fai stasera?» Carolina mi chiese: «Dove stai andando?»	*Passato/Passato* Adriano mi domandò che facevo quella sera. Carolina mi chiese dove stavo andando.
Presente/Presente Lucia mi domanda: «Ci verresti anche tu?» Paolo mi chiede: «Vuoi uscire con me?»	*Presente/Presente* Lucia mi domanda se ci andrei anch'io. Paolo mi chiede se voglio uscire con lui.
Passato/Presente Marta mi domandò: «Vieni con me in biblioteca?» Le ho domandato: «Le è piaciuto quel film?»	*Passato/Passato* Marta mi domandò se andavo con lei in biblioteca. Le ha domandato se le era piaciuto quel film.
Presente/Condizionale presente Mi chiede: «Verresti con me in discoteca?» Mi chiede: «Le piacerebbe venire con noi?»	*Presente/Condizionale presente* Mi chiede se andrei con lui in discoteca Mi chiede se mi piacerebbe andare con loro.
Passato/Condizionale presente Mi chiese: «Saresti contenta di fare un viaggio in aereo?»	*Passato/Congiuntivo imperfetto* Mi chiese se fossi contenta di fare un viaggio in aereo.

Discorso Diretto e Discorso Indiretto:

1) La mamma a Carlo: «Va a chiamare tuo fratello, che sta giocando in giardino. Digli che è ora di pranzo».	1a) al *presente*: La mamma prega Carlo di andare a chiamare suo fratello, che sta giocando in giardino e di dirgli che è ora di pranzo. 1b) al *passato*: La mamma pregò Carlo di andare a chiamare suo fratello; che stava giocando in giardino e di dirgli che era ora di pranzo.
2) La mamma a Carlo: «Devo uscire per fare delle spese. Mi raccomando di non aprire a nessuno. Se qualcuno telefona, pregalo di lasciare il numero di telefono, lo chiamerò io al mio ritorno».	2a) al *presente*: La mamma dice a Carlo che deve uscire per fare delle spese. Si raccomanda di non aprire a nessuno. Se qualcuno telefona deve pregarlo di lasciare il numero di telefono, lo chiamerà lei al suo ritorno. 2b) al *passato*: La mamma disse a Carlo che doveva uscire per fare delle spese. Si raccomandò di non aprire a nessuno. Se qualcuno avesse telefonato doveva pregarlo di lasciare il numero di telefono, lo avrebbe chiamato lei al suo ritorno.

Stimolo alla produzione orale

1) Fate domande al vostro vicino di banco in discorso diretto e poi trasformate tutto il dialogo in discorso indiretto prima al presente, e poi al passato.
2) Raccontate nel discorso indiretto la conversazione telefonica che avete avuto con un vostro amico (con una vostra amica) prima al presente e poi al passato.
3) Da una commedia trasformate una scena nel discorso indiretto.

Esercizio 122:

trasformate secondo il modello:

Modello

Paola risponde «Oggi sono libera; vengo con te al supermercato».
Paola mi risponde che oggi è libera; viene con me al supermercato.

1) Andrea dice: «Non posso vedere la partita in TV stasera: sono stanco e vado subito a letto».

....

2) Manuela sospirando dice: «Devo finire ancora tutti questi esercizi».

....

3) Marco uscendo di casa dice a sua moglie: «Debbo rimanere in ufficio fino alle due».

....

4) Dico a Tiziana: «Devo lavorare ancora un paio d'ore».
....

5) Marco telefona a Maria e le dice: «Non posso arrivare in tempo perché ho perduto l'autobus».
....
....

6) Con tono alterato mi dice: «Te lo ripeto per la seconda volta: non ho tempo da perdere in chiaccchiere inutili».
....
....

Esercizio 123:

trasformate secondo il modello:

Modello	Marta mi telefona: «Sarò da te fra poco». Marta mi telefona che sarà da me fra poco.

1) Carlo mi dice: «Paolo Rossi non giocherà domani nella squadra azzurra».
....
....

2) Mio fratello dice a Tina: «Stasera verranno alla festa le mie due amiche olandesi».
....
....

3) Anche la zia dice: «Verremo da voi stasera».
....

4) Marta telefona a sua zia e le dice: «Domani sarò molto occupata».
....

5) Telefono a mia moglie e le dico: «Andremo a pranzo con i nostri amici texani. Ti aspettiamo all'una al ristorante 'Il Leon d'oro'».
....
....

6) Telefono all'agenzia di viaggi e dico: «Passerò fra poco a ritirare i biglietti».
....
....

7) Paolo mi assicura: «Sarò puntuale stasera per la cena».
....

Esercizio 124:

trasformate secondo i due modelli:

Modelli	Paolo promette: «Studierò domani». Paolo promette che studierà domani.	Paolo promise: «Studierò domani». Paolo promise che avrebbe studiato l'indomani (il giorno dopo).

1) L'idraulico promette: «Verrò domani da Lei».	L'idraulico promise: «Verrò domani da Lei».
....	....
	....

2) L'avvocato comunica: «Sarò in tribunale alle dieci precise».

....

....

L'avvocato comunicò: «Sarò in tribunale alle dieci precise».

....

....

3) Pietro telefona a sua moglie: «Non tornerò a casa per il pranzo».

....

....

Pietro telefonò a sua moglie: «Non tornerò a casa per il pranzo».

....

....

4) Enrico incontra il suo amico e gli dice: «Stasera andrò al concerto».

....

....

Enrico incontrò il suo amico e gli disse: «Stasera andrò al concerto».

....

....

Esercizio 125:

trasformate secondo i due modelli:

Modelli

Egli mi dice «Presta a Teresa i tuoi colori!» Egli mi dice di prestare a Teresa i miei colori.

Egli mi pregò: «Presta a Teresa i tuoi colori!». Egli mi pregò di prestare a Teresa i miei colori.

1) La zia dice al nipotino: «Non sporgerti dal finestrino!».

....

....

La zia disse al nipotino: «Non sporgerti dal finestrino».

....

....

2) La mamma chiede: «Aiutatemi a mettere in ordine la casa!».

....

....

La mamma chiese: «Aiutatemi a mettere in ordine la casa!».

....

....

3) Il vigile risponde: «Prosegua per quella strada fino al semaforo, poi volti a sinistra».

....

....

Il vigile rispose: «Prosegua per quella strada fino al semaforo, poi volti a sinistra».

....

....

4) La zia chiede a Luisa: «Portami subito il fon!».

....

....

La zia chiese a Luisa: «Portami subito il fon!».

....

....

5) Il marito prega la moglie : «Comprami una bella cravatta blu a righe bianche!»

....

....

Il marito pregò la moglie: «Comprami una bella cravatta blu a righe bianche!»

....

....

6) Egli mi dice: «Prestami la tua moto!»

....

....

Egli mi disse: «Prestami la tua moto»

....

....

7) Mi scrive: «Non comprare quell'appartamento!»

....

....

Mi scrisse: «Non comprare quell'appartamento».

....

....

Esercizio 126:

trasformate secondo il modello:

Modello	Un signore ci ha domandato: «Vi è piaciuto il concerto?» Un signore ci ha domandato se ci era piaciuto il concerto.

1) Il cameriere ci ha domandato: «Vi è piaciuto il pranzo?»
....
2) Lo zio mi ha domandato: «È piaciuto a Marco il mio regalo?»
....
3) La mamma ha domandato a Maria: «Ti è piaciuto il vestito?»
....
4) Il nonno ha domandato alla nipotina: «Ti è piaciuto il gelato?»
....
5) Paolo mi domanda: «Ti è piaciuta la commedia?»
....
6) Caterina mi chiede: «Vi è piaciuta l'opera 'Aida' all'arena di Verona?»
....
7) Le domandò: «Le sono piaciuti i nuovi modelli autunnali in quella sfilata a Milano?»
....

Esercizio 127:

trasformate secondo il modello:

Modello	Mi domandò: «Con chi ci andrai?» Mi domandò con chi ci sarei andata.

1) Le domandai: «Quando farai quel viaggio?».
....
2) Mi domandò: «Con chi andrai a quella festa?»
....
3) Ci domandò: «Chi vi accompagnerà all'aeroporto?»
....
4) Mi chiese: «Da chi andrai per avere quelle informazioni?»
....
5) Gli domandai: «Quando andrai a trovare i nonni?»
....
6) Mi telefonò da Milano e mi disse: «Arriveremo con il treno delle 23,55 alla stazione di Firenze. Verrai a prenderci con la macchina?»
....
7) Le domandai: «Quando verrete a trovarci?»
....
8) Le dissi: «Da quale sarta ti farai fare il vestito da sera?»
....
9) Le chiesi: «Quale agenzia organizzerà il viaggio in Argentina?»
....
10) Gli domandai: «Con chi andrai in Grecia?»
....

Quadro 4/10

Fare quattro passi

Tina: «Dove stai andando?»
Gino: «Vado a fare quattro passi».
Tina: «Starai molto?»
Gino: «No, voglio solo sgranchirmi le gambe. Sono stato seduto tutto il giorno!»

Quadro 5/10

Sei arrabbiato? Con chi ce l'hai?

Teresa: «Perchè non parli? Ce l'hai forse con me?»

Quadro 6/10

Tutti gli edifici di questo complesso *sono stati costruiti* con pannelli prefabbricati. La struttura portante è di cemento armato, i muri esterni e i tetti *vengono trattati* con materiali isolanti, per cui si ha un consistente risparmio nel riscaldamento. In alcune costruzioni *verranno istallati* pannelli solari per la produzione di acqua calda.

Complesso condominiale in costruzione.

Momento grammaticale 10.1. / coniugazione passiva

<table>
<tr><td rowspan="2">È/viene
Era/veniva
Fu/venne
Sarà/verrà</td><td rowspan="2">ammirato/a</td><td>dal pubblico</td><td>per la sua interpretazione.</td></tr>
<tr><td>dalle amiche</td><td>per la sua pettinatura.
per la sua pelliccia.</td></tr>
</table>

<table>
<tr><td>sono
ero</td><td>stato/a</td><td>fermato/a</td><td rowspan="2">dalla polizia.</td></tr>
<tr><td>siamo
eravamo</td><td>stati/e</td><td>fermati/e</td></tr>
</table>

<table>
<tr><td rowspan="2">penso che</td><td>Paolo</td><td>sia stato</td><td>consigliato</td><td rowspan="2">da qualcuno.</td></tr>
<tr><td>Le allieve</td><td>siano state</td><td>consigliate</td></tr>
</table>

devono **possono** **vogliono** **preferiscono!**	**essere**	**accompagnati/e**	alla stazione	da voi.

Esercizio 128:

trasformate ogni frase secondo il modello:

Modello	Gli studenti accompagnano *Paolo* alla stazione. Paolo è accompagnato dagli studenti alla stazione.

1) Gli studenti osservano a lungo *quei bei ritratti.*

....

2) Un agente di polizia arresta *il ladro.*

....

3) La TV trasmette stasera *un importante incontro di box.*

....

Esercizio 129:

trasformate secondo il modello:

Modello	(Il meccanico) non ha ancora riparato *la mia macchina.* La mia macchina non è stata ancora riparata (dal meccanico).

1) I Signori Rossi hanno invitato *parenti ed amici* per il loro venticinquesimo anniversario di matrimonio.

....

2) Il terremoto ha distrutto *molti edifici di questa città*.

....

3) Un cane randagio ha morso *quel bambino*.

....

Esercizio 130:

trasformate secondo il modello:

Modello	Il vigile mi fece *una grossa multa*. Una grossa multa mi fu fatta dal vigile.

1) Carla chiamò al telefono *tuo fratello* molte volte.

....

2) Il bagnino salvò *molti bagnanti*.

....

3) Durante la sua breve vita Van Gogh dipinse *più di 200 tele.*

....

Esercizio 131:

trasformate secondo il modello:

Modello	Mio padre deve ancora spedire *i pacchi con i regali di Natale*. I pacchi con i regali di Natale devono ancora essere spediti (da mio padre).

1) Marco deve finire *questo lavoro* prima di sera.

....

2) (voi) Dovete trasformare in passivo *ogni frase*.

....

3) Tutti gli studenti possono capire *questi esercizi*.

....

4) (voi) Dovete riconsegnare subito *questi libri* in biblioteca.

....

Esercizio 132:

trasformate secondo il modello:

Modello	Il Presidente della Repubblica riceverà *gli atleti*. Gli atleti saranno ricevuti dal Presidente della Repubblica.

1) Sandra ti riferirà *i particolari*.

....

2) (Io) consegnerò oggi stesso *il manoscritto* in tipografia.

....

3) I sindacati difenderanno *i metalmeccanici* in questa vertenza.

...

4) Il presidente della Confcommercio riceverà *i rappresentanti dei sindacati*, per uno scambio di idee sul costo del lavoro.

...

...

Esercizio 133:

trasformate secondo il modello:

Modello	Bella questa cravatta: chi te l'ha regalata? Bella questa cravatta: da chi ti è stata regalata?

1) Bello quest'orologio: chi te l'ha regalato?

...

2) Mi piacciono i tuoi pantaloni: chi te li ha regalati?

...

3) Ma come l'hai saputo? Chi te l'ha detto?

...

4) Come l'ha saputo? Chi gliel'ha detto?

...

5) Non mi ricordo chi me l'ha raccontato.

...

Esercizio 134:

trasformate secondo il modello:

Modello	Ho dimenticato chi me lo disse. Ho dimenticato da chi mi fu detto.

1) Come l'avete saputo? Chi ve lo riferì?

...

2) Non ho mai saputo chi glielo disse.

...

3) Vorrei sapere chi glielo regalò.

...

4) Mi interessava sapere chi gliela raccontò.

...

5) Non so chi la comprò.

...

6) Era curiosa di sapere chi le portò quei fiori.

...

7) Ho dimenticato chi me lo ha detto.

...

8) Volevo sapere chi scrisse quella lettera.

...

Quadro 7/10

«Beffa un bagnino e finisce in ospedale. Fintosi in procinto di annegare è stato salvato *e poi* picchiato *e* riscagliato *in mare.*
Roma, 19 Agosto 19.. - Sulla spiaggia di Fregene, affollatissima ieri mattina, come gni domenica d'estate, uno dei bagnini di servizio stava sorvegliando i numerosi agnanti, quando il suo occhio *fu attratto* dai gesti incontrollati di un tale a qualche lecina di metri dalla riva. Poi alle sue orecchie giunsero invocazioni disperate di aiuto. Senza esitazione si gettò in acqua e raggiunse il giovanotto, che annaspava disperatamente, con gli occhi stravolti, e che di tanto in tanto spariva sotto il pelo dell'acqua per tornare a galla ad intervalli sempre più brevi, gridando aiuto e agitando una mano ogni volta che riaffiorava.
Il bagnino lo afferrò per i capelli quando sembrava che, ormai privo di forze, stesse per annegare, e presolo a rimorchio, lo depositò pochi minuti più tardi sulla spiaggia, accingendosi a praticargli la respirazione artificiale, mentre intorno si radunava un gruppo di persone che avevano assistito allarmate al salvataggio ...».

Da «Il Messaggero».

Quadro 8/10

Una cicca di sigaretta causò la morte di una bambina. Un'auto finì contro un albero, perché il guidatore fu colpito *in un occhio dal mozzicone.*

Milano 18 - Sotto l'accusa di omicidio colposo *è stato rinviato* a giudizio, dal Sostituto Procuratore della Repubblica, il notaio Italo Zona, di 36 anni, che il 21 marzo scorso, uscito di strada con la sua macchina, causò la morte di una bambina di 11 anni, Maria Rosa Teorchi, che si trovava sul sedile posteriore della stessa macchina.

Il grave incidente *fu provocato* da un mozzicone di sigaretta che lo Zona aveva gettato dal finestrino e che, respinto dall'aria, lo colpì ad un occhio, facendogli perdere il controllo della macchina, che si fracassò contro un albero.
Mentre lo Zona e la moglie, che si trovava al suo fianco, riportarono solo lievi ferite, la piccola Maria rimase invece uccisa.
Il Magistrato, dopo la perizia, ha rilevato la responsabilità dello Zona, il cui comportamento *è stato definito* incauto e pericoloso, e pertanto lo ha citato a giudizio per rispondere di omicidio colposo.

Da «Il Giornale del Mattino».

Esercizio 135:

trasformate secondo il modello:

Modello	Ogni anno in Sicilia vengono prodotte grandi quantità di agrumi. Ogni anno in Sicilia si producono grandi quantità di agrumi.

1) A Prato (Toscana) in una sola fabbrica vengono prodotte migliaia di blu jeans al mese.
   ....
2) Ad Arezzo (Toscana)viene lavorata ogni anno una grande quantità di oro e di argento.
   ....
3) In quel ristorante sono serviti piatti molto prelibati.
   ....
4) In questo supermercato vengono confezionati pacchi per regalo.
   ....
5) Nelle miniere del Monte Amiata (Toscana) non viene estratto più il mercurio.
   ....
6) In Sicilia viene estratto ancora lo zolfo.
   ....
7) Durante la Fiera di Milano sono esposte merci prodotte in vari paesi del mondo.
   ....
   ....

Quadro 9/10

Le ciliegine

— Vedi quell'alberello? È un giovane ciliegio: ha già tante ciliegine verdi. Saranno mature fra non molto.
Ti piacciono, vero, le ciliegie?

Quadro 10/10

La mamma e Paolino

«Paolino, dammi il bacino della buona notte!»

Brani da due poesie:

La *donzelletta* vien dalla campagna,
in sul calar del sole,
col suo fascio dell'erba; e reca in mano
un *mazzolin* di rose e di viole,
onde, siccome suole,
ornare ella si appresta
dimani, al dì di festa, il petto e il crine.
Siede con le vicine
su la scala a filar la *vecchierella*,
incontro là dove si perde il giorno;
e novellando vien del suo buon tempo,
quando ai dì della festa ella si ornava,
ed ancor sana e snella
solea danzar la sera intra di quei
ch'ebbe compagni dell'età più bella.
....

Dalla poesia *Il Sabato del Villaggio* di Giacomo Leopardi (1798-1837).

Tre *casettine*
dai tetti aguzzi,
un verde *praticello*,
un esiguo ruscello: Rio Bo,
un vigile cipresso.
....

Dalla poesia *Rio Bo* di Aldo Palazzeschi (1885-1974).

Momento grammaticale 10.2./parole alterate

donzelletta **mazzolin** **vecchierella**	giovane ragazza, donzella piccolo mazzo di fiori una vecchia piccola, simpatica
casettine **praticello**	piccole case un piccolo prato
casetta **casone**	una piccola casa, graziosa (valore affettivo) una grande casa brutta
alberello	un albero giovane, piccolo
animalino, animaletto	un animale piccolo, grazioso
babbino	affettivo per babbo
bacino	un bacio da o ad un bambino
cagnolino	un piccolo cane
cartaccia	carta vecchia, inutile, da gettar via
debolino/a **deboluccio/a**	un/una bambino/bambina un po' debole
doloretti	qualche dolore, anche ricorrente, ma non forte
donnina	una piccola donna; anche: una bambina vestita da donna
donnetta	una donna con nessuna qualità di risalto, semplice, insignificante
un donnone	una donna grande, robusta, forte
donnaccia	una donna di facili costumi; anche: una donna di cui non si ha piacere di avere a che fare, una donna cattiva
fiorellino	un fiore piccolo, delicato, carino
fiumicello	un piccolo fiume
fiumiciattolo	un fiume piccolo, senza importanza; con un senso un po' dispregiativo
gattino/a	un/una gatto/gatta piccolo/a, grazioso/a
laghetto	un piccolo lago
mammina	affettivo per mamma

nonnino/a	affettivo per nonno/a
omino	un uomo piccolo
ometto	un uomo senza qualità di risalto, un po' insignificante; bambino vestito da ometto
omone	un uomo forte, robusto, grosso, tarchiato
omaccio	un uomo cattivo, prepotente
pesciolino	piccolo pesce
un pezzetto di ...	un piccolo pezzo di ...
un pochino di ...	un poco di ...
ponticello	un ponte piccolo
una porticina	una porta piccola, stretta
un portone	la porta di casa, la porta del palazzo
pioggerellina	una pioggia fina fina
robaccia	roba vecchia, rotta, inutile
stanzetta	una stanza piccola
tempaccio	brutto tempo, tempo cattivo
uccellino	un uccello piccolo, grazioso
vecchino/a	un vecchio/una vecchia piccolo/a, simpatico/a; anche con valore affettivo
vasetto	un vaso piccolo

suffisso - astro	
unito agli aggettivi di colore fa loro assumere un significato di approssimazione, oltre ad un peggiorativo: **biancastro** **giallastro** **grigiastro** **nerastro** **rossastro** **verdastro**	unito ad alcuni sostantivi, ne altera il significato dando loro un valore peggiorativo o dispregiativo: **giovinastro** **medicastro** **poetastro**

Parole che hanno acquisito, nella pratica, valore proprio. Non sono quindi più delle alterazioni.	
l'accendino	per accendere sigarette, sigari, ecc.
il bottone	serve per allacciare vestiti, giacche, cappotti
il cavalletto	treppiede di legno usato da pittori, da fotografi, ecc.
i canini	quattro denti aguzzi ai lati degli incisivi
i cavalloni	grandi onde, quando il mare è in burrasca
il colletto	il collo di camicie, blusette
il mattone	pezzo di terracotta usato per costruire muri

...nedì 21 maggio 1984 **il Giornale dell'interno**

Quadro 11/10

Oltre 1100 imbarcazioni alla manifestazione veneziana

«Vogalonga» sulla Laguna in tremila sfidano la bora

Il vento ha causato numerose cadute in acqua - Morto per infarto un rematore

Non è ancora segnato sul calendario il giorno della nuova, sorprendente festa veneziana della «vogalonga». Ma essa in pochi anni ha già assunto un grande significato. I veneziani in questo giorno infatti riprendono possesso del principale elemento *sul quale* è fondata la loro città: il mare. Escono a centinaia, a migliaia su ogni tipo di imbarcazioni; s'incontrano nel bacino di S. Marco e da qui, dopo aver circumnavigata parte della città, entrano a Canaregio, percorrono il Canal Grande e si ritrovano nel bacino che già vide i fasti dello sposalizio del doge con il mare.

Da *Venezia* del Touring Club Italiano.

Millenovecentosettanta imbarcazioni di ogni tipo, ma tutte a remi, dalla gondola al kajak, sono partite stamani dal bacino di San Marco per partecipare alla decima edizione della «Vogalonga».
Anche se favorita dal cielo sereno, la «Vogalonga» 1984 è stata ostacolata dal vento di bora che, se ha spazzato le nuvole, ha però affaticato i 3.340 partecipanti, rovesciando alcune barche e provocando numerose cadute in acqua.
Tra i concorrenti, persone di ogni età, dal più giovane, Sebastiano Chizzali, di 9 anni, alla più anziana, Annamaria Franco, di 71.
Primi ad arrivare al «traguardo» situato sulla «punta della Dogana», sono stati i canottieri di Firenze, che con la loro «joole» a otto rematori hanno compiuto i 32 chilometri del percorso in un paio d'ore ....

Da «Il Giornale» del 21 Maggio 1984.

Quadro 1/11

Perugia: stabilimento della Perugina e lavorazione della cioccolata.

Invito alla lettura: *La dolce seduzione della cioccolata*

Nel 1519 il conquistatore spagnolo Herbàn Cortès fece conoscere al mondo la cioccolata portando in Spagna dal Messico la ricetta originale della Corte Azteca. Il sovrano azteco Montezuma II brindò a Cortès con il chocolat, e lasciò che ne osservasse la preparazione.

Montezuma era famoso per *tracannarne* ogni giorno alcuni calici d'oro dello scuro liquido amaro, convinto che il «chocolatl» desse vigore ed energia. *Per quanto riguarda* il vigore e l'energia, i dietologi hanno scoperto che Montezuma aveva ragione. Oltre ad essere ricca di carboidrati e di grassi, una tavoletta di cioccolata al latte di 50 grammi contiene utili quantità di proteine, tiamina, riboflavina, calcio e ferro.
Napoleone credeva fermamente nel benefico effetto energetico della cioccolata e ne portava sempre con sè durante le sue campagne. Da principio il liquido amaro che Cortès aveva portato dal Messico non *ebbe una buona accoglienza* in Spagna. Ma, con l'aggiunta di zucchero, la cioccolata cominciò ad entrare in favore della gente. Gli spagnoli cercavano di mantenere segrete le tecniche di coltivazione e di fabbricazione. Ma nel 1606 il mercante fiorentino Francesco Carletti, reduce da un lungo viaggio intorno al mondo insieme al padre Antonio, riuscì a infrangere il monopolio portandone la ricetta in Toscana. Le conseguenze di questa «liberalizzazione» non tardarono a farsi sentire: la diffusione della cioccolata si estese rapidamente al resto della penisola, per poi raggiungere senza ulteriori difficoltà — se si esclude forse il prezzo — anche altri paesi.
In effetti, pare proprio che i «cioccolatieri» italiani (celebre la «Fabbrica di Chioccolatta di ogni sorte» di Domenico Guado in Calle Larga di San Marco a Venezia) siano stati i primi maestri degli stessi svizzeri, i quali non esitarono ad attraversare le Alpi per apprendere i metodi di lavorazione del prelibato prodotto. Sta di fatto che la moda della cioccolata assunse in tutta Europa dimensioni tali nel secolo XVII, da sollevare addirittura una delicatissima questione di diritto canonico: «Si rompe il digiuno con la cioccolata?» I gesuiti, in base al principio *liquidum non frangit dejunum*, erano dell'idea che, se praparata con acqua, la si poteva consumare anche nei primi giorni di astinenza ...

Estratto da *La dolce seduzione della cioccolata* in «Selezione» - Aprile 1982.

Stimoli alla ricerca, alla comunicazione orale in classe e alla composizione scritta

1) In quali paesi cresce l'albero del cacao?

2) Che dimensione può raggiungere l'albero del cacao?

3) Descrivete una piantagione di cacao.

4) Sapete quanta cioccolata si consuma, in un anno, nel vostro paese? Provate a fare una ricerca.

5) Sapete che cosa sono i «Gianduiotti» e i «Baci»?

6) Cercate di sapere come vengono trattati i chicchi di cacao e come viene prodotta la cioccolata.

Quadro 2/11

Il distratto

«Guarda dove cammini!»

Quadro 3/11

Ora di punta

«Guarda un po' che traffico!»

Modi di dire

Guarda (un po') Accidenti	che confusione! che traffico!

Guarda Sta attenta/o	a quello che fai! dove metti i piedi!
Senti Guarda	non ce la faccio più. sei proprio un disgraziato!

Senti,	perchè non ci prendiamo una tazza di cioccolato con la panna?
Senta,	ce lo prendiamo un digestivo?

Senti,	assaggia,	questi funghi, sono buoni!
Senta,	assaggi,	

Quadro 4/11

L'arricchito

«Senti, ma tu sei proprio ricco!»

«Senti, ma ti sei fatto un sacco di soldi, eh!»

Quadro 5/11

Il balletto

«Senta, che ne direbbe di andare a vedere il balletto stasera?»

Quadro 6/11

La pigrona

«Io ... sai ... non me la sento proprio di uscire con questo tempaccio».

Senti,	ma vuoi proprio comprarlo?
Senta,	ma vuole proprio comprarlo?

Sai,	forse hai ragione.
Sa,	forse ha ragione.

Quadro 7/11

Un'informazione

«Senta, mi sa dire dove si trova la CIT?»

Quadro 8/11

Valigie pesanti

«Senti, non ce la faccio più. Riposiamoci un momento!»

<table>
<tr><td>Senta,
Scusi,
Mi scusi,</td><td>mi saprebbe indicare il più vicino parcheggio?</td></tr>
</table>

Stimolo alla produzione scritta

<table>
<tr><td>Guarda
(Accidenti)</td><td colspan="2">che bella macchina.</td><td rowspan="7">Scrivete altre frasi utilizzando le espressioni che avete qui a sinistra:</td></tr>
<tr><td>Vedi,
Senti,
Guarda,</td><td colspan="2">non me la sento di uscire con questo tempaccio.</td></tr>
<tr><td colspan="3">Gli antichi faraoni — sai — facevano lavorare migliaia di schiavi per erigere le loro tombe a piramide.</td></tr>
<tr><td colspan="3">Beh, guarda, veramente io la penso diversamente.</td></tr>
<tr><td>Senti,
Su,
Dài,</td><td colspan="2">— vattene a casa!
— finiscila!
— fa presto!
— sbrigati!</td></tr>
<tr><td>Senta,
Scusi,</td><td colspan="2">che ore sono?
mi può indicare la via per ...?</td></tr>
<tr><td colspan="2">Il cameriere:
L'impiegato allo sportello
La commessa in un negozio:</td><td>Dica?
Prego?
Desidera?</td></tr>
</table>

Quadro 9/11

Il linguaggio dei gesti

— Senti, mi presteresti un paio di milioni? Tra due mesi te li restituisco!
— Ma sei matto?!

Quadro 10/11

— Devo trasportare questo pianoforte al terzo piano. C'è da guadagnare una bella somma, mi daresti una mano?
— Ma io non ce la faccio proprio!

Quadro 11/11

— È buono quel gelato?
— Uhm! è delizioso!

Quadro 12/11

Andrea: «Rita, vieni, corri a vedere che bella farfalla!»

Michy: «Vieni qua! Vieni a vedere il disegno che ho finito proprio ora!»

Stimoli per una collaborazione con gli studenti

1) Quali altri gesti usati in Italia conoscete?
2) Qual è il gesto per dire che si ha fame?
3) Qual è il gesto per significare che qualcuno è un po' matto?
4) Quali sono i gesti equivalenti a quelli richiesti nei numeri 2 e 3 nel vostro paese?
5) Quali altri gesti espressivi avete nel vostro paese?

Quadro 13/11

Roma: Foro Romano.

Foro Romano

In origine era una valle paludosa traversata da un fiumicello che divenne la Cloaca Massima dopo che fu canalizzato. Il luogo fu ben presto frequentato dagli abitatori delle colline circostanti, i quali vi tenevano il loro mercato e fu detto *forum*, forse da *foras*, perché era fuori dell'abitato.
In seguito il Foro divenne il centro commerciale e giuridico di Roma e vi sorsero attorno negozi (*tabernae*) e basiliche. Più tardi, dopo che i mercati furono trasferiti, il Foro si abbellì di templi e monumenti votivi e divenne, sempre più il centro ufficiale e politico della città.
Il Foro accolse le memorabili adunate del Senato, ascoltò la voce dei più famosi oratori, ricevette le ambascerie dei più lontani paesi. Se anche nel periodo imperiale non vide più affollati comizi popolari, continuò nondimeno ad essere il sìmbolo di Roma e della sua missione unificatrice nel mondo.

Sintesi dalla *Guida artistica di Roma, del Vaticano e dei dintorni*, F. Bellonzi, ed E. Francia, Vallerini, Pisa.

Quadro 14/11

Come si presenta oggi la zona della necropoli etrusca di Norchia.

Norchia (Viterbo). Ricostruzione ideale della parte centrale della necropoli etrusca.

A partire dal IV sec. a.C. la città etrusca di Norchia andò circondandosi lungo le tre vallate adiacenti del Pile, dell'Acqualta e del Biedano (nomi di tre torrenti), di un'imponente e suggestiva cerchia di tombe a facciata rupestre, che costituiscono un complesso fra i più significativi dell'Etruria meridionale.

L'esibizione di ricchezza, evidente nella creazione di tanti e così costosi monumenti funerari, è il segno di una congiuntura economica particolarmente favorevole, legata ad un ceto sociale, l'aristocrazia agraria, che attraverso questo tipo di tombe, intendeva distinguersi pubblicamente.

Da: *Necropoli Rupestri del Viterbese*, a cura di Elena Colonna di Paolo, Istituto Geografico De Agostini, 1978.

L'inglese

Nella ditta del mio Papà danno le lezioni di inglese, e il mio Papà le prende perché nella vita se uno sa le lingue, è tutta un'altra cosa.
Infatti adesso dice sempre *okay*, che sembra proprio un americano, e invece di dire sì dice *yes* (che vuol dire sì) e quando deve dire no dice no, perché è lo stesso, ma si capisce che è inglese.
Il libro che gli hanno dato è pieno di figure, che sembra un sillabario, ma invece dei fiori e delle galline, ci sono le scarpe e gli ombrelli e le valigie, e al posto delle mamme, i facchini e i portieri degli alberghi, che parlano tutti l'inglese.

Da Aurelio Pellicanò, *La strada della Felicità*, Mondadori, 1975.

Stimolo per una ricerca comparata fra L/1 ed L/2:

Con l'aiuto dell'insegnante cercate l'equivalente dei seguenti modi di dire nella vostra lingua:
1) battere il ferro finché è caldo;
2) dare un colpo al cerchio ed uno alla botte;
3) chi non ha buona testa ha buone gambe.

UNITA' 12

Quadro 1/12

Servirsi del sottopassaggio 

— Signore! Lo sa che è vietato attraversare i binari? Deve servirsi del sottopassaggio.

Esercizio 136:

trasformate secondo il modello:

Modello	Dobbiamo tutti servirci del sottopassaggio. Servirsi del sottopassaggio è un dovere (per tutti).

1) Dobbiamo tutti sorpassare sulla sinistra.

....

2) Dobbiamo tutti rispettare i diritti umani.

....

3) Dobbiamo tutti lavorare per la pace fra i popoli.

....

4) Dobbiamo tutti aiutare coloro che sono nel bisogno.

....

5) Dobbiamo tutti fare del nostro meglio per mantenere l'armonia nelle famiglie.

....

Esercizio 137:

trasformate secondo il modello:

Modello	Mi piace lo studio. Mi piace studiare.

1) Mi piace l'insegnamento.

....

2) Gli piace il lavoro

....

3) Ci piace la lettura di buoni libri.

....

4) Mi piace il ballo.

....

5) Le piace il canto?

....

Esercizio 138:

trasformate secondo il modello:

Modello	Sento i giovani che discutono di sport. Sento i giovani discutere di sport.

1) Sento Marta che suona il pianoforte.

....

2) Sentiamo la mamma che chiama Pierino.

....

3) Sento i cani che abbaiano.

....

4) Sentiamo il cronista che commenta le notizie sportive.

....

5) Sento la pioggia che batte sui vetri.

....

6) Sento il professore che spiega una bella poesia di Eugenio Montale.

....

7) Sento il coro che canta belle canzoni di montagna.

....

Esercizio 139:

trasformate secondo il modello:

Modello

Vedo i bambini che giocano in giardino. Vedo i bambini giocare in giardino.

1) Vedo tanta gente che passeggia per il corso.
....
2) Vedo i treni che arrivano e partono.
....
3) Vedo le nuvole che corrono nel cielo.
....
4) Vedo gli aerei che lasciano una lunga scia bianca nel cielo azzurro.
....
5) Vedo gli uccelli che volano fra gli alberi.
....
6) Vedo molte persone che escono dal supermercato
....
7) Vedo molti studenti che entrano nel Palazzo Gallenga, sede dell'Università Italiana per Stranieri a Perugia.
....

Esercizio 140:

trasformate secondo il modello:

Modello

Il viaggio in treno mi annoia. Viaggiare in treno mi annoia.

1) Lo studio mi stanca.
....
2) La lettura di un buon libro mi distrae.
....
3) Il gioco è importante per i bambini
....
4) L'insegnamento affatica molto.
....

Momento grammaticale 12.0.

parlare **viaggiare**	**leggere** **scrivere**	**partire** **dormire**
Il troppo parlare stanca. Viaggiare istruisce. Camminare fa bene. Lavorare stanca.	Il leggere con poca luce affatica la vista. Lo scrivere lettere distrae. Bere troppo (vino) fa male	Partire è un po' morire. Dormire con la finestra aperta è buona abitudine.

Esercizio 141:

trasformate secondo il modello:

A. Modello

Laura vuole studiare ancora un paio d'ore. Laura ha voluto studiare ancora un paio d'ore.

1) Mario vuole cantare ancora la canzone «La Montanara».
....
2) Loretta deve ancora prendere lezioni di guida.
....
3) Dobbiamo fare molti altri esercizi.
....
4) Vuole mangiare un altro pezzo di torta.
....

B. Modello

Non posso più partire. Non sono potuto più partire.

1) Marta non può passare da Lei.
....
2) Dovete andare via!
....

Esercizio 142:

trasformate secondo il modello:

Modello

Giulietta deve esercitarsi al piano. a) Giulietta ha dovuto esercitarsi al piano. b) Giulietta si è dovuta esercitare al piano.

1) Dovete lavarvi le mani spesso.
a) ....
b) ....
2) Devo assentarmi per qualche giorno.
a) ....
b) ....
3) Vogliono incontrarsi alla stazione.
a) ....
b) ....
4) Non posso ricordarmi il suo indirizzo.
a) ....
b) ....
5) Gli studenti vogliono distrarsi un po' dopo lo studio.
a) ....
b) ....

Momento grammaticale 12.1.

dovere potere volere	+ **Infinito**
Presente	*Passato*
Devo finire questo lavoro. Voglio mangiare qualcosa. Posso leggere il giornale.	Ho dovuto finire quel lavoro. Ho voluto mangiare qualcosa. Ho potuto leggere il giornale.
Non possiamo partire più. Devo uscire subito.	Non siamo potuti/e partire più. Sono dovuto/a uscire subito.

dovere potere volere	+ Infinito di un verbo riflessivo
Presente	*Passato*
Devo lavarmi le mani.	*a*) Ho dovuto lavarmi le mani. *b*) Mi sono dovuto/a lavare le mani.
Marta non può recarsi al mercato.	*a*) Marta non ha potuto recarsi al mercato. *b*) Marta non si è potuta recare al mercato.
Vogliamo divertirci un po'.	*a*) Abbiamo voluto divertirci un po'. *b*) Ci siamo voluti divertire un po'.

dovere potere volere	+ **Essere**
Presente	*Passato*
Vuole essere presente alla cerimonia.	Ha voluto essere presente alla cerimonia.
Marta non può essere sincera con lui in questa situazione.	Marta non ha potuto essere sincera con lui in quella situazione.

Esercizio 143:

trasformate secondo il modello:

Modello	Dopo che ebbi letto la lettera, la gettai nel fuoco. Letta la lettera, la gettai nel fuoco.

1) Dopo che avemmo finito gli esercizi, uscimmo.

....

2) Dopo che ebbi misurato i pantaloni, li comprai.
....
3) Dopo che ebbi scritto la lettera, la spedii.
....
4) Dopo che ebbe comprato la nuova macchina, fece un giro di prova.
....
5) Dopo che ebbi ricevuto i biglietti, partii per Cagliari.
....
6) Dopo che ebbe lavato i piatti, andò a letto.
....
7) Dopo che ebbi letto il telegramma, telefonai a mia moglie.
....
8) Dopo che avemmo avvertito le nostre amiche, organizzammo la festa.
....
9) Dopo che ebbe finito gli esercizi, si sentì stanca.
....

Esercizio 144:

trasformate secondo il modello:

Modello	Dopo essere stati tirati fuori dalla macchina, furono portati all'ospedale. Tirati fuori dalla macchina, furono portati all'ospedale.

1) Dopo essere stati avvertiti dell'interruzione, deviarono per un'altra strada.
....
....
2) Dopo essere stata informata sullo sciopero delle ferrovie, Paola decise di partire il giorno dopo.
....
....
3) Dopo aver ricevuto la notizia dell'arrivo dei suoi amici, chiamò un tassì e andò alla stazione.
....
....
4) Dopo aver visto il film, me ne andai a letto.
....
....
5) Dopo aver ascoltato il concerto, andammo in un buon ristorante.
....
....
6) Dopo essere entrati nella stanza, sentimmo un forte odore di gas.
....
....

Esercizio 145:

trasformate secondo il modello:

Modello	Dopo avergli detto questo, uscii. Dettogli questo, uscii.

1) Dopo averla ascoltata per mezz'ora, le chiesi di farmi parlare.

....

2) Dopo avergli indicato la strada, lo salutai.

....

3) Dopo averle dato le indicazioni sul percorso, la invitai a bere qualcosa.

....

Momento grammaticale 12.2.

andato/a **visto/a** **partito/a**	
Dopo che fummo andati via da quella città. **Andati** via da quella città,	provammo il desiderio di tornarci.
Dopo che ebbi visto in tempo, l'ostacolo, **Visto** in tempo l'ostacolo,	lo evitai.
Dopo che ebbi lasciato Paola, **Lasciata** Paola,	sentii una grande tristezza.

Esercizio 146:

trasformate secondo il modello:

Modello	Ogni mattina, quando esco di casa, incontro Paola. Ogni mattina, uscendo di casa, incontro Paola.

1) Quando faccio la barba, penso a quello che devo fare dopo.

....

2) Quando mangiamo, abbiamo l'abitudine di guardare la TV.

....

3) Quando passeggia per le vie del centro, Mara guarda le vetrine dei negozi.

....

4) Quando cammino per le strade del centro, incontro sempre qualcuno che conosco.

....

5) Quando spiega le lezioni, la nostra insegnante va su e giù per l'aula.

....

6) Quando leggo, mi piace sentire della musica.

....

7) Mentre leggiamo, fumiamo la pipa.

....

8) Mentre cammino per il bosco, ascolto il canto degli uccelli.

....

9) Mentre assisto alla partita di calcio, fumo una sigaretta dopo l'altra.

....

Esercizio 147:

trasformate secondo il modello:

Modello	Poiché / Siccome avevo finito gli esercizi, andai a spasso. Avendo finito gli esercizi, andai a spasso.

1) Poiché avevo finito i soldi, non comprai quel vestito.
....
2) Poiché aveva finito le sigarette, uscì a comprarle.
....
3) Poiché avevamo ricevuto l'informazione giusta, trovammo facilmente la direzione.
....
4) Siccome avevo lasciato il portafoglio a casa, non potei pagare il conto.
....
5) Siccome avevo finito la benzina, rimasi più di un'ora fermo.
....
6) Poiché avevamo camminato per più di due ore, ci sedemmo sotto un albero per far uno spuntino.
....
....
7) Poiché non aveva preso l'ombrello, Paola tornò a casa bagnata come un pulcino a causa della pioggia.
....
....
8) Siccome avevo finito di leggere quel romanzo lo riportai in biblioteca.
....
....

Momento grammaticale 12.3.

parlando **scrivendo** **dormendo**	
Mentre parla, Parlando,	ha l'abitudine di fumare.
Mentre scrive, Scrivendo,	ascolta la radio.
Mentre dorme, Dormendo,	russa.

lavandosi + le	**lavandosele**
parlando + gli/le	**parlandogli parlandole**
scrivendo + la/le	**scrivendola scrivendole**

Lavandosi le mani, Lavandosele,	continua a parlare con noi.
Mentre gli parla, Parlandogli,	continua a fumare la pipa.
Mentre le scrive (lettere). Scrivendole,	ascolta la radio.

avendo trovato **avendo scritto** **avendo finito**	
Dopo che ebbe trovato la borsa, Avendo trovato la borsa	la restituì a Marta.
Dopo che avemmo scritto le lettere, Avendo scritto le lettere,	uscimmo.
Dopo che ebbi finito di leggere, Avendo finito di leggere,	andai a letto.

<table>
<tr><td colspan="2">Poiché
Siccome</td><td colspan="2">non ha tempo</td><td rowspan="2">verrà un'altra volta.</td></tr>
<tr><td colspan="2">Non avendo</td><td colspan="2">tempo</td></tr>
<tr><td>Poiché
Siccome</td><td colspan="2">ha finito</td><td rowspan="2">i soldi</td><td rowspan="2">non può fermarsi più a lungo in questa città.</td></tr>
<tr><td colspan="3">Avendo finito</td></tr>
</table>

A nuoto Nuotando	raggiunsi la riva.
Di corsa Correndo	riuscii a prendere l'autobus.

Con lo studio Studiando	s'impara.
Con lo studio (del) Studiando	la lingua di un altro popolo, si amplia la comprensione fra le genti.

Momento grammaticale 12.4.

Participio presente	**-ante** **-ente**
1) Come aggettivo: È un evidente caso di furto con scasso. Sono giovani promettenti. È un lavoro massacrante. Sono casi preoccupanti. 2) Come sostantivo: Sono dei bravi insegnanti. I partecipanti alla gita sono arrivati. La prego di fare dei riferimenti a casi precedenti. 3) Con valore propriamente verbale: La pittura metafisica, trascendente (che trascende) la semplice apparenza, non è così facile da capire. Carolina, rossa dall'ira, con gli occhi saettanti (che saettavano) se ne andò sbattendo la porta.	

Esercizio 148:

trasformate secondo il modello:

Modello	Coloro che partecipano alla gita devono trovarsi qui domattina alle 6,30. I partecipanti alla gita devono trovarsi qui domattina alle 6,30.

1) Sono già arrivati coloro che partecipano al congresso.
   ....
2) Coloro che insegnano ai corsi preparatori avranno una riunione martedì.
   ....
3) Coloro che dirigono devono essere esperti, capaci e soprattutto onesti.
   ....
4) Coloro che parlano una lingua straniera capiscono meglio la propria.
   ....

Esercizio 149:

completate le frasi usando il participio presente come aggettivo:

1) (preoccupare) Sono notizie così ....
   ....
2) (promettere) È una ragazza molto ....
   ....
3) (avvilire) È una situazione ....
   ....

Appendice
Sintesi grammaticale

Articoli

maschili

<table>
<tr><th colspan="2">singolare</th><th colspan="2">plurale</th></tr>
<tr><td>il</td><td>cane
gatto
libro</td><td>i</td><td>cani
gatti
libri</td></tr>
<tr><td>lo</td><td>sbaglio
studente
stesso giorno
zio</td><td>gli</td><td>sbagli
studenti
stessi giorni
zii</td></tr>
</table>

<table>
<tr><td rowspan="2">un</td><td>disco
gioco
teatro</td><td>dei</td><td>dischi
giochi
teatri</td></tr>
<tr><td>oggetto
esercizio
altro libro</td><td rowspan="2">degli</td><td>oggetti
esercizi
altri libri</td></tr>
<tr><td>uno</td><td>sbaglio
scolaro
studente
zero
zio</td><td>sbagli
scolari
studenti
zeri
zii</td></tr>
</table>

femminili

<table>
<tr><th colspan="2">singolare</th><th colspan="2">plurale</th></tr>
<tr><td>la</td><td>borsa
bottega
storia
zia</td><td rowspan="2">le</td><td>borse
botteghe
storie
zie</td></tr>
<tr><td>l'</td><td>amica
aula
altra borsa</td><td>amiche
aule
altre borse</td></tr>
</table>

<table>
<tr><td>una</td><td>borsa
strada
zia</td><td rowspan="2">delle</td><td>borse
strade
zie</td></tr>
<tr><td>un'</td><td>amica
arancia
altra cosa</td><td>amiche
arance
altre cose</td></tr>
</table>

Articoli determinativi e indeterminativi

il **lo** **l'**	**i** **gli** **gli**
un **uno**	**dei** **degli**

la **l'**	**le** **le**
una **un'**	**delle** **delle**

Preposizioni + Articoli

(di+il)--**del** (di+lo)--**dello** (di+l')--**dell'**	(di+i)--**dei** (di+gli) | --**degli** (di+gli) |	(di+la)--**della** (di+l')--**dell'**	(di+le) | --**delle** (di+le) |
(a+il)--**al** (a+lo)--**allo** (a+l')--**all'**	(a+i)--**ai** (a+gli) | --**agli** (a+gli) |	(a+la)--**alla** (a+l')--**all'**	(a+le) | --**alle** (a+le) |
(da+il)--**dal** (da+lo)--**dallo** (da+l')--**dall'**	(da+i)--**dai** (da+gli) | --**dagli** (da+gli) |	(da+la)--**dalla** (da+l')--**dall'**	(da+le) | --**dalle** (da+le) |
(in+il)--**nel** (in+lo)--**nello** (in+l')--**nell'**	(in+i)--**nei** (in+gli) | --**negli** (in+gli) |	(in+la)--**nella** (in+l')--**nell'**	(in+le) | --**nelle** (in+le) |
(su+il)--**sul** (su+lo)--**sullo** (su+l')--**sull'**	(su+i)--**sui** (su+gli) | --**sugli** (su+gli) |	(su+la)--**sulla** (su+l')--**sull'**	(su+le) | --**sulle** (su+le) |

Nella lingua di oggi sono più usate le forme «con il, con lo, con i, con gli, con la, con le», delle forme «col, collo, coi, ecc.». Sempre poi «per il, per i, per lo, ecc.».
Con gli articoli indeterminativi si usa la preposizione semplice: «a una, di un, su una, ecc.».
L'uso della preposizione semplice si ha anche con aggettivi o pronomi dimostrativi: «di quell'artista, a quella ragazza, in questa stanza; di questo e di quello, ecc.».

Pronomi riflessivi

mi **ti** **si**	**ci** **vi** **si**

Pronomi personali

Sogg.	*Oggetto Diretto (Accusativo)*		*Oggetto Indiretto* (Dativo)	
io	mi	me	mi	a me
tu	ti	te	ti	a te
esso, egli, lui	lo	lui	gli	a lui
Lei	La	Lei	Le	a Lei
essa, lei	la	lei	le	a lei
noi	ci	noi	ci	a noi
voi	vi	voi	vi	a voi
essi	li	loro/Loro	(gli) loro/Loro	a loro/a Loro
loro, Loro				
esse	le			

Pronomi Relativi

Soggetto ed *Oggetto Diretto*	
il quale **i quali** **la quale** **le quali**	**che**

Oggetto Indiretto				
al quale ai quali alla quale alle quali		a cui	con il quale con i quali con la quale con le quali	con cui
del quale dei quali della quale delle quali		di cui	nel quale nei quali nella quale nelle quali	in cui
dal quale dai quali dalla quale dalle quali		da cui	per il quale per i quali per la quale per le quali	per cui
fra	i quali le quali	fra cui	sul quale sui quali sulla quale sulle quali	su cui

Aggettivi e pronomi possessivi

maschili		*femminili*	
il **mio**	i **miei**	la **mia**	le **mie**
il **tuo**	i **tuoi**	la **tua**	le **tue**
il **suo**	i **suoi**	la **sua**	le **sue**
il **Suo**	i **Suoi**	la **Sua**	le **Sue**
il **nostro**	i **nostri**	la **nostra**	le **nostre**
il **vostro**	i **vostri**	la **vostra**	le **vostre**
il **loro**	i **loro**	la **loro**	le **loro**
il **Loro**	i **Loro**	la **Loro**	le **Loro**

Alcuni aggettivi irregolari

sing.	*plur.*
blu	blu
marrone	marrone
pari	pari
viola	viola

sing.	*plur.*	*sing.*	*plur.*
bel	bei	gran	grandi
bello	begli	grande	grandi
bello	belli		
		quel	quei
buon	buoni	quello	quegli
buono	buoni	quello	quelli
San Sant'		Santi	

Nomi: raggruppamenti secondo la terminazione

-o	*-i*	*-a*	*-e*
il bambino	i bambini	la bambina	le bambine
l'esercizio	gli esercizi	la penna	le penne
l'oggetto	gli oggetti	l'aula	le aule

-e	*-i*	*-e*	*-i*
il colore	i colori	la chiave	le chiavi
il fiore	i fiori	la frase	le frasi
il giornale	i giornali	l'illustrazione	le illustrazioni

-ista	*-isti*	*-ista*	*-iste*
l'artista	gli artisti	l'artista	le artiste
il barista	i baristi	la barista	le bariste
il pianista	i pianisti	la pianista	le pianiste

-a	*-i*	*-si*	*-si*
il clima	i climi	l'analisi	le analisi
il panorama	i panorami	la crisi	le crisi
il sistema	i sistemi	l'ipotesi	le ipotesi
il poeta	i poeti	la sintesi	le sintesi
		la tesi	le tesi

nomi che terminano con una consonante e i nomi stranieri.		*nomi con l'ultima vocale tonica*	
il bar	i bar	la città	le cittá
il film	i film	l'università	le università
lo sport	gli sport	la virtù	le virtù
		il caffè	i caffè

nomi abbreviati	
l'auto	le auto
la bici	le bici
la foto	le foto
la moto	le moto
il cinema	i cinema

singolare	*plurale*	*singolare*	*plurale*
l'amico	gli amici	l'amica	le amiche
il medico	i medici	la banca	le banche
lo stomaco	gli stomaci/ stomachi	la bottega	le botteghe
		la greca	le greche
l'albergo	gli alberghi	la belga	le belghe
il greco	i greci		
il belga	i belgi		
antico	antichi		
classico	classici		

-o	*-a*	*-i*
Il braccio	le braccia	i bracci
il ciglio	le ciglia	i cigli
il dito	le dita	i diti
il labbro	le labbra	i labbri
il lenzuolo	le lenzuola	———
la mano	———	le mani
il muro	le mura	i muri
l'osso	le ossa	gli ossi

Coniugazione del verbo AVERE

Indicativo

Presente		Passato prossimo		
ho	abbiamo	ho	abbiamo	
hai	avete	hai	avete	avuto
ha	hanno	ha	hanno	

Imperfetto		Trapassato prossimo		
avevo	avevamo	avevo	avevamo	
avevi	avevate	avevi	avevate	avuto
aveva	avevano	aveva	avevano	

Passato remoto		Trapassato remoto		
ebbi	avemmo	ebbi	avemmo	
avesti	aveste	avesti	aveste	avuto
ebbe	ebbero	ebbe	ebbero	

Futuro semplice		Futuro anteriore		
avrò	avremo	avrò	avremo	
avrai	avrete	avrai	avrete	avuto
avrà	avranno	avrà	avranno	

Congiuntivo

Presente		Passato		
abbia	abbiamo	abbia	abbiamo	
abbia	abbiate	abbia	abbiate	avuto
abbia	abbiano	abbia	abbiano	

Imperfetto		Trapassato		
avessi	avessimo	avessi	avessimo	
avessi	aveste	avessi	aveste	avuto
avesse	avessero	avesse	avessero	

Condizionale

Presente		Passato		
avrei	avremmo	avrei	avremmo	
avresti	avreste	avresti	avreste	avuto
avrebbe	avrebbero	avrebbe	avrebbero	

Imperativo

Presente	
abbi	abbiamo
abbia	abbiate
	abbiano

Infinito	
Presente	Passato
avere	avere avuto
Participio	
Presente	Passato
avente	avuto
Gerundio	
Presente	Passato
avendo	avendo avuto

Coniugazione del verbo ESSERE

Indicativo

Presente		Passato prossimo			
sono	siamo	sono	stato/a	siamo	stati/e
sei	siete	sei		siete	
è	sono	è		sono	
Imperfetto		**Trapassato prossimo**			
ero	eravamo	ero	stato/a	eravamo	stati/e
eri	eravate	eri		eravate	
era	erano	era		erano	
Passato remoto		**Trapassato remoto**			
fui	fummo	fui	stato/a	fummo	stati/e
fosti	foste	fosti		fosti	
fu	furono	fu		furono	
Futuro semplice		**Futuro anteriore**			
sarò	saremo	sarò	stato/a	saremo	stati/e
sarai	sarete	sarai		sarete	
sarà	saranno	sarà		saranno	

Congiuntivo

Presente		Passato			
sia	siamo	sia	stato/a	siamo	stati/e
sia	siate	sia		siate	
sia	siano	sia		siano	

Imperfetto		Trapassato			
fossi	fossimo	fossi		fossimo	
fossi	foste	fossi	stato/a	foste	stati/e
fosse	fossero	fosse		fossero	

Condizionale

Presente		Passato			
sarei	saremmo	sarei		saremmo	
saresti	sareste	saresti	stato/a	sareste	stati/e
sarebbe	sarebbero	sarebbe		sarebbero	

Imperativo

Presente

sii	siamo
sia	siate
	siano

Infinito

Presente	Passato
essere	essere stato/a

Participio

Passato

stato

Gerundio

Presente	Passato
essendo	essendo stato/a

Coniugazione attiva del verbo CANTARE

Indicativo

Presente		Passato prossimo		
canto	cantiamo	ho	abbiamo	
canti	cantate	hai	avete	cantato
canta	cantano	ha	hanno	

Imperfetto		Trapassato prossimo		
cantavo	cantavamo	avevo	avevamo	
cantavi	cantavate	avevi	avevate	cantato
cantava	cantavano	aveva	avevano	

Passato remoto		Trapassato remoto		
cantai	cantammo	ebbi	avemmo	
cantasti	cantaste	avesti	aveste	cantato
cantò	cantarono	ebbe	ebbero	

Futuro semplice		Futuro anteriore		
canterò	canteremo	avrò	avremo	
canterai	canterete	avrai	avrete	cantato
canterà	canteranno	avrà	avranno	

Congiuntivo

Presente		Passato		
canti	cantiamo	abbia	abbiamo	
canti	cantiate	abbia	abbiate	cantato
canti	cantino	abbia	abbiano	

Imperfetto		Trapassato		
cantassi	cantassimo	avessi	avessimo	
cantassi	cantaste	avessi	aveste	cantato
cantasse	cantassero	avesse	avessero	

Condizionale

Presente		Passato		
canterei	canteremmo	avrei	avremmo	
canteresti	cantereste	avresti	avreste	cantato
canterebbe	canterebbero	avrebbe	avrebbero	

Imperativo

Presente

canta	cantiamo
canti	cantate
	cantino

Infinito

Presente	Passato
cantare	avere cantato

Participio

Presente	Passato
cantante	cantato

Gerundio

Presente	Passato
cantando	avendo cantato

dimenti-**care**		pa-**gare**	

Indicativo

presente

dimentico	dimenti**chiamo**	pago	pa**ghiamo**
dimenti**chi**	dimenticate	pa**ghi**	pagate
dimentica	dimenticano	paga	pagano

futuro

dimenti**cherò**	dimenti**cheremo**	pa**gherò**	pa**gheremo**
dimenti**cherai**	dimenti**cherete**	pa**gherai**	pa**gherete**
dimenti**cherà**	dimenti**cheranno**	pa**gherà**	pa**gheranno**

Congiuntivo

presente

dimenti**chi**	dimenti**chiamo**	pa**ghino**	pa**ghiamo**
dimenti**chi**	dimenti**chiate**	pa**ghino**	pa**ghiate**
dimenti**chi**	dimenti**chino**	pa**ghino**	pa**ghino**

Imperativo

dimentica!	paga!
dimentichi!	paghi!
dimentichiamo!	paghiamo
dimenticate!	pagate!
dimentichino!	paghino!

Condizionale

presente

dimenti**cherei**	dimenti**cheremmo**	pa**gherei**	pa**gheremmo**
dimenti**cheresti**	dimenti**chereste**	pa**gheresti**	pa**ghereste**
dimenti**cherebbe**	dimenti**cherebbero**	pa**gherebbe**	pa**gherebbero**

comin-**ciare**		man-**giare**	
		Indicativo	
		presente	
comincio	cominciamo	mangio	mangiamo
comin**ci**	cominciate	man**gi**	mangiate
comincia	cominciano	mangia	mangiano
		futuro	
comin**cerò**	comin**ceremo**	man**gerò**	man**geremo**
comin**cerai**	comin**cerete**	man**gerai**	man**gerete**
comin**cerà**	comin**ceranno**	man**gerà**	man**geranno**
		Congiuntivo	
		presente	
comin**ci**	comin**ciamo**	man**gi**	man**giamo**
comin**ci**	comin**ciate**	man**gi**	man**giate**
comin**ci**	comin**cino**	man**gi**	man**gino**
		Imperativo	
comincia!		mangia!	
comin**ci!**		man**gi!**	
cominciamo!		mangiamo	
cominciate!		mangiate!	
comin**cino!**		man**gino!**	
		Condizionale	
		presente	
comin**cerei**	comin**ceremmo**	man**gerei**	man**geremmo**
comin**ceresti**	comin**cereste**	man**geresti**	man**gereste**
comin**cerebbe**	comin**cerebbero**	man**gerebbe**	man**gerebbero**

Coniugazione attiva del verbo CREDERE

Indicativo

Presente		Passato prossimo		
credo	crediamo	ho	abbiamo	
credi	credete	hai	avete	creduto
crede	credono	ha	hanno	

Imperfetto		Trapassato prossimo		
credevo	credevamo	avevo	avevamo	
credevi	credevate	avevi	avevate	creduto
credeva	credevano	aveva	avevano	

Passato remoto		Trapassato remoto		
credei	credemmo	ebbi	avemmo	
credesti	credeste	avesti	aveste	creduto
credé	crederono	ebbe	ebbero	

Futuro semplice		Futuro anteriore		
crederò	crederemo	avrò	avremo	
crederai	crederete	avrai	avrete	creduto
crederà	crederanno	avrà	avranno	

Congiuntivo

Presente		Passato		
creda	crediamo	abbia	abbiamo	
creda	crediate	abbia	abbiate	creduto
creda	credano	abbia	abbiano	

Imperfetto		Trapassato		
credessi	credessimo	avessi	avessimo	
credessi	credeste	avessi	aveste	creduto
credesse	credessero	avesse	avessero	

Condizionale

Presente		Passato		
crederei	crederemmo	avrei	avremmo	
crederesti	credereste	avresti	avreste	creduto
crederebbe	crederebbero	avrebbe	avrebbero	

Imperativo

Presente

credi	crediamo
creda	credete
	credano

Infinito

Presente	Passato
credere	avere creduto

Participio

Presente	Passato
credente	creduto

Gerundio

Presente	Passato
credendo	avendo creduto

Coniugazione attiva del verbo SENTIRE

Indicativo

Presente		Passato prossimo		
sento	sentiamo	ho	abbiamo	
senti	sentite	hai	avete	sentito
sente	sentono	ha	hanno	

Imperfetto		Trapassato prossimo		
sentivo	sentivamo	avevo	avevamo	
sentivi	sentivate	avevi	avevate	sentito
sentiva	sentivano	aveva	avevano	

Passato remoto		Trapassato remoto		
sentii	sentimmo	ebbi	avemmo	
sentisti	sentiste	avesti	aveste	sentito
sentì	sentirono	ebbe	ebbero	

Futuro semplice		Futuro anteriore		
sentirò	sentiremo	avrò	avremo	
sentirai	sentirete	avrai	avrete	sentito
sentirà	sentiranno	avrà	avranno	

Congiuntivo

Presente		Passato		
senta	sentiamo	abbia	abbiamo	
senta	sentiate	abbia	abbiate	sentito
senta	sentano	abbia	abbiano	

Imperfetto		Trapassato		
sentissi	sentissimo	avessi	avessimo	
sentissi	sentiste	avessi	aveste	sentito
sentisse	sentissero	avesse	avessero	

Condizionale

Presente		Passato		
sentirei	sentiremmo	avrei	avremmo	
sentiresti	sentireste	avresti	avreste	sentito
sentirebbe	sentirebbero	avrebbe	avrebbero	

Imperativo

	Presente
senti	sentiamo
senta	sentite
	sentano

Infinito

Presente	Passato
sentire	avere sentito

Participio

Presente	Passato
(sentente)	sentito

Gerundio

Presente	Passato
sentendo	avendo sentito

Coniugazione attiva del verbo CAPIRE

Indicativo

Presente		Passato prossimo		
capisco	capiamo	ho	abbiamo	
capisci	capite	hai	avete	capito
capisce	capiscono	ha	hanno	

Imperfetto		Trapassato prossimo		
capivo	capivamo	avevo	avevamo	
capivi	capivate	avevi	avevate	capito
capiva	capivano	aveva	avevano	

Passato remoto		Trapassato remoto		
capii	capimmo	ebbi	avemmo	capito
capisti	capiste	avesti	aveste	
capì	capirono	ebbe	ebbero	

Futuro semplice		Futuro anteriore		
capirò	capiremo	avrò	avremo	capito
capirai	capirete	avrai	avrete	
capirà	capiranno	avrà	avranno	

Congiuntivo

Presente		Passato		
capisca	capiamo	abbia	abbiamo	capito
capisca	capiate	abbia	abbiate	
capisca	capiscano	abbia	abbiano	

Imperfetto		Trapassato		
capissi	capissimo	avessi	avessimo	capito
capissi	capiste	avessi	aveste	
capisse	capissero	avesse	avessero	

Condizionale

Presente		Passato		
capirei	capiremmo	avrei	avremmo	capito
capiresti	capireste	avresti	avreste	
capirebbe	capirebbero	avrebbe	avrebbero	

Imperativo

Presente

capisci	capiamo
capisca	capite
	capiscano

Infinito

Presente	Passato
capire	avere capito

Participio

Presente	Passato
(capente)	capito

Gerundio

Presente	Passato
capendo	avendo capito

Coniugazione passiva del verbo LODARE

Indicativo

Presente			Passato prossimo		
sono/	vengo		sono		
sei/	vieni	lodato/a	sei	stato/a	lodato/a
è/	viene		è		
siamo/	veniamo		siamo		
siete/	venite	lodati/e	siete	stati/e	lodati/e
sono/	vengono		sono		

Imperfetto			Trapassato prossimo		
ero/	venivo		ero		
eri/	venivi	lodato/a	eri	stato/a	lodato/a
era/	veniva		era		
eravamo/	venivamo		eravamo		
eravate/	venivate	lodati/e	eravate	stati/e	lodati/e
erano/	venivano		erano		

Passato remoto			Trapassato remoto		
fui/	venni		fui		
fosti/	venisti	lodato/a	fosti	stato/a	lodato/a
fu/	venne		fu		
fummo/	venimmo		fummo		
foste/	veniste	lodati/e	foste	stati/e	lodati/e
furono/	vennero		furono		

Futuro semplice			Futuro anteriore		
sarò/	verrò		sarò		
sarai/	verrai	lodato/a	sarai	stato/a	lodato/a
sarà/	verrà		sarà		
saremo/	verremo		saremo		
sarete/	verrete	lodati/e	sarete	stati/e	lodati/e
saranno/	verranno		saranno		

Congiuntivo

Presente			Passato		
sia/	venga		sia		
sia/	venga	lodato/a	sia	stato/a	lodato/a
sia/	venga		sia		
siamo/	veniamo		siamo		
siate/	veniate	lodati/e	siate	stati/e	lodati/e
siano/	vengano		siano		

Imperfetto			Trapassato		
fossi/	venissi		fossi		
fossi/	venissi	lodato/a	fossi	stato/a	lodato/a
fosse/	venisse		fosse		
fossimo/	venissimo		fossimo		
foste/	veniste	lodati/e	foste	stati/e	lodati/e
fossero/	venissero		fossero		

Condizionale

Presente			Passato		
sarei/	verrei		sarei		
saresti/	verresti	lodato/a	saresti	stato/a	lodato/a
sarebbe/	verrebbe		sarebbe		
saremmo/	verremmo		saremmo		
sareste/	verreste	lodati/e	sareste	stati/e	lodati/e
sarebbero/	verrebbero		sarebbero		

Imperativo

Presente

		siamo	
sii	lodato/a	siate	lodati/e
sia		siano	

Infinito

Presente	Passato
essere lodato/a	essere stato/a lodato/a

Participio

Passato

Gerundio

Presente	Passato
essendo lodato/a	essendo stato/a lodato/a

(Nella stessa maniera si fa la coniugazione passiva dei verbi CREDERE e SENTIRE).

Coniugazione dei verbi ANDARE, VENIRE

Indicativo

Presente		Passato prossimo		
vado	vengo	sono		
vai	vieni	sei	andato/a	venuto/a
va	viene	è		
andiamo	veniamo	siamo		
andate	venite	siete	andati/e	venuti/e
vanno	vengono	sono		

Imperfetto		Trapassato prossimo		
andavo	venivo	ero		
andavi	venivi	eri	andato/a	venuto/a
andava	veniva	era		
andavamo	venivamo	eravamo		
andavate	venivate	eravate	andati/e	venuti/e
andavano	venivano	erano		

Passato remoto		Trapassato remoto		
andai	venni	fui		
andasti	venisti	fosti	andato/a	venuto/a
andò	venne	fu		
andammo	venimmo	fummo		
andaste	veniste	foste	andati/e	venuti/e
andarono	vennero	furono		

Futuro semplice		Futuro anteriore		
andrò	verrò	sarò		
andrai	verrai	sarai	andato/a	venuto/a
andrà	verrà	sarà		
andremo	verremo	saremo		
andrete	verrete	sarete	andati/e	venuti/e
andranno	verranno	saranno		

Congiuntivo

Presente		Passato		
vada	venga	sia		
vada	venga	sia	andato/a	venuto/a
vada	venga	sia		
andiamo	veniamo	siamo		
andiate	veniate	siate	andati/e	venuti/e
vadano	vengano	siano		

Imperfetto		Trapassato		
andassi	venissi	fossi		
andassi	venissi	fossi	andato/a	venuto/a
andasse	venisse	fosse		
andassimo	venissimo	fossimo		
andaste	veniste	foste	andati/e	venuti/e
andassero	venissero	fossero		

Condizionale

Presente		Passato		
andrei	verrei	sarei	andato/a	venuto/a
andresti	verresti	saresti		
andrebbe	verrebbe	sarebbe		
andremmo	verremmo	saremmo	andati/e	venuti/e
andreste	verreste	sareste		
andrebbero	verrebbero	sarebbero		

Imperativo

va'	vieni
vada	venga
andiamo	veniamo
andate	venite
vadano	vengano

Infinito

Presente		Passato		
andare	venire	essere	andato/a i/e	venuto/a i/e

Participio

Presente		Passato	
(andante)	(venente)	andato/a i/e	venuto/a i/e

Gerundio

Presente		Passato		
andando	venendo	essendo	andato/a i/e	venuto/a i/e

Coniugazione del verbo riflessivo LAVARSI

Indicativo

Presente

mi lavo	ci laviamo
ti lavi	vi lavate
si lava	si lavano

Passato prossimo

mi sono	lavato/a	ci siamo	lavati/e
ti sei		vi siete	
si è		si sono	

Imperfetto

mi lavavo	ci lavavamo
ti lavavi	vi lavavate
si lavava	si lavavano

Trapassato prossimo

mi ero	lavato/a	ci eravamo	lavati/e
ti eri		vi eravate	
si era		si erano	

Passato remoto

mi lavai	ci lavammo
ti lavasti	vi lavaste
si lavò	si lavarono

Trapassato remoto

mi fui	lavato/a	ci fummo	lavati/e
ti fosti		vi foste	
si fu		si furono	

Futuro semplice

mi laverò	ci laveremo
ti laverai	vi laverete
si laverà	si laveranno

Futuro anteriore

mi sarò	lavato/a	ci saremo	lavati/e
ti sarai		vi sarete	
si sarà		si saranno	

Congiuntivo

Presente

mi lavi	ci laviamo
ti lavi	vi laviate
si lavi	si lavino

Passato

mi sia	lavato/a	ci siamo	lavati/e
ti sia		vi siate	
si sia		si siano	

Imperfetto

mi lavassi	ci lavassimo
ti lavassi	vi lavaste
si lavasse	si lavassero

Trapassato

mi fossi	lavato/a	ci fossimo	lavati/e
ti fossi		vi foste	
si fosse		si fossero	

Condizionale

Presente

mi laverei	ci laveremmo
ti laveresti	vi lavereste
si laverebbe	si laverebbero

Passato

mi sarei	lavato/a	ci saremmo	lavati/e
ti saresti		vi sareste	
si sarebbe		si sarebbero	

Imperativo

Presente

lavati	laviamoci
si lavi	lavatevi
	si lavino

	Infinito
Presente	Passato
lavarsi	essersi lavato/a i/e
	Participio
Presente	Passato
———	lavatosi/lavatasi lavatisi/lavatesi
	Gerundio
Presente	Passato
lavandosi	essendosi lavato/a i/e

(Nello stesso modo si coniugano tutti i verbi riflessivi).

I verbi più usati della Terza Coniugazione (-IRE), che al presente indicativo e congiuntivo si coniugano come «finire».

Modello

finisco	finiamo
finisci	finite
finisce	finiscono

Bisogna che	io tu Lei	finisca	noi voi Loro	finiamo finiate finiscano

1) attribuire
2) capire
3) chiarire
4) condire
5) costruire
6) digerire
7) distribuire
8) ferire
9) finire
10) fornire
11) gioire
12) impedire
13) istruire
14) obbedire
15) preferire
16) proibire
17) pulire
18) restituire
19) riferire
20) smarrire
21) sostituire
22) spedire
23) stabilire
24) suggerire
25) ubbidire
26) unire

Alcuni verbi irregolari nel Passato Remoto e nel Participio passato della Seconda Coniugazione:

Infinito	*Passato Remoto*	*Participio Passato*
I -DERE **-NDERE** **-RDERE**	**/-si/ /-ssi/**	**/-so/ /-sso/ /-sto/**
1) accendere	accesi	acceso
2) appendere	appesi	appeso
3) chiedere	chiesi	chiesto
4) chiudere	chiusi	chiuso
5) concedere	concessi	concesso
6) decidere	decisi	deciso
7) difendere	difesi	difeso
8) dividere	divisi	diviso
9) nascondere	nascosi	nascosto
10) offendere	offesi	offeso
11) prendere	presi	preso
12) rendere	resi	reso
13) ridere	risi	riso
14) rispondere	risposi	risposto
15) scendere	scesi	sceso
16) spendere	spesi	speso
17) uccidere	uccisi	ucciso

schema generale

acce	**nde**	**re** (-mmo, -sti/ -ste)
	-si -se + ro	

Infinito	*Passato Remoto*	*Participio Passato*
II -GERE/-CERE **-GGERE** **-GLIERE** **-NGUERE**	**/-si/ /-ssi/**	**/-to/ /-so/ /-sto/ /-tto/ /-sso/**
1) accorgersi	(mi) accorsi	(mi sono) accorto/a
2) cogliere	colsi	colto
3) cuocere	cossi	cotto
4) dipingere	dipinsi	dipinto
5) dire (dicere)	dissi	detto
6) distruggere	distrussi	distrutto
7) fingere	finsi	finto
8) giungere	giunsi	giunto
9) leggere	lessi	letto
10) piangere	piansi	pianto
11) porgere	porsi	porto
12) proteggere	protessi	protetto
13) restringere	restrinsi	ristretto
14) scegliere	scelsi	scelto

15) sciogliere	sciolsi	sciolto
16) spengere/gnere	spensi	spento
17) spingere	spinsi	spinto
18) sporgersi	(mi) sporsi	(mi sono) sporto/a
19) stringere	strinsi	stretto
20) togliere	tolsi	tolto
21) vincere	vinsi	vinto
22) volgersi	(mi) volsi	(mi sono) volto
III -LVERE -MERE/-NERE -VERE	**/si/ /-ssi/**	**/-to/ /-so/ /-sto/ /-tto/ /-sso/**
1) esprimere	espressi	espresso
2) muovere	mossi	mosso
3) rimanere	rimasi	rimasto
4) scrivere	scrissi	scritto
5) vivere	vissi	vissuto
IV -RRE -TTERE/-TERE	**/-si/ /-ssi/**	**/-so/ /-sso/ /-tto/**
1) correre	corsi	corso
2) discutere	discussi	discusso
3) mettere	misi	messo
4) permettere	permisi	permesso
5) riflettere	riflettei	riflettuto
6) scommettere	scommisi	scommesso

Infinito	*Passato Remoto*	*Participio Passato*
V -CERE/-SCERE	**/-cqui/ /-bbi/**	**/-to/ /-ciuto/**
1) conoscere	conobbi	conosciuto
2) cresere	crebbi	cresciuto
3) nascere	nacqui	nato/a
4) piacere	piacqui	piaciuto
5) tacere	tacqui	taciuto
VI		
1) bere (bevere)	bevvi	bevuto
2) cadere	caddi	caduto/a
3) porre (ponere)	posi	posto
4) rompere	ruppi	rotto
5) sapere	seppi	saputo
6) tenere	tenni	tenuto
7) vedere	vidi	visto/veduto
8) volere	volli	voluto

Altri due schemi generali:

bev	**e**	-mmo -sti/ -ste **re**
	-vi -ve + ro	

ten	**e**	-mmo -sti/ -ste **re**
	-ni ne + ro	

Schema generale sulla relazione fra i tempi:

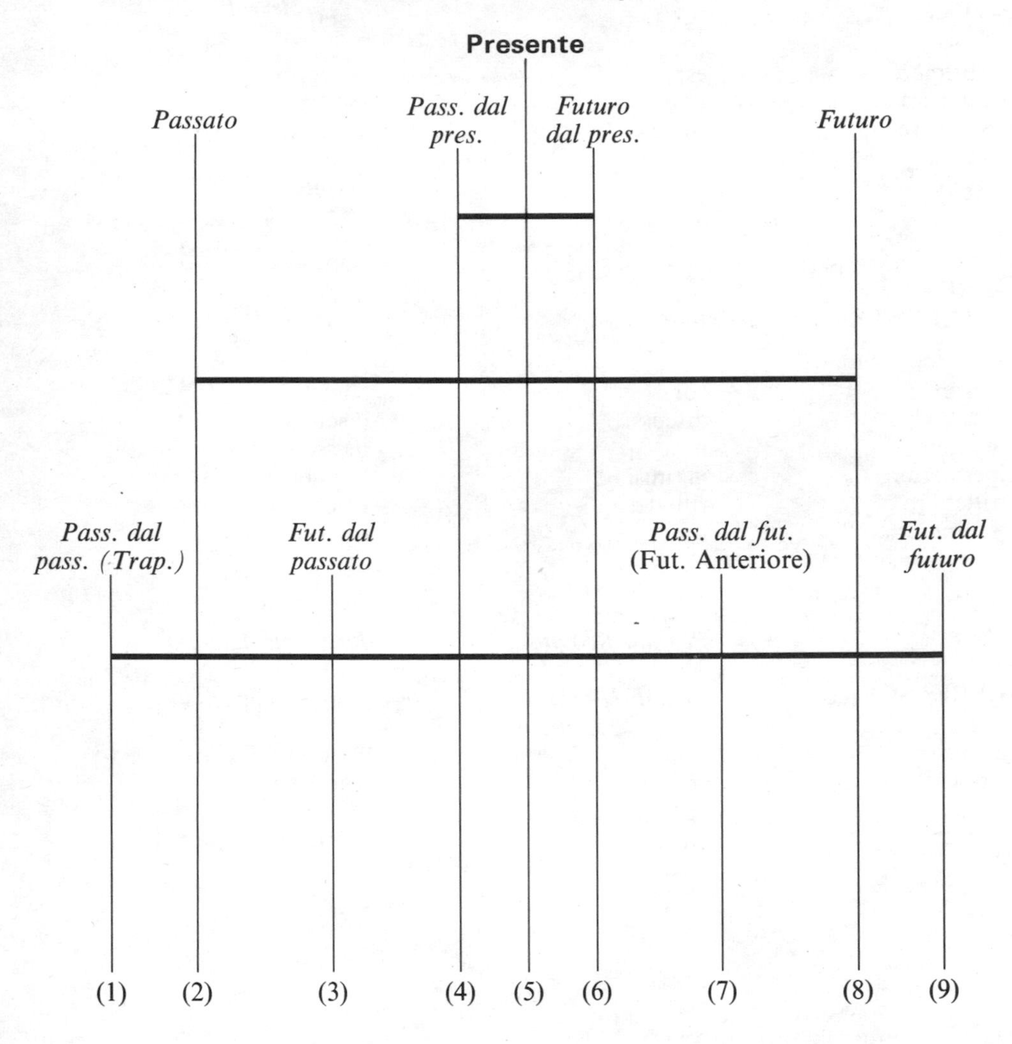

A)

relazione: 5-4 **Presente/Passato**

1)

a) Sono convinto che mi ha capito. b) Vi assicuro, che vi ha voluto bene.

relazione: 5-6 **Presente/Futuro**

2)

a) Dice che verrà.
b) Propone di andarla a trovare dopo la lezione.

relazione: 5-2-3-2 **Presente/Trapassato/Futuro nel passato**

3)

a) Sì, è vero! mi avevi telefonato che saresti arrivata nel pomeriggio; me n'ero dimenticato.
b) Sono sicuro di averti avvertito, che saremmo venuto a trovarti, ma non eri in casa.

relazione: 1-2-2 **Trapassato/Passato**

4)

a) Vi avevamo notato, mentre parlavate con quelle ragazze.
b) Non m'ero accorto, che pioveva, perciò sono uscito/uscii senza ombrello.

relazione: 8-7 **Futuro I/Futuro II (o Futuro anteriore)**

5)

a) C'incontreremo al bar, dopo che avrò finito questo lavoro.
b) Te lo dirò, dopo che avrò visto quel film.

relazione: 8-9 **Futuro/Futuro II** (o **Futuro anteriore**)

6)

a) Gli parlerò, non appena che sarà tornato dalle ferie.
b) Gli dovrai telefonare per un appuntamento nel suo ufficio, quando ti sarai rimessa da questa bronchite.

B) **relazione: Indicativo/Congiuntivo**

relazione: 5-5 **Presente/Presente**

1)

a) Non siamo sicuri che vengano.
b) Dubito che siano a casa.

relazione: 5-4 **Presente/Passato**

2)

a) Credo che siano state sincere.
b) Non penso che si siano smarriti.

relazione: 2-2 **Passato/Passato**

3)

a) Pensavo che tu fossi felice.
b) Poteva darsi che avesse ragione lei.

relazione: 2-1 **Passato/Trapassato**

4)
a) In quel terribile incendio temevano che tutto il bosco fosse andato distrutto.
b) Era meglio se tu me lo avessi comunicato subito.

relazione: 2-3 **Passato/Futuro nel passato (Condizionale passato)**

5)
a) Speravamo che si sarebbe ravveduta col tempo.
b) Dubitavamo, conoscendolo, che ci avrebbe fatto sapere qualcosa sulla sua decisione.

relazione: 5-5/5-6 (Se ....) **Presente/Presente** (o **Futuro**)

6)
a) Se ne avete bisogno, ve lo diamo/daremo volentieri.
b) Se siete contenti, veniamo/verremo alle 4 del pomeriggio.

relazione: 8-8 (Se ....) **Futuro/Futuro**

7)
a) Saremo felici se potrete venire da noi.
b) Lo farò se avrò tempo.

relazione: 1-5 (Se ....) **Trapassato/Presente (Condizionale)**

8)
a) Se mi avesse scritto te lo direi.
b) Se ne fossimo stati informati saremmo tranquilli.

relazione: 2-1 (Se ....) **Trapassato (condizionale)/Trapassato (congiuntivo)**

9)
a) Sarebbe stata una grossa perdita, se tutto il bosco fosse andato distrutto.
b) Non si sarebbero trovati in quella situazione, se mi avessero dato retta.

CHIAVI AGLI ESERCIZI NUMERATI (dal No. 1 al No. 149)

UNITÀ 1

Esercizio 1/pag. 2.

1) Peter è uno studente tedesco. 2) Sì, Caterina è inglese. 3) No, Jenny è australiana.

Esercizio 2/pag. 2.

1) L'insegnante si chiama ...... 2) (Io) mi chiamo ...... 3) Mi chiamo ...... 4) Si chiama Peter. 5) Giorgio viene dalla Grecia. 6) Il mio vicino di banco si chiama ...... 7) La mia vicina di banco si chiama ......

Esercizio 3/pag. 3.

1) Peter viene dalla Germania. Parla tedesco. 2) Jenny viene dall'Australia. Parla inglese. 3) Giorgio viene dalla Grecia. Parla greco. 4) Bob viene dagli Stati Uniti. Parla inglese. 5) Rosita viene dalla Spagna. Parla spagnolo. 6) Kamoto viene dal Giappone. Parla giapponese. 7) Tu vieni dalla Polonia. Parli polacco.

Esercizio 4/pag. 4.

1) A scuola parliamo italiano con l'insegnante. 2) Sì, dopo le lezioni parliamo inglese con Caterina. 3) Rosita parla italiano con noi. 4) Preferisco parlare italiano con Giorgio.

Esercizio 5/pag. 5.

1) Vuole andare in piscina. 2) Invita una studentessa. 3) No, non accetta l'invito. 4) Deve incontrare Mara. 5) Con amici italiani. 6) La signorina incontra lo studente domani. 7) Va da sola.

Esercizio 6/pag. 7.

1) Apri la porta e chiudi la finestra. Apre la porta e chiude la finestra. Apriamo la porta e chiudiamo la finestra. Aprite la porta e chiudete la finestra. Aprono la porta e chiudono la finestra.
2) Dopo le lezioni, invece di andare al cinema, preferisci fare una passeggiata. Dopo le lezioni, invece di andare al cinema, preferisce fare una passeggiata. Dopo le lezioni, invece di andare al cinema, preferiamo fare una passeggiata. Dopo le lezioni, invece di andare al cinema, preferite fare una passeggiata. Dopo le lezioni, invece di andare al cinema, preferiscono fare una passeggiata.
3) Non sei un insegnante (un'insegnante) d'italiano.
Pietro non è un insegnante d'italiano.
Caterina non è un'insegnante d'italiano.
(Lei, Signore) non è un insegnante d'italiano.
Non siete insegnanti d'italiano, ma studenti.
Non sono insegnanti d'italiano, ma studenti.
4) Non hai una matita, ma una penna. Non ha una matita, ma una penna.
(Mara) non ha una matita, ma una penna. (Lei) non ha una matita, ma una penna. Non abbiamo una matita, ma una penna. Non avete una matita, ma una penna. Non hanno una matita, ma una penna.
5) Vuoi parlare con Caterina. (Peter) vuole parlare con Caterina. (Mara) vuole parlare con Caterina. (Lei) vuole parlare con Caterina.
Vogliamo parlare con Caterina. Volete parlare con Caterina. Vogliono parlare con Caterina.
6) Non puoi ancora parlare italiano. Parli inglese. Non può ancora parlare italiano. Parla inglese. Non possiamo parlare italiano. Parliamo inglese. Non potete parlare italiano. Parlate inglese. Non possono parlare italiano. Parlano inglese.
7) Per imparare l'italiano, devi venire a scuola ogni giorno.
(Giorgio) per imparare l'italiano, deve venire a scuola ogni giorno.
(Lei) per imparare l'italiano, deve venire a scuola ogni giorno.
Per imparare l'italiano, dobbiamo venire a scuola ogni giorno.
» » » , dovete » » » » »
» » » , devono » » » » »

Esercizio 7/pag. 8.

1) Fai gli esercizi per domani.
(Bob) fa gli esercizi per domani.
(Jenny) » » » » »
(Lei) » » » » »
Facciamo gli esercizi per domani.
Fate » » » »
Fanno » » » »
2) Vieni dal Giappone, perché vuoi studiare l'italiano.
(Rosita) viene dalla Spagna, perché vuole studiare l'italiano.
(Bob) » dagli Stati Uniti, perché vuole studiare l'italiano.
(Peter) » dalla Germania, » » » »
(noi) veniamo dalla Polonia, » vogliamo » »
(voi) venite dalla Russia, » volete » »
(molti studenti) vengono dalla Svizzera, perché vogliono studiare l'italiano.

Esercizio 8/pag. 11.

1) Anche tu scrivi delle frasi in italiano?
Anche Lei scrive » » » » ?
(lei) scrive delle frasi in italiano.
Scriviamo » » » »
Anche voi scrivete delle frasi in italiano?
(loro) scrivono delle frasi in italiano.
2) Anche tu desideri smettere di fumare?
Anche Lei desidera smettere di fumare?
Desideriamo smettere di fumare.
Anche voi desiderate smettere di fumare.
Peter e Maja non desiderano smettere di fumare.

Esercizio 9/pag. 11.

1) Le penne gialle sono delle signorine. 2) Siamo seduti sui banchi. 3) Dalle finestre vediamo molti alberi. 4) Sui tavoli ci sono i libri d'italiano. 5) Le studentesse mettono le borse sulle sedie. 6) Mettiamo i quaderni sui banchi. 7) Giorgio e Peter prendono le matite dalle borse. 8) I fiori sono nei vasi. 9) Nelle stanze ci sono dei quadri. 10) Le signorine aprono il libro e leggono. 11) I giornali sono sui tavoli. 12) Gli studenti sono seduti davanti alla lavagna.

Esercizio 10/pag. 15.

1) Le penne sono rosse. 2) Questi fiori sono belli. 3) Sono dei vasi moderni. 4) Quelle ragazze sono carine. 5) Carla e Paola sono ragazze studiose. 6) Dopo le lezioni andiamo a casa. 7) Davanti ai tavoli ci sono delle sedie. 8) Gli studenti sono seduti sulle sedie.

Esercizio 11/pag. 16.

1) Questi libri sono delle signorine. 2) Questi dizionari sono degli studenti. 3) I quadri sono appesi alle pareti. 4) Dalle finestre di questi appartamenti vediamo i giardini. 5) Le borse sono sui tavoli. 6) Questi giornali sono di Pietro.

Esercizio 12/pag. 16.

1) Degli/Alcuni studenti vogliono partire domani. 2) Degli/Alcuni studenti studiano il russo. 3) Delle/Alcune persone non parlano in modo chiaro. 4) Degli/Alcuni esercizi sono utili. 5) Delle/Alcune studentesse vogliono smettere di fumare. 6) Dei/Alcuni ragazzi non vogliono studiare. 7) Delle/Alcune ragazze non fanno gli esercizi. 8) Degli/Alcuni oggetti sono caduti dalla borsa di Mara.

Esercizio 13/pag. 17.

1) C'è un paio di pantaloni corti sul tavolo. 2) Ci sono due giornali a fumetti sul tavolo. 3) Nella valigia di Luca c'è il pigiama, ci sono le magliette, le calze, le camicie, i pantaloni corti e c'è anche qualche giornalino a fumetti.

Esercizio 14/pag. 17.

1) Nella stanza ci sono delle lampade. 2) Sul tavolo ci sono due libri e dei giornali. 3) Sui banchi ci sono dei quaderni. 4) Alle pareti ci sono dei quadri. 5) Nelle borse ci sono delle penne e delle matite. 6) Nella macchina ci sono due giovani signore. 7) Sulle sedie ci sono delle borse.

Esercizio 15/pag. 19.

A. Sono le otto e mezzo/mezza. B. Sono le dieci e un quarto. C. Sono le dodici e un quarto. D. È l'una e mezzo/mezza. E. Sono le due e tre quarti. F. Sono le dodici e venti.

Esercizio 16/pag. 20.

1) La bandiera francese è blu, bianca e rossa. 2) La bandiera inglese è blu, bianca e rossa. 3) Sì, anche la bandiera americana è blu, bianca e rossa. 4) Nella bandiera americana ci sono cinquanta stelle. 5) La bandiera della Germania Federale è oro, rossa e nera. 6) Rosso e giallo. 7) Rosso e bianco. 8) Bianco e rosso. 9) Rosso (con falce e martello). 10) Bianco e giallo. 11) I colori della bandiera del mio paese sono ....

UNITÀ 2

Esercizio 17/pag. 21.

1) Ogni mattina leggo il giornale. 2) No. 3) Perché non ho avuto tempo. 4) Non ho avuto tempo di leggere il giornale, perché ho risposto alle lettere. 5) Invece di leggere il giornale, ho risposto alle lettere. 6) Stamattina ho risposto alle lettere, che ho ricevuto ieri sera.

Esercizio 18/pag. 22.

1) No, non ho ancora letto il giornale. 2) No, non abbiamo fatto ancora gli esercizi. 3) No, non sono stato ancora in biblioteca. 4) No, non sono ancora andate al bar. 5) No, Paolo non è ancora arrivato. 6) No, non ho ancora parlato con Peter. 7) No, non ho ancora scritto a Marta. 8) No, non sono stato ancora a vedere quel film. 9) No, non abbiamo ancora spedito le lettere. 10) No, non ho ancora preso il caffè.

Esercizio 19/pag. 23.

1) Si trovano al cinema. 2) Dell'energia nucleare. 3) Sulla «Stampa» di Torino.

Esercizio 20/pag. 24.

1) Ha telefonato a Marta. 2) È andata al concerto. 3) No, c'è andata con un amico. 4) Sono andati in pizzeria. 5) Hanno mangiato una pizza. 6) Hanno bevuto una birra.

Esercizio 21/pag. 24.

1) ......Marta. 2) ......concerto. 3) ......un amico. 4) Dopo il concerto Marta e il suo amico sono andati in una pizzeria. 5) ......pizza. 6) ......birra. 7) ......chiacchiere.

Esercizio 22/pag. 27.

Ho scritto una lettera. 2) Tu hai letto il giornale. 3) Peter ha risposto alle lettere. 4) Noi abbiamo fatto molti sbagli. 5) Voi avete preso i fiammiferi dalla scatola. 6) Essi hanno messo i fiori nei vasi. 7) Marta ha aperto la porta. 8) Marta e Giovanni hanno chiuso le finestre. 9) Io sono venuto a casa a mezzogiorno. Paola è venuta a casa all'una. Gli studenti sono venuti a casa a mezzanotte.

Esercizio 23/pag. 27.

1) Ho preso il giornale ed ho letto. 2) Lo studente è entrato nella stanza ed ha salutato il professore. 4) Abbiamo telefonato appena siamo arrivati all'aeroporto. 4) Abbiamo aperto la porta e siamo usciti dalla stanza. 5) Ero stanca: ho spento la televisione e sono andata a dormire. 6) Ho detto ai miei amici di venire a cena da noi (a casa nostra). 7) Dove avete messo la borsa? 8) Non ho scritto a mio fratello, perché non ho avuto tempo. 9) Non ho fatto in tempo a prendere l'autobus. 10) Giulia non è rimasta a casa, è andata al concerto. 11) Ho chiesto ad un vigile la strada per il museo. 12) Siamo stati/e in biblioteca un'altra mezz'ora. 13) Marta e Paolo sono andati a casa a piedi, non hanno preso l'autobus. 14) Perché avete spento la televisione? 15) Dove siete andati/e dopo cena? 16) Perché non è venuta/o anche Lei da noi? 17) Il professore ha corretto gli esercizi e poi è andato al ristorante. 18) Chi ha chiuso le finestre? 19) Perché non hai chiesto i soldi a tuo padre, per comprare l'automobile? 20) Ho messo l'acqua nel vaso e poi ci ho messo i fiori. 21) Mentre Mara scriveva, la sua borsa è caduta sul pavimento. 22) Tanti oggetti sono caduti dalla borsa di Mara.

Esercizio 24/pag. 30.

1) Vengo a scuola con la mia macchina, con la mia moto, con le mie amiche, con il mio quaderno, con i miei libri, con i miei amici. 2) Lo studente (La studentessa) viene a scuola con la sua macchina, le sue amiche, il suo quaderno, i suoi libri, i suoi amici. 3) Signorina Mirella, anche Lei viene a scuola con la Sua macchina? con le sue amiche, con il Suo quaderno? con i Suoi libri? con i Suoi amici? 4) Paolo, vieni a scuola con la tua bicicletta? con la tua penna? con le tue matite? con il tuo quaderno? con i tuoi libri? con i tuoi amici?

Esercizio 25/pag. 31.

1) Ho preso i tuoi giornali. 2) Dove sono le mie valigie? 3) Ecco le tue matite e le tue penne. 4) Ho incontrato poco fa i miei amici. 5) Paolo è andato al cinema con le sue amiche. 6) Caterina telefona alle sue amiche. 7) Voglio presentare a Paolo i miei professori. 8) Hai già fatto i tuoi esercizi?

Esercizio 26/pag. 31.

1) Le mie sorelle partono per l'Inghilterra domani mattina. 2) Voglio comprare dei dischi per le tue sorelle. 3) Caterina ha dimenticato di telefonare alle sue zie. 4) Signorina, perché non telefona ai Suoi zii? la linea è libera. 5) Ha parlato con i Suoi nipoti? 6) Hai incontrato i miei fratelli al centro? 7) Le mie figlie studiano spagnolo a Madrid. 8) Ho studiato il tedesco a Monaco con i Suoi figli. 9) Voglio conoscere le Sue nipoti.

Esercizio 27/pag. 32.

1) Noi veniamo a scuola con la nostra macchina, con le nostre amiche, con il nostro professore, con i nostri amici. 2) Anche voi venite a scuola con la vostra macchina? con lè vostre amiche? con il vostro professore? con i vostri

amici? 3) Le signorine, gli studenti, Piero e Marco, Marta e Maria vengono a scuola con la loro macchina, con le loro amiche, con il loro professore, con i loro amici.

Esercizio 28/pag. 33.

1) Le mie zie vanno a teatro con le loro amiche. 2) I miei zii leggono il loro giornale (i loro giornali) ogni mattina. 3) I tuoi figli giocano con i loro amici. 4) Gli studenti scrivono gli esercizi nel loro quaderno. 5) Non hanno ancora risposto alle lettere delle loro amiche.

Esercizio 29/pag. 35.

1) Ho acceso la lampada e poi ho scritto una lettera a Paolo. 2) Non hanno chiuso la porta. 3) Avete preso qualcosa nel pomeriggio? 4) Hanno speso tutto il loro denaro. 5) Ho detto quello che sapevo e nient'altro. 6) Hanno chiesto delle informazioni ad una signora americana. 7) Non ho risposto a tutte le lettere. 8) Non abbiamo visto i tuoi amici. 9) Non ha voluto disturbare la sua insegnante.

Esercizio 30/pag. 35.

1) Marta è uscita di casa ed è andata da sua zia. 2) Siamo rimasti/e a casa tutto il giorno. 3) Sono venuto da te dopo le lezioni. 4) Gli studenti sono entrati in classe alle nove. 5) Il treno è arrivato in orario. 6) Sono partiti/e per la Svizzera. 7) Siamo usciti/e di casa alle otto, per andare al supermercato. 8) Sei andato/a a Torino con il treno o in macchina?

Esercizio 31/pag. 36.

1) È la sua borsa. 2) Sono i fiori per sua madre. 3) Sul tavolo ci sono le mie sigarette. 4) Nella borsa ci sono i suoi occhiali. 5) Sua sorella è malata. 6) Non sono ancora arrivati i suoi genitori. 7) Sapete se sono già partiti i suoi fratelli? 8) Sei sicura che questo è il suo dizionario? 9) Non sappiamo dove sono i suoi occhiali. 10) Ho parlato con sua sorella. 11) Hai visto la sua nuova macchina?

Esercizio 32/pag. 36.

1) Ecco i loro quaderni. 2) Ho già corretto i loro esercizi. 3) Sui banchi ci sono i loro libri. 4) Mi sapete dire chi ha preso le loro sigarette? 5) Non trovo più le chiavi della loro macchina. 6) Dove sono le loro camicie? 7) Dove avete messo le loro valigie? 8) Chi sa dove sono i loro pigiami? 9) Ecco i loro indirizzi.

UNITÀ 3

Esercizio 33/pag. 40.

1) Sai che i viaggiatori non vogliono perdere la coincidenza. Sa che io non voglio perdere la coincidenza. Sapete che noi non vogliamo perdere la coincidenza. Sanno che nessuno vuole perdere la coincidenza. 2) Se (tu) perdi la coincidenza devi aspettare un'ora a Terontola. Se Pietro perde la coincidenza deve aspettare un'ora a Terontola. Se Lei perde la coincidenza deve aspettare un'ora a Terontola. Se perdiamo la coincidenza dobbiamo aspettare un'ora a Terontola. Se perdete la coincidenza dovete aspettare un'ora a Terontola. Se Peter e Mara perdono la coincidenza devono aspettare un'ora a Terontola.
3) Hai comprato all'edicola un settimanale. Una signora ha comprato all'edicola «Annabella» e «Grazia». Noi abbiamo comprato all'edicola un libro giallo. (Voi) avete comprato all'edicola il mensile «Salve». (Tutti) hanno comprato all'edicola dei giornali e delle riviste. 4) Se Mara vuole andare al bar, stiamo attenti/e noi alle valigie. Se voi volete andare al bar, stiamo attenti/e noi alle valigie.

Esercizio 34/pag. 44.

1) Sono andata a Roma. 2) Ho telefonato ai miei amici. 3) Siamo andati al museo di Villa Giulia. 4) Abbiamo visto molte sculture e molti vasi etruschi.

Esercizio 35/pag. 45.

1) Stamattina la signorina è andata dal fioraio. 2) Ha comprato un mazzo di fiori. 3) Quando è tornata a casa ha preso un vaso. 4) Ci ha messo l'acqua e poi i fiori. 5) Ci ha messo l'acqua per conservare freschi i fiori.

Esercizio 36/pag. 45.

1) Verrà con noi stasera? 2) Andrà a teatro da sola/o? 3) Comprerai i biglietti anche per noi? 4) Signorine, starete a casa stasera? 5) Con chi studierai dopo pranzo? 6) A che ora finiranno le lezioni? 7) Mia sorella telefonerà agli zii da Firenze. 8) Scriveranno molte cartoline da Venezia. 9) Se potremo, verremo anche noi. 10) Che cosa farete quando sarete in Sicilia? 11) Andrai a casa a piedi o con l'autobus? 12) Se saremo libere/i verremo a casa tua. 13) Correggerò questi esercizi e poi porterò a spasso il cane. 14) Che cosa comprerà per il compleanno di Suo figlio? 15) Che cosa ci sarà di bello alla televisione? 16) non tornerò a casa per la cena. Rimarrò in ufficio fino a tardi.

Esercizio 37/pag. 46.

1) a) Ascolteremo le notizie alla radio e poi ci prepareremo la colazione. b) Dopo che avremo ascoltato le notizie alla radio ci prepareremo la colazione. 2) a) Luisa andrà dalla parrucchiera e poi andrà al mercato per fare la spesa. b) Dopo che Luisa sarà andata dalla parrucchiera andrà al mercato per fare le spesa. 3. a) Gli operai prepareranno gli attrezzi e poi cominceranno a lavorare. b) Dopo che gli operai avranno preparato gli attrezzi, cominceranno a lavorare. 4) a) Entrerò nella stanza e poi accenderò la luce. b) Dopo che sarò entrata/o nella stanza accenderò la luce.

Esercizio 38/pag. 48.

1) La nostra insegnante ha parlato lentamente e chiaramente. 2) Si è comportata timidamente. 3) Questa rivista arriva regolarmente ogni sabato.

Esercizio 39/pag. 52.

1) Le banche sono aperte al pubblico anche nel pomeriggio. 2) In questi negozi si vendono delle belle camicie. 3) Piero ha telefonato alle sue amiche. 4) Il pugilato e la lotta sono (due) sport violenti. 5) La settimana scorsa ho visto dei bei film alla TV. 6) Sui banchi davanti alla lavagna sono sedute due signorine belghe. 7) Ho portato in lavanderia le mie camicie bianche.

UNITÀ 4

Esercizio 40/pag. 53.

1) Ha comprato un ombrello. 2) No, ha comprato un ombrello piuttosto grande. 3) Un buon ombrello oggi può costare ....

Esercizio 41/pag. 54.

1) I personaggi del dialogo sono Paolo e Rita. 2) Sì, sono studenti. 3) Sono andati a vedere uno spettacolo la sera precedente. 4) No, Rita non è andata a lezione stamattina. 5) Perché si è svegliata tardi.

Esercizio 42/pag. 56.

1) Se dovete essere a scuola alle otto, dovete alzarvi alle sette. 2) Se vogliono alzarsi presto domattina, non devono andare a letto tardi stasera. 3) Se volete farvi il bagno, dovete aspettare. Ora non c'è acqua. 4) Se volete ricordarvi di telefonare allo zio da Roma, dovete scrivere il numero di telefono nell'agenda. (ed anche: Se vogliono ricordarsi ......, devono scrivere ......).

Esercizio 43/pag. 57.

1) Stamattina mi sono alzata/o alle sette. 2) Sì, mi alzo sempre così presto. 3) Devo alzarmi così presto, perché devo andare a scuola. 4) Dopo che mi sono alzata/o, mi lavo. 5) Dopo che mi sono lavata/o, mi pettino. 6) Faccio colazione dopo che mi sono vestita/o. 7) Sì, sono andata/o in discoteca ieri sera. 8) Sì, mi sono divertita/o molto. 9) No, non mi sono ricordata/o di scrivere una lettera a mia madre. 10) Mi chiamo ......

Esercizio 44/pag. 57.

1) Paolo e Mario non si sono abituati ad alzarsi presto. 2) Domattina partirete per Napoli: dovete svegliarvi alle cinque e un quarto. 3) Se volete divertirvi, stasera dovete venire con noi (ed anche: Se vogliono divertirsi, stasera devono venire con noi). 4) Non ci siamo ricordate di portare i quaderni. 5) Graziella e Marco non si sono ricordati di portare il dizionario. 6) Non possiamo ricordarci chi ha telefonato ieri sera. 7) Domani è domenica: a che ora si alzeranno? 8) Siamo usciti di casa senza ombrello. Ci siamo bagnati. 9) Le signorine non si sentono bene. Vogliono andare a casa. 10) Paola e Simona si guardano nello specchio ogni volta che si pettinano e si mettono il rossetto. 11) Dopo che vi siete lavati non vi asciugate? 12) Ci recheremo alla stazione per salutare gli amici che partono. 13) Gli studenti si sono seduti sui banchi. 14) Perché non si accomodano, Signorine? (ed anche: Perché non vi accomodate, Signorine?).

Esercizio 45/pag. 59.

1) Quelle macchine non si sono fermate al semaforo. 2) Questi fogli sono miei, quelli sul tavolo sono tuoi. 3) Queste penne sono tue, quelle sul banco sono mie. 4) Quei giornali sulla sedia sono inglesi, quelli sul tavolo sono italiani. 5) Questi quadri sono belli, quelli che hai comprato il mese scorso invece no. 6) Quegli studenti parlano molte lingue. 7) Non faremo più quegli sbagli. 8) Come si chiamano i tuoi zii che vivono a Milano? 9) Chi sono quei begli uomini così eleganti? Sono i tuoi cugini? 10) Quegli alberghi sono molto cari. 11) Quei bei ragazzi sono giocatori di pallacanestro. 12) Quelle belle ragazze sono (delle) brave tenniste. 13) Quei signori sono i professori di Paolo.

Esercizio 46/pag. 59.

1) È un panorama molto bello. 2) In questa città ci sono palazzi molto belli. 3) Avete fatto delle fotografie molto belle. 4) Abbiamo visto un film molto bello. 5) In quella pinacoteca ci sono dei quadri antichi molto belli. 6) Hai un orologio molto bello. 7) Quella ragazza ha delle mani molto belle. 8) Nel tuo giardino ci sono degli alberi molto belli.

9) Al concerto «pop» abbiamo sentito delle canzoni moderne molto belle. 10) Nei Musei Vaticani ci sono delle sculture greche e romane molto belle. 11) Quella signora ha dei vestiti molto belli. 12) Tu hai una macchina molto bella. 13) Avete cantato delle canzoni molto belle.

Esercizio 47/pag. 63.

1) Abbiamo cominciato lo studio di questa lingua il .... 2) No, non ricordiamo il giorno esatto ma il mese sì: .... 3) Sono nata/o il .... 4) No, non ricordo quando è nata mia nonna. 5) È nata nell'anno ...... 6) Mio nonno è nato .... 7) Mia madre è nata .... 8) Mio padre è nato .... 9) I primi tre mesi dell'anno sono: Gennaio, Febbraio, Marzo. 10) Gli ultimi tre mesi dell'anno sono: Ottobre, Novembre, Dicembre.

Esercizio 48/pag. 64.

1) Il primo giorno della settimana è lunedì. 2) Il secondo è martedì. 3) In un anno ci sono dodici mesi. 4) Il primo mese dell'anno è gennaio. 5) Il secondo è febbraio. 6) L'ultimo mese dell'anno è dicembre. 7) Il penultimo è novembre. 8) Le stagioni sono quattro. 9) Preferisco (l'estate, la primavera ...). 10) Io preferisco l'inverno. 11) Preferisco l'inverno perché amo gli sport invernali. 12) Mia sorella preferisce la primavera, perché ama molto i fiori e la natura nel suo risveglio.

Esercizio 49/pag. 70.

1) Il 16 Febbraio 1986 il cielo era nuvoloso a Francoforte, a Ginevra, a Londra e a Parigi. 2) Ad Atene il cielo era sereno. 3) A Buenos Aires pioveva. 4) A Buenos Aires la temperatura massima era più alta. 5) Ad Helsinki la temperatura minima era più bassa. 6) No, a Parigi il cielo era coperto.

Esercizio 50/pag. 71.

1) Eravamo sul punto di partire. Stavamo per partire. 2) Ero sul punto di cadere. Stavo per cadere. 3) Era sul punto di uscire, quando ha suonato il telefono. Stava per uscire, quando ha suonato il telefono.

UNITÀ 5

Esercizio 51/pag. 77.

1) Marta si è lavata i capelli, poi se li è asciugati con il fon. 2) Sono uscito/a senza ombrello, mi sono bagnato/a. 3) Non ci siamo trovati/e bene in questa città. 4) Ci siamo alzati/e alle sette e trenta. 5) Vi siete lavati/e e poi vi siete asciugati/e con un asciugamano. 6) Ti sei ricordato/a di scrivere ai tuoi genitori? 7) I bambini si sono addormentati alle otto. 8) Ci siamo addormentati/e con la luce accesa. 9) Vi siete svegliati/e presto? 10) Mi sono svegliato/a spesso, non ho fatto tutto un sonno.

Esercizio 52/pag. 78.

1) Non ci siamo abituate/i ad alzarci presto. 2) Maria e Paolo si sono svegliati spesso stanotte. 3) Domattina partirete per Roma: dovrete svegliarvi alle cinque. 4) Se volete divertirvi, stasera venite con noi. 5) Non ci siamo ricordate/i di portare gli occhiali. 6) Cristina e Marco non si sono ricordati di portare il dizionario. 7) Non possiamo ricordarci chi ha telefonato ieri sera. 8) Non ci dimenticheremo mai della vostra gentilezza. 9) Gli studenti non si dimenticheranno di portare l'ombrello. 10) Paolo e Luisa si sono ammalati. 11) Le signore si guardano allo specchio prima di uscire. 12) Dopo che ci siamo lavate/i, ci asciughiamo. 13) Perché non vi sedete? 14) Ci sediamo perché vogliamo riposarci. 15) Per riposarci ci siamo sedute/i un po'. 16) Si trovano bene qui, Signore? 17) Vi siete trovate bene a Venezia? 18) Quando vogliamo distrarci andiamo a vedere un film western. 19) Perché non si accomodano? Saremo pronte/i tra due minuti.

Esercizio 53/pag. 82.

1) Quando ho sete mi piace bere un bicchiere d'acqua. 2) Quando fa caldo a mia sorella piace bere ...... 3) A colazione mi piace bere caffè e latte. 4) Sì, mi piace molto. 5) Venezia ci è piaciuta molto. 6) Ci è piaciuto molto andare in gondola. 7) Ci è piaciuta molto la polenta con le salsicce. 8) Sì, questa pizza mi piace. 9) Gli spaghetti con le vongole ci piacciono tanto! 10) Sì, gli gnocchi mi sono piaciuti. 11) No, la commedia non mi è piaciuta. 12) Sì, il concerto mi è piaciuto. 13) Dopo che ho ottenuto il diploma, mi piacerebbe fare un viaggio.

Esercizio 54/pag. 83.

1) No, non lo voglio. 2) Sì, li voglio. 3) No, non la vedo. 4) No, non le vediamo. 5) Sì, lo conosco. 6) No, non le conosciamo. 7) Lo ascolto dopo cena. 8) Sì, li aspettiamo noi! 9) La incontrerò al teatro. 10) Sì, le aspetterò io! 11) Lo finirò domani. 12) Lo compreremo la settimana prossima. 13) Sì, lo prendiamo volentieri. 14) Lo comprerò il mese prossimo. 15) Sì, lo inviterò. 16) Sì, li inviteremo. 17) No, non la incontro mai. 18) No, non lo guarderemo.

Esercizio 55/pag. 84.

«la mia pipa»

Nonno: Chi ha visto la mia pipa?
Rita: Io, nonno, l'ho vista.
Nonno: Dove l'hai vista?
Rita: Che mi dai se te lo dico?
Nonno: Ti compro un gelato con tante fragole. Ti piacciono le fragole, vero?
Rita: Sì, nonno. Eccola! L'ho trovata sulla poltrona. Ma come mai la perdi sempre?
Nonno: Così tu la trovi e ricevi un regalino.

«le mie chiavi»

Nonno: Chi ha visto le mie chiavi?
Rita: Io, nonno, le ho viste.
Nonno: Dove le hai viste?
Rita: Che mi dai se te lo dico?
Nonno: Ti compro un gelato con tante fragole. Ti piacciono le fragole, vero?
Rita: Sì, nonno. Eccole! Le ho trovate sulla poltrona. Ma come mai le perdi sempre?
Nonno: Così tu le trovi e ricevi un regalino.

Esercizio 56/pag. 85.

1) L'ho vista domenica scorsa. 2) No, non li abbiamo visti. 3) Sì, le abbiamo spente. 4) Sì, l'ho già preso. 5) No, non li ho ancora cambiati. 6) Sì, le ho preparate. 7) Sì, l'ho spedito. 8) No, non l'abbiamo vista. 9) No, non l'ho ancora letto. 10) Sì, l'ho presa. 11) Sì, l'abbiamo preso. 12) Noi le abbiamo chiuse. 13) Sì, li abbiamo invitati. 14) Sì, l'ho ringraziata. 15) Sì, l'ho preso io!

Esercizio 57/pag. 85.

1) Sì, ho potuto capirla. 2) Penso di comprarla il mese prossimo. 3) No, non voglio comprarlo. 4) Pensiamo di prepararle stasera 5) Credo di finirlo prima della fine del mese. 6) Sì, devo ancora comprarli. 7) No, non vogliamo comprarle. 8) Sì, voglio conoscerla. 9) Sì, vogliamo conoscerle. 10) Sì, voglio vederlo. 11) Sì, voglio sentirli. 12) No, non vogliamo leggerli. 13) Sì, desideriamo visitarlo. 14) Sì, desidero invitarli. 15) No, non voglio vederle. 16) Sì, voglio accenderla.

Esercizio 58/pag. 87.

1) Ne ho presi tre. Non ne ho preso nessuno. 2) Ne ho comprata una. Non ne ho comprata nessuna. 3) Ne ho viste tre. Non ne ho vista nessuna. 4) Ne ho bocciati molti. Non ne ho bocciato nessuno. 5) Ne ho visti due. Non ne ho visto nessuno. 6) Ne hanno ordinate tante. Non ne hanno ordinata nessuna. 7) Ne ho visitate tre. 8) Ne abbiamo ascoltati molti. 9) Ne ho sentite molte. 10) Non ne abbiamo mangiata nessuna. 11) Ne ho invitati molti. 12) Non ne ho avuto nessuno. 13) Ne abbiamo scritte molte. 14) Ne ho letti tre.

Esercizio 59/pag. 88.

1) Voglio portarne uno. 2) Penso di leggerne uno o due. 3) Non voglio comprarne nessuna. 4) Voglio portarne almeno tre. 5) Voglio comprarne due paia. 6) Voglio invitarne molti. 7) Voglio interrogarne tre. 8) Non voglio sentirne nessuno. 9) Basta! non vogliamo sentirne nessuna.

Esercizio 60/pag. 89.

1) Sì, l'ho vista. 2) No, non le inviterò. 3) No, non le ho prese. 4) Ne ha comprati due. 5) Sì, le abbiamo già mangiate. 6) Sì, ne ho trovati tanti. 7) Ne desidero due chili. 8) Ne ho comprate due paia. 9) Sì, ne abbiamo incontrati molti.

Esercizio 61/pag. 89.

1) Sì, ce l'ho messo. 2) Sì, ce li ha messi. 3) Sì, ce li abbiamo messi. 4) Sì, ce le ho messe. 5) Sì, ce le abbiamo messe.

Esercizio 62/pag. 89.

1) Ce ne ho messo uno. 2) Ce ne abbiamo messe due. 3) Ce ne ho messe due paia. 4) Ce ne ho messi molti. 5) Ce ne ho messe sei.

Esercizio 63/pag. 89.

1) Sì, ce l'ho. 2) Sì, ce l'abbiamo. 3) Sì, ce le abbiamo. 4) Sì, ce li hanno. 5) Sì, ce l'abbiamo tutti. 6) Sì, ce l'ho. 7) Sì, ce le ho.

Esercizio 64/pag. 94.

1) Abbiamo acceso la luce, perché era buio. 2) Ho acceso la stufa, perché faceva freddo. 3) Ho preso un'acqua brillante, perché avevo sete. 4) Non sono andati/e al cinema, perché volevano riposarsi. 5) Abbiamo mangiato un panino, perché avevamo fame. 6) Non ti ho potuto telefonare, perché non avevo i gettoni. 7) Ero molto occupato e perciò non sono tornato a casa. 8) Non ho letto il libro, perché non avevo voglia. 9) Paolo ha preso un'aspirina, perché non si sentiva bene. 10) Paola è andata a letto, perché aveva mal di testa. 11) Non abbiamo comprato un altro vestito, perché non avevamo i soldi. 12) Ha smesso di studiare, perché voleva vedere la partita in TV. 13) Non sono tornati/e a casa, perché volevano ancora camminare. 14) Valeria non è tornata a casa, perché voleva vedere le vetrine del centro. 15) Paola e Francesca non sono tornate a casa, perché volevano vedere le vetrine del centro. 16) Pioveva e perciò siamo restati/e a casa. 17) Perché non siete usciti/e? Faceva bel tempo. 18) Nevicava molto forte e perciò siamo restati/e a casa davanti alla TV. 19) Potevi restare, se avevi voglia! 20) Potevate restare, se vi faceva piacere!

Esercizio 65/pag. 95.

1) Faceva brutto tempo, perciò siamo restati/e a casa. 2) Pioveva, perciò ho preso l'ombrello. 3) Tirava vento, perciò abbiamo chiuso le finestre. 4) Nevicava, perciò ho acceso il fuoco nel caminetto. 5) Ero stanco, perciò mi sono seduto

un po'. 6) Non si sentivano bene, perciò sono andati/e dal medico. 7) Paola non era ancora pronta, perciò dovevo aspettare.

Esercizio 66/pag. 96.

1) Che cosa stai facendo? 2) Sta scrivendo una lettera a sua madre. 3) Sto pensando a quando ero in Olanda. 4) Stiamo pensando a quello che dobbiamo fare. 5) Non vedi che sto parlando? 6) I signori Rossi si stanno preparando per andare al teatro. 7) La nonna sta preparando il pollo secondo una vecchia ricetta.

Esercizio 67/pag. 96.

1) Stavo pensando a cosa mi restava da fare, quando la zia mi ha chiamato. 2) Il nostro professore stava spiegando il canto XI del Paradiso della «Divina Commedia», di Dante Alighieri, quando il bidello è entrato nella nostra classe. 3) Stavo riflettendo su un problema, quando Rita, mia moglie, mi ha domandato che ora era. 4) Paola stava facendo un disegno, quando ha sentito un rumore in cucina. 5) Gli studenti stavano scrivendo un esercizio, quando l'insegnante ha detto che la lezione era finita.

UNITÀ 6

Esercizio 68/pag. 106.

1) ...... il sale? 2) ...... quale autobus va allo stadio? 3) ...... il tuo/Suo dizionario per un momento?

Esercizio 69/pag. 107.

1) ...... prendere una vacanza. 2) ...... andare a vedere quel film. 3) ...... non prendere tante medicine. 4) ...... leggere un romanzo di Alberto Moravia? 5) ...... parlare con il Direttore?

Esercizio 70/pag. 109.

1) Vi vorrei raccontare come è andata, ma non ho il tempo. 2) Berrei ancora un po' di quell'eccellente spumante, ma l'ho finito tutto. 3) Mangeremmo ancora qualcosa, ma non c'è più niente. 4) Luisa uscirebbe, ma è molto occupata. 5) Franco giocherebbe a carte con noi, ma deve andare subito a casa. 6) Scriverei una lettera a mio fratello, ma non ho la carta. 7) Andremmo a spasso, ma fa cattivo tempo. 8) Studierebbero ancora, ma sono stanche. 9) Verrei volentieri al cinema con voi, ma ho visto già quel film. 10) Ci piacerebbe comprare quel vestito, ma non ho soldi. 11) Vorremmo venire a trovarti, ma siamo molto occupati in questi giorni. 12) Potresti riuscire bene nei tuoi studi, ma sei troppo pigro e svogliato. 13) Vorreste smettere di fumare, ma vi manca la forza di volontà. 14) Andrei a sentire quel concerto, ma preferisco finire il mio lavoro. 15) Gli piacerebbe ascoltare qualche disco ancora, ma deve uscire per fare la spesa. 16) Telefonerei a Luisa adesso, ma so che non è in casa a quest'ora. 17) Saremmo felici di venire alla vostra festa, ma non possiamo. 18) Paolo andrebbe a fare una lunga passeggiata con questo bel tempo, ma non vuole perdere le lezioni di questo pomeriggio. 19) Ci farebbe molto piacere accettare la vostra ospitalità, ma dobbiamo partire oggi stesso. 20) Avremmo bisogno di prendere delle vacanze, ma non possiamo.

Esercizio 71/pag. 111.

1) Questi libri e quelli sul banco sono miei. 2) Non ho ancora letto quei giornali. 3) Vedi quegli alberi? Sono pini mediterranei. 4) Vuole misurare quei vestiti, che sono in vetrina? 5) Vorresti caricare quegli orologi, per piacere? Sono fermi da stamattina. 6) Questi fogli sul banco sono miei, quelli sul tavolo sono del professore. 7) Li vuoi presentare a quegli studenti? 8) In quel palazzo vivevano delle famiglie molto ricche. 9) Non voglio leggere quegli stessi romanzi. 10) Perché non usi mai codeste penne? 11) Questi orologi vanno bene? 12) Quegli appartamenti sono troppo piccoli. 13) Ma non vedi quanto sono magri quei cani?

Esercizio 72/pag. 112.

1) Le due ragazze si chiamano Marilena e Lida. 2) Lida si sente stanchissima. 3) Perché ieri sera è stata al concerto ed ha fatto tardi. 4) Al concerto dei «Lunatics». 5) Di solito quel complesso suona bene. 6) No, ieri sera ha suonato malissimo (da cani).

Esercizio 73/pag. 124.

1) Passi in biblioteca! 2) Scrivano con la penna! 3) Sia gentile: finisca il lavoro per la settimana prossima! 4) Abbiate pazienza: ripassate domani! 5) Esci un po'! 6) Parli più lentamente, La prego! 7) Smettete di parlare tutti insieme! 8) Si affretti, perché è tardi! 9) Legga questo libro: è veramente interessante! 10) Fa qualcosa! 11) Fate presto! 12) Prendete qualcosa da bere! 13) Riporta questi libri a Marco! 14) Scusami: sono in ritardo, perché ho perduto l'autobus! 15) Leggete ad alta voce! 16) Marta sia più severa con i suoi scolari.

Esercizio 74/pag. 124.

1) Non pensarci più! 2) Non ci pensino più! 3) Non faccia sempre tanti complimenti! 4) Non siate tanto preoccupati! 5) Non fate tanto rumore! 6) Non parlare così in fretta! 7) Non preoccupiamoci! ci penserà lui. 8) Non vada più da

Paolo! verrà lui da Lei. 9) Non affrettatevi! c'è ancora più di un'ora e mezzo alla partenza. 10) Non prendere questo autobus! non va alla stazione. 11) Non ditemi più niente! so quello che c'è da fare. 12) Non esca senza ombrello! sta piovendo. 13) Non entrate! il concerto è già cominciato. 14) Fa' piano! la mamma dorme.

Esercizio 75/pag. 125.

1) La fumi pure! 2) La beva pure! 3) Lo finisca pure! 4) La aspetti pure! 5) Lo prenda pure! 6) Le prenoti pure in quell'albergo! 7) Lo compri pure! 8) La mangi pure! 9) Li finisca pure! 10) Lo ascolti pure tutto!

Esercizio 76/pag. 125.

1) E perché no? Li ascoltino pure! 2) E perché no? Le chiedano pure! 3) E perché no? Le invitino pure! 4) E perché no? Li tengano pure! 5) E perché no? Le raccontino pure! 6) E perché no? Le mostrino pure! 7) E perché no? Li ordinino pure! 8) E perché no? La accendano pure! 9) E perché no? Escano pure!

Esercizio 77/pag. 125.

1) No, per favore, non fumarla! 2) No, per favore, non aprirla! 3) No, per favore, non accenderla! 4) No, per favore, non prenderla! 5) No, per favore, non invitarli! 6) No, per favore, non ascoltarla! 7) No, per favore, non finirlo! 8) No, per favore, non invitarla! 9) No, per favore, non rifiutarla! 10) No, per favore, non aprirla!

Esercizio 78/pag. 128.

1) Prendetele! 2) Prestaglielo! 3) Me le cambi! 4) Andatemele a prendere! 5) Scrivetegliela! 6) Mandatemela! 7) Me lo passi! 8) Ce le passi! 9) Passameli!

Esercizio 79/pag. 128.

1) Compratene un altro! 2) Ne prenda un altro! 3) Scrivetene un altro! 4) Scrivine un'altra! 5) Mangiane un'altra! 6) Versamene un altro! 7) Portagliene un altro! 8) Passagliene un'altra! 9) Bevine un'altra!

Esercizio 80/pag. 128.

1) Non prenderne più! 2) Non bevetene più! 3) Non ne prenda più! 4) Non fumatene più! 5) Non ne prenda più! 6) Non comprarmene più! 7) Non ne assaggi più! 8) Non parlarmi più di lui! 9) ..., ma non darmene più! 10) ..., ma non ne voglio più!

Esercizio 81/pag. 129.

1) Non ascoltare quello che ti dicono! 2) Non sedetevi qui vicino al caminetto! 3) Non andate a vedere quella commedia! Non andateci! 4) Non chiudere quelle finestre! 5) Non leggete quella rivista! Non leggetela! 6) Non smetta di studiare! 7) Non si affacci alla finestra! 8) Non rispondere al telefono! 9) Non dirle che cosa farai! 10) Non andare a Roma! Non andarci! 11) Non si tolga il cappello!

Esercizio 82/pag. 129.

1) a) Scrivi a Mario! b) Scrivigli! 2) a) Accendete le lampade! b) Accendetele! 3) a) Consegna il pacco a tuo fratello! b) Consegnaglielo! 4) a) Restituite i libri al professore! b) Restituiteglieli! 5) a) Gli indichi la strada! b) Gliela indichi! 6) a) Chiamate il medico! b) Chiamatelo! 7) a) Lavati le mani! b) Lavatele! 8) a) Non date questi libri a Marta! b) Non dateglieli! 9) a) Non apra le finestre! b) Non le apra!

UNITÀ 7

Esercizio 83/pag. 137.

1) Certamente, gliela presto volentieri: eccogliela. 2) Sì, te lo passo subito. 3) No, non te lo dico. 4) Te la presento domani. 5) Sì, glieli porterò stasera. 6) Sì, te lo preparo molto volentieri. 7) No, non te lo dico. 8) Glieli restituirò quando avrò finito di leggerli. 9) Gliele preparerò io!

Esercizio 84/pag. 138.

1) Sì, me le ha consegnate. Me le ha consegnate stamattina. 2) Me ne ha mandate tre. 3) Me l'ha consigliato Mario. 4) Ce le ha raccontate Mariella. 5) Me le ha regalate mia moglie. 6) No, non te le abbiamo ancora preparate. Te le prepareremo più tardi. 7) Gliele ha offerte il suo ragazzo. 8) Te l'abbiamo messa sotto la scrivania. 9) Sì, glieli abbiamo portati stamattina.

Esercizio 85/pag. 138.

1) Penso di presentarglieli al ricevimento. 2) Mi dispiace, non possono prestartela. 3) Gradisce una tazza di tè? Posso preparargliene una tazza? 4) Voglio farmene fare uno su misura. 5) Non pensa di riportarmeli? 6) Quando pensa di restituirmelo? 7) Vorrebbe spiegarmela ancora una volta? 8) Ci dispiace, non possiamo raccontartela di nuovo. 9) Dovresti fartele riparare. 10) Non abbiamo avuto tempo di prepararla. 11) Quando pensa di restituirmelo? 12) Quando crede di finirglielo?

Esercizio 86/pag. 142.

Sono dialoghi da leggere ad alta voce.

Esercizio 87/pag. 144.

1) La zia di Clara è generosissima. La zia di Clara è molto generosa. 2) Quegli alberi sono altissimi. ... sono molto alti. 3) Marinella e Gabriella sono ragazze simpaticissime. ... sono ragazze molto simpatiche. 4) Quella cantante ha una voce bellissima. ... ha una voce molto bella. 5) Quella signora abita in un palazzo vecchissimo. ... abita in un palazzo molto vecchio. 6) L'automobile è un mezzo utilissimo. ... è un mezzo molto utile. 7) Quell'università è famosissima. ... è molto famosa. 8) Questa tovaglia che ho lavato con un nuovo detersivo, è bianchissima. ... è molto bianca. 9) Il terreno, che lei ha comprato per la Sua villa, è carissimo. ... è molto caro. 10) Hanno smesso di lavorare perché sono stanchissime. ..., perché sono molto stanche. 11) Buona questa birra! È freschissima. È molto fresca. 12) Ieri sera a casa vostra siamo stati benissimo. ... siamo stati molto bene. 13) Ho molto sonno: stamattina mi sono alzata prestissimo. ... molto presto. 14) Vorrei un bicchiere di latte caldissimo. ...; molto caldo.

Esercizio 88/pag. 145.

1) Paolo e Francesca non sono sicuri di finire quel lavoro per domani. 2) Siete già stanchi di lavorare? 3) Cristina e Valeria sono soddisfatte di aver superato gli esami. 4) Non siamo capaci di ripetere quella poesia a memoria. 5) Siete in grado di dirmi in quale città si trova la torre pendente? 6) Non abbiamo più bisogno di uscire. 7) Avete sempre l'abitudine di alzarvi presto? 8) Hanno voglia di prendere un gelato? 9) Siete contente di aver finito quegli esercizi noiosi?

Esercizio 89/pag. 146.

1) Paolo è riuscito a vincere la partita finale di bridge. 2) Siamo riusciti a finire la traduzione. 3) Non tutti sono riusciti a imparare a memoria la poesia. 4) Non sono riuscito/a ad aprire la porta. 5) Non siamo riusciti a vedere bene.

Esercizio 90/pag. 147.

1) Ha dovuto sbrigarsi. Si è dovuta sbrigare. 2) Abbiamo dovuto affrettarci. Ci siamo dovuti/e affrettare. 3) Non abbiamo potuto abituarci al clima di quella città. Non ci siamo potuti/e abituare al clima di quella città. 4) Avrei voluto sistemarmi in un buon appartamento. Mi sarei voluto/a sistemare in un buon appartamento. 5) Avresti dovuto alzarti alle sei. Ti saresti dovuto/a alzare alle sei. 6) Paola, non avresti voluto metterti un abito scuro? Paola, non ti saresti voluta mettere un abito scuro?

Esercizio 91/pag. 148.

1) Antonio vuol fare il giro del lago Trasimeno. Vuol prendere a noleggio una moto. 2) Carla e Francesca prenderanno a noleggio una macchina dopo il loro arrivo a New York. 3) Se volete prendere a noleggio un motoscafo, vi consiglio di rivolgervi all'Agenzia «Nautica». Ha (Pratica) delle tariffe minori di altri noleggiatori. 4) In montagna potete prendere a noleggio sci e scarponi per tutta la settimana bianca.

Esercizio 92/pag. 156.

1) Quella signora, che si serve in una famosa boutique di Firenze, è mia zia. 2) Quelle ragazze, che studiano a Perugia, sono australiane. 3) Quegli studenti, che sono seduti vicino alla porta, sono greci. 4) Caterina, che spende molto per i vestiti, è sempre elegantissima. 5) Quel signore, che è tornato proprio ieri dall'Australia, è lo zio di Paola.

Esercizio 93/pag. 157.

1) Ho comprato l'enciclopedia che tu mi hai consigliato. 2) Stiamo fumando le sigarette, che lo zio ci ha portato dagli USA. 3) Le ho offerto il vino, che ho comprato ad Orvieto sabato scorso.

Esercizio 94/pag. 157.

1) Di quello che abbiamo visto la settimana scorsa. 2) Di quella che Pietro ha costruito al mare. 3) Di quello che è apparso nella rivista «Epoca». 4) Di quelle che ho conosciuto al mare quest'estate.

Esercizio 95/pag. 157.

1) Ecco il libro, che cercavate. 2) Avete visto le penne, che erano sulla scrivania? 3) Dovete riconsegnare in biblioteca i libri, che avete preso in prestito. 4) Vi è piaciuta la commedia, che hanno trasmesso in TV ieri sera? 5) Non sono ancora pronti i certificati, che ho richiesto una settimana fa. 6) I modelli, che sono esposti in vetrina, non sono in vendita. 7) Ho dimenticato al bar il giornale, che mi hai prestato.

Esercizio 96/pag. 158.

1) Ecco i giocatori di pallacanestro, di cui vi ho spesso parlato. 2) Ecco la cantante Raffaella, di cui Le ho parlato tanto. 3) Ecco l'ultimo libro di Camon, di cui vi ho già parlato. 4) Ecco Giorgio, di cui Le ho spesso parlato. 5) Ecco le riviste arrivate dalla Polonia, di cui vi ho già parlato.

Esercizio 97/pag. 158.

1) Carolina, di cui non abbiamo notizie da molto tempo, dovrebbe trovarsi ancora in Canada. 2) Nostra zia, a cui abbiamo telefonato ieri sera, ci ha assicurato che per Natale sarà da noi. 3) Nostro figlio maggiore, a cui abbiamo regalato una bella «moto Guzzi», farà un giro per l'Europa con altri appassionati «centauri». 4) I giochi, con cui i giovani preferiscono passare qualche ora di svago, sono giochi elettronici. 5) La signora, a cui mi sono rivolto per un'informazione, era straniera e non parlava una parola d'italiano.

UNITÀ 8

Esercizio 98/pag. 165.

1) Voglio che tu legga questo libro. 2) Il professore vuole che io parli sempre italiano. 3) Speriamo che stasera non piova. 4) Desideriamo che tu resti ancora con noi. 5) Vogliamo che Lei ci canti un'altra canzone napoletana. 6) Speriamo che anche tua sorella venga alla festa. 7) È necessario che voi riportiate questi libri in biblioteca. 8) Temo che lo studente non mi capisca quando parlo in fretta. 9) Speriamo che nostro zio mandi un mazzo di fiori alla mamma per il suo compleanno. 10) Desidero parlare con te; spero che tu abbia una mezz'ora di tempo da dedicarmi. 11) Ti presto volentieri questo libro, a patto che tu me lo restituisca presto. 12) Verrò con te, benché sia piuttosto occupato.

Esercizio 99/pag. 165.

1) È possibile che non si sentano bene. 2) Può darsi che non voglia venire. 3) È probabile che ci scrivano dal Giappone. 4) È possibile che non ci vediate bene con questa luce troppo debole. 5) È possibile che Paola non si occupi più di questi affari. 6) È possibile che non possa più partire. 7) Può essere che non ne voglia sapere più niente. 8) È probabile che non gli riesca bene quel lavoro. 9) Può darsi che ci telefoni da Firenze.

Esercizio 100/pag. 166.

1) Si dice che Marta voglia comprare un'altra pelliccia. 2) Sembra che la nuova Fiat con un litro di benzina faccia 20 km alla velocità di 90 chilometri all'ora. 3) Vogliamo che voi studiate bene la pianta della città. 4) È veramente una buona idea che i nostri studenti vogliano fare un viaggio in Europa. 5) Si dice che Michele abbia fatto 13 al Totocalcio. 6) Sembra che i metalmeccanici delle acciaierie di Terni siano in sciopero da due giorni. 7) È bene che tu faccia delle ricerche su questo soggetto. 8) Temiamo che i Signori Rossi non possano venire. 9) Vogliamo che voi vi alziate presto ogni mattina. 10) Sembra che questo apparecchio non funzioni bene.

Esercizio 101/pag. 166.

1) Temi che gli studenti non abbiano ancora finito gli esercizi. 2) Pensiamo che Maria non sia venuta. 3) Non credo che tu ti sia alzato/a presto ieri mattina. 4) Pensiamo che Pietro abbia bevuto troppo ieri sera. 5) Credo che Laura non abbia capito quella lezione, perché ha fatto molti sbagli. 6) Crediamo che tutti si siano divertiti al Carnevale di Viareggio. 7) Non sono sicuro che tu abbia detto la verità. 8) Speriamo che lo zio gli abbia mandato un bel regalo. 9) Penso che tu non abbia capito quello che intendevo dire. 10) Può darsi che non si siano fermati allo «STOP». 11) Ho paura che Marta abbia perduto la coincidenza per Firenze. 12) Temo che abbiano dimenticato il nostro indirizzo.

Esercizio 102/pag. 167.

1) Chissà che Marisa non si faccia viva uno di questi giorni! 2) Chissà che voi non vi decidiate a prendere una vacanza! 3) Chissà che Antonio non mi mandi qualche notizia dall'Africa! 4) Chissà che il colpevole non finisca per confessare il suo delitto!

Esercizio 103/pag. 167.

1) È necessario lavorare. 2) È necessario lavorare per la pace nel mondo. 3) È necessario prendersi una vacanza. 4) Bisogna essere sinceri. 5) Bisogna aiutare chi è nel bisogno. 6) Bisogna leggere buoni libri. 7) Bisogna leggere i giornali ogni giorno. 8) È necessario ascoltare le notizie alla TV o alla Radio.

Esercizio 104/pag. 168.

1) Paolo e Cristina pensano di fermarsi ancora una settimana. 2) Pensiamo di fare quattro passi. 3) Pensiamo di telefonargli domani.

Esercizio 105/pag. 168.

1) Penso che tu abbia voluto scherzare. 2) Crede che voi lo abbiate capito. 3) Speriamo che gli studenti abbiano deciso di studiare un'altra lingua. 4) Spero che Paola sia andata a trovare i suoi genitori. 5) Speriamo che tutti gli studenti abbiano fatto gli esercizi. 6) Spera che lei si sia decisa a farsi visitare da un buon medico. 7) Pensiamo che Jenny sia tornata in Australia. 8) Penso che tu sia andata a trovare tua madre. 9) Immaginiamo che Carla ci abbia scritto da Losanna.

Esercizio 106/pag. 171.

1) Penso che fossero occupati. 2) Pensiamo che si preparassero a partire. 3) Credo che fosse in biblioteca. 4) Crediamo che preparassero le valigie. 5) Penso che andassero alla stazione. 6) Credo che dormisse. 7) Pensa che fosse in ospedale.

Esercizio 107/pag. 178.

1) Il professore voleva che voi parlaste sempre italiano. 2) Speravamo che ieri non piovesse. 3) Gli studenti speravano che gli esami fossero facili. 4) Desideravamo che tu leggessi quei libri. 5) Speravo che Lei mi telefonasse prima di partire. 6) Credevo che tu mandassi un bel mazzo di fiori a tua madre per il suo compleanno. 7) Volevamo che Rosella cantasse qualche canzone di Modugno. 8) Ho spedito il denaro a mio fratello affinché comprasse i libri che gli

occorrevano per l'Università. 9) Benché facesse brutto tempo, sono uscito lo stesso per la mia solita passeggiata. 10) Avevo bisogno di parlare con Lei; speravo che Lei avesse un po' di tempo. 11) Non vedevo Mario da tanti giorni, credevo che fosse partito, invece l'ho visto stamattina in centro. 12) Era necessario che Lei riportasse i libri in biblioteca.

Esercizio 108/pag. 178.

1) Era possibile che Giorgio e Luisa avessero fretta. 2) Pensavo che Michele si sbagliasse. 3) Era possibile che quei ragazzi non fossero soddisfatti dell'ambiente familiare in cui vivevano. 4) Pensavo che non poteste finire quel lavoro in tempo. 5) Era possibile che Paola prendesse l'ultima corsa della metropolitana. 6) Poteva darsi che l'orologio di Carlo andasse indietro e perciò arrivava sempre in ritardo. 7) Credevamo che non gli facesse piacere di partecipare alla gita di Arezzo. 8) Supponevamo che non avessero interesse a visitare i musei della città. 9) Pensavamo che tornassero a casa, perché c'era troppa confusione.

Esercizio 109/pag. 179.

1) Credevamo che Raffaella non avesse ancora finito il pullover per suo marito. 2) Era meglio che mi fossi deciso a telefonare a Manuela. 3) Si diceva che Luigi e Mariella si fossero incontrati per caso al bar. 4) Era necessario che voi vi foste alzati/e presto per prendere il battello per Sirmione sul Lago di Garda. 5) Credevamo che avessero avuto un gran successo con quella commedia. 6) Credevamo che lo zio avesse lasciato un testamento a favore dei suoi due nipoti. 7) Temevamo che gli operai del gas non avessero ancora completato gli allacci al nostro appartamento. 8) Pensavamo che il balletto del Bolscioi fosse arrivato alla «Scala». 9) Temevo che gli studenti non avessero completato le ricerche sulla pittura del secolo XIV nella Basilica di San Francesco ad Assisi.

Esercizio 110/pag. 179.

1) Pensavo che Manuela avrebbe comprato un nuovo cappotto. 2) Speravo che Giuliano mi avrebbe fatto sapere le sue intenzioni. 3) Immaginavo che mi avresti prestato la macchina in caso di bisogno. 4) Non eravamo sicuri che sareste venuti con noi in gita la domenica successiva. 5) Credevamo che non sareste usciti/e con quel brutto tempo. 6) Pensavo che tu saresti venuto/a a trovarmi sabato scorso. 7) Pensavamo che sarebbero arrivati/e con il volo successivo. 8) Speravo che mi avrebbe telefonato. 9) Eravamo sicuri che sarebbero andati a vedere «il Rigoletto» a Firenze durante la stagione del «Maggio Fiorentino». 10) Pensavamo che gli sposini si sarebbero fermati a Venezia per lo meno una settimana, durante il loro «viaggio di nozze».

Esercizio 111/pag. 181.

1) Vorrei che voi smetteste di litigare. 2) Vorremmo che tu facessi più attenzione. 3) Mi piacerebbe che tu mi andassi a prendere le sigarette. 4) Non sarebbe meglio che glielo dicessi tu? 5) Vorrei che tu non ti lamentassi sempre. 6) Vorrei che mi dicessi dove stai andando. 7) Sarebbe necessario che Lei mi dicesse tutto quello che ha saputo. 8) Sarebbe meglio che tu prendessi una decisione. 9) Marta vorrebbe che tu le portassi un regalo da Napoli. 10) Pietro vorrebbe che tu gli dessi una mano. 11) Lo zio di Antonio ha perduto l'autobus. Desidererebbe che tu lo accompagnassi con la tua auto.

Esercizio 112/pag. 181.

1) Luisa credeva di far tardi. 2) Avevate l'impressione di non aver capito. 3) Mario sperava di poter venire alla festa. 4) Mia sorella temeva di non arrivare in tempo. 5) Nostro fratello temeva di non ricevere il denaro prima della sua partenza.

Esercizio 113/pag. 182.

1) Era meglio dirmelo subito. 2) Era necessario che tutti si fermassero ancora qualche giorno. Era necessario fermarsi ancora qualche settimana. 3) Occorreva che tutti si impegnassero di più. Occorreva impegnarsi di più. 4) Bisognava che tutti frequentassero le lezioni ogni giorno. Bisognava frequentare le lezioni ogni giorno. 5) Era meglio che tutti gli comunicassero in tempo i dati del computer. Era meglio comunicargli in tempo i dati del computer.

Esercizio 114/pag. 183.

1) Se mi sentissi bene uscirei. 2) Se avessi voglia di studiare, non andrei al cinema. 3) Se me la sentissi di telefonare a Marta, non le scriverei una lettera. 4) Se avessi abbastanza denaro, comprerei quel bel pullover. 5) Se avesse gli occhiali potrebbe leggere il giornale. 6) Se avessimo tempo potremmo trattenerci ancora. 7) Se non piovesse, non prenderei l'ombrello.

Esercizio 115/pag. 184.

1) Se mi fossi alzata presto, non sarei arrivata tardi a scuola. 2) Se avesse vinto al totocalcio, avrebbe comprato una Ferrari e non una piccola Fiat. 3) Se non avessimo dimenticato gli occhiali a casa, avremmo potuto leggere il giornale. 4) Se avesse smesso di giocare a poker al momento giusto, non avrebbe perduto tutto quello che aveva vinto. 5) Se mi avesse dato retta, ora non si troverebbe in una brutta situazione. 6) Se fossero stati attenti alla conferenza, avrebbero capito e non si sarebbero annoiati. 7) Se non avessi avuto da fare, sarei potuto/a venire con te. 8) Se foste venuti al concerto, non vi sareste annoiati a casa. 9) Se tu fossi andata a quella «svendita» avresti potuto risparmiare molto. 10) Se l'avessi voluto, l'avrei fatto.

Esercizio 116/pag. 184.

1) Magari tornasse il bel tempo! 2) Magari fosse vero! 3) Magari mi telefonasse! 4) Magari fosse vero! 5) Magari avessi tanti soldi! la comprerei subito. 6) Magari venisse! Sarei felicissimo. 7) È vero è proprio un guaio. Magari nevicasse!

Esercizio 117/pag. 185.

1) Magari lo avessi comprato! 2) Magari avessi studiato di piu! 3) Magari avessi portato la mia macchina!

UNITÀ 9

Esercizio 118/pag. 197.

1) Vedemmo i bambini che giocavano. 2) Prese quel libro che era nel cassetto. 3) Uscirono, quando ancora stava piovendo. 4) Continuai a leggere quel libro; era molto interessante. 5) Decidemmo di andarla a trovare: voleva vederci. 6) Fece finta di non vedermi ed entrò in un negozio. 7) Si misero a correre per non arrivare tardi. 8) Ci fu una lite terribile. La polizia arrivò e li portò tutti in Questura. 9) Facesti tardi? Sì, feci tardi.

Esercizio 119/pag. 199.

1) a) Dopo che ebbi messo il cappotto, uscii. b) Dopo aver messo il cappotto, uscii. 2) a) Dopo che avemmo comprato un mazzo di rose, andammo dai nonni. b) Dopo aver comprato un mazzo di rose, andammo dai nonni. 3) a) Dopo che fu entrato in quell'impresa edile, fece fortuna. b) Dopo essere entrato in quell'impresa edile, fece fortuna.

Esercizio 120/pag. 200.

1) Mi rispose, che non aveva capito. 2) Gli dissi che avevo fatto tutto. 3) Ammirò la borsa, che le avevo comprato. 4) Chiesero il nome delle persone, che avevano partecipato alla festa. 5) Mi alzai per vedere che tempo faceva. 6) Luisa spedì un telegramma di auguri a sua madre, perché non aveva avuto tempo di scriverle una lettera. 7) Ci sedemmo, perché eravamo stanchi/e. 8) Aprimmo le finestre, perché faceva caldo. 9) Andai al mercato, perché mi ero accorta che non avevo più frutta.

Esercizio 121/pag. 201.

1) Mi fece sapere che la macchina sarebbe stata pronta venerdì della settimana successiva. 2) Non volle capire, che sarebbe stato un viaggio lungo e faticoso. 3) Non si informarono sul paese che avrebbero visitato. 4) Mi scrissero che mi avrebbe mandato un bel regalo per Natale. 5) Ci fece sapere che ci avrebbe aiutato in quella circostanza. 6) Le promisi che sarei andata a trovare la sua cara nonnina. 7) Mi assicurò che mi avrebbe telefonato. 8) Mi disse che non sarebbe più partito. 9) Vi informai che avrei fatto tardi.

UNITÀ 10

Esercizio 122/pag. 213.

1) Andrea dice che non può vedere la partita in TV stasera: è stanco e va subito a letto 2) Manuela sospirando dice che deve finire ancora questi esercizi. 3) Marco uscendo di casa dice a sua moglie che deve rimanere in ufficio fino alle due. 4) Dico a Tiziana che devo lavorare ancora un paio d'ore. 5) Marco telefona a Maria e le dice che non può arrivare in tempo perché ha perduto l'autobus. 6) Con tono alterato mi dice che me lo ripete per la seconda volta, ma che non ha tempo da perdere in chiacchiere inutili.

Esercizio 123/pag. 214.

1) Carlo mi dice che Paolo Rossi non giocherà nella squadra azzurra. 2) Mio fratello dice a Tina che stasera verranno alla festa le sue due amiche olandesi. 3) Anche la zia dice che verranno da noi stasera. 4) Marta telefona a sua zia e le dice che domani sarà molto occupata. 5) Telefono a mia moglie e le dico che andremo a pranzo con i nostri amici texani. Ti aspettiamo all'una al ristorante «il Leon d'oro». 6) Telefono all'agenzia di viaggi e dico che passerò fra poco a ritirare i biglietti. 7) Paolo mi assicura che sarà puntuale stasera per la cena.

Esercizio 124/pag. 214.

1) L'idraulico promette che verrà domani da Lei. L'idraulico promise che sarebbe venuto l'indomani (il giorno dopo) da Lei. 2) L'avvocato comunica che sarà in tribunale alle dieci precise. L'avvocato comunicò che sarebbe stato in tribunale alle dieci precise. 3) Pietro telefona a sua moglie che non tornerà a casa per il pranzo. Pietro telefonò a sua moglie che non sarebbe tornato a casa per il pranzo. 4) Enrico incontra il suo amico e gli dice che stasera andrà al concerto. Enrico incontrò il suo amico e gli disse che quella sera sarebbe andato al concerto.

Esercizio 125/pag. 215.

1) La zia dice al nipotino di non sporgersi dal finestrino. La zia disse al nipotino di non sporgersi dal finestrino. 2) La mamma chiede di aiutarla a mettere in ordine la casa. La mamma chiese di aiutarla a mettere in ordine la casa. 3) Il vigile risponde di proseguire per quella strada fino al semaforo, poi di voltare a sinistra. Il vigile rispose di proseguire per quella strada fino al semaforo e poi di voltare a sinistra. 4) La zia chiede a Luisa di portarle subito il fon. La zia chiese a Luisa di portarle subito il fon. 5) Il marito prega la moglie di comprargli una bella cravatta blu a righe bianche. Il marito pregò la moglie di comprargli una bella cravatta blu a righe bianche. 6) Egli mi dice di prestargli la

mia moto. Egli mi disse di prestargli la mia moto. 7) Mi scrive di non comprare quell'appartamento. Mi scrisse di non comprare quell'appartamento.

Esercizio 126/pag. 216.

1) Il cameriere ci ha domandato se ci era piaciuto il pranzo. 2) Lo zio mi ha domandato se era piaciuto a Marco il suo regalo. 3) La mamma ha domandato a Maria se le era piaciuto il vestito. 4) Il nonno ha domandato alla nipotina se le era piaciuto il gelato. 5) Paolo mi domanda se mi è piaciuta la commedia. 6) Caterina mi chiede se ci è piaciuta l'opera «Aida» all'arena di Verona. 7) Le domandò se Le erano piaciuti i nuovi modelli autunnali in quella sfilata a Milano.

Esercizio 127/pag. 216.

1) Le domandai quando avrebbe fatto quel viaggio. 2) Mi domandò con chi sarei andato/a a quella festa. 3) Mi domandò chi ci avrebbe accompagnato all'aeroporto. 4) Mi chiese da chi sarei andato per avere quelle informazioni. 5) Gli domandai quando sarebbe andato a trovare i nonni. 6) Mi telefonò da Milano e mi disse che sarebbero arrivati con il treno delle 23,55 alla stazione di Firenze. Se sarei andato a prenderli con la macchina. 7) Le domandai quando sarebbe venuta a trovarci. 8) Le dissi da quale sarta si sarebbe fatto fare il vestito da sera. 9) Le chiesi quale agenzia avrebbe organizzato il viaggio in Argentina. 10) Gli domandai con chi sarebbe andata in Grecia.

Esercizio 128/pag. 218.

1) Quei bei ritratti sono/vengono osservati a lungo dagli studenti. 2) Il ladro è/viene arrestato da un agente di polizia. 3) Un importante incontro di box è/viene trasmesso stasera dalla TV.

Esercizio 129/pag. 218.

1) Parenti ed amici sono stati invitati dai Signori Rossi per il loro venticinquesimo anniversario di matrimonio. 2) Molti edifici di questa città sono stati distrutti dal terremoto. 3) Quel bambino è stato morso da un cane randagio.

Esercizio 130/pag. 219.

1) Tuo fratello fu chiamato al telefono da Carla. 2) Molti bagnanti furono salvati dal bagnino. 3) Più di 200 tele furono dipinte da Van Gogh durante la sua breve vita.

Esercizio 131/pag. 219.

1) Questo lavoro deve essere finito da Marco prima di sera. 2) Ogni frase deve essere trasformata in passivo da voi. 3) Questi esercizi possono essere capiti da tutti gli studenti. 4) Questi libri devono essere riconsegnati subito in biblioteca da voi.

Esercizio 132/pag. 219.

1) I particolari ti saranno/verranno riferiti da Sandra. 2) Il manoscritto sarà/verrà consegnato da me oggi stesso in tipografia. 3) I metalmeccanici saranno/verranno difesi dai sindacati in questa vertenza. 4) I rappresentanti dei sindacati saranno/verranno ricevuti dal presidente della Confcommercio, per uno scambio di idee sul costo del lavoro.

Esercizio 133/pag.220.

1) Bello quest'orologio: da chi ti è stato regalato? 2) Mi piacciono i tuoi pantaloni; da chi ti sono stati regalati? 3) Ma come l'hai saputo? Da chi ti è stato detto? 4) Come l'ha saputo? Da chi Le è stato detto? 5) Non mi ricordo da chi mi è stato raccontato.

Esercizio 134/pag. 220.

1) Come l'avete saputo? Da chi vi fu riferito? 2) Non ho mai saputo da chi gli fu detto. 3) Vorrei sapere da chi gli fu regalato. 4) Mi interessava sapere da chi gli fu raccontata. 5) Non so da chi fu comprata. 6) Era curiosa di sapere da chi le furono portati quei fiori. 7) Ho dimenticato da chi mi fu detto. 8) Volevo sapere da chi fu scritta quella lettera.

Esercizio 135/pag. 222.

1) A Prato (Toscana) si producono migliaia di blu jeans al mese. 2) Ad Arezzo (Toscana) si lavora ogni anno una grande quantità di oro e di argento. 3) In quel ristorante si servono piatti molto prelibati. 4) In questo supermercato si confezionano pacchi per regalo. 5) Nelle miniere del Monte Amiata (Toscana) non si estrae più il mercurio. 6) In Sicilia si estrae ancora lo zolfo. 7) Durante la Fiera di Milano si espongono merci prodotte in vari paesi del mondo.

UNITÀ 12

Esercizio 136/pag. 237.

1) Sorpassare sulla sinistra è un dovere per tutti. 2) Rispettare i diritti umani è un dovere per tutti. 3) Lavorare per la pace fra i popoli è un dovere per tutti. 4) Aiutare coloro che sono nel bisogno è un dovere per tutti. 5) Fare del nostro meglio per mantenere l'armonia nelle famiglie è un dovere per tutti.

Esercizio 137/pag. 238.

1) Mi piace insegnare. 2) Gli piace lavorare. 3) Ci piace leggere buoni libri. 4) Mi piace ballare. 5) Le piace cantare?

Esercizio 138/pag. 238.

1) Sento Marta suonare il pianoforte. 2) Sentiamo la mamma chiamare Pierino. 3) Sento i cani abbaiare. 4) Sentiamo il cronista commentare le notizie sportive. 5) Sento la pioggia battere sui vetri. 6) Sento il professore spiegare una bella poesia di Eugenio Montale. 7) Sento il coro cantare belle canzoni di montagna.

Esercizio 139/pag. 239.

1) Vedo tanta gente passeggiare per il corso. 2) Vedo i treni arrivare e partire. 3) Vedo le nuvole correre nel cielo. 4) Vedo gli aerei lasciare una lunga scia bianca nel cielo azzurro. 5) Vedo gli uccelli volare fra gli alberi. 6) Vedo molte persone uscire dal mercato. 7) Vedo molti studenti entrare nel Palazzo Gallenga, sede dell'Università Italiana per Stranieri a Perugia.

Esercizio 140/pag. 239.

1) Studiare mi stanca. 2) Leggere un buon libro mi distrae. 3) Giocare è importante per i bambini. 4) Insegnare affatica molto.

Esercizio 141/pag. 240.

A. 1) Mario ha voluto cantare ancora la canzone «La Montanara». 2) Loretta ha dovuto prendere ancora lezione di guida. 3) Abbiamo dovuto fare molti altri esercizi. 4) Ha voluto mangiare un altro pezzo di torta.
B. 1) Marta non è più potuta passare da Lei. 2) Siete dovuti andare via!

Esercizio 142/pag. 240.

1) a) Avete dovuto lavarvi le mani spesso. b) Vi siete dovuti/e lavare le mani spesso. 2) a) Ho dovuto assentarmi per qualche giorno. b) Mi sono dovuto/a assentare per qualche giorno. 3) a) Hanno voluto incontrarsi alla stazione. b) Si sono voluti/e incontrare alla stazione. 4) a) Non ho potuto ricordarmi il suo indirizzo. b) Non mi sono potuto/a ricordare il suo indirizzo. 5) a) Gli studenti hanno voluto distrarsi un po' dopo lo studio. b) Gli studenti si sono voluti distrarre un po' dopo lo studio.

Esercizio 143/pag. 241.

1) Finiti gli esercizi, uscimmo. 2) Misurati i pantaloni, li comprai. 3) Scritta la lettera, la spedii. 4) Comprata la nuova macchina, fece un giro di prova. 5) Ricevuti i biglietti, partii per Cagliari. 6) Lavati i piatti, andò a letto. 7) Letto il telegramma, telefonai a mia moglie. 8) Avvertite le nostre amiche, organizzammo la festa. 9) Finiti gli esercizi si sentì stanca.

Esercizio 144/pag. 242.

1) Avvertiti dell'interruzione, deviarono per un'altra strada. 2) Informata sullo sciopero delle ferrovie, Paola decise di partire il giorno dopo. 3) Ricevuta la notizia dell'arrivo dei suoi amici, chiamò un tassì e andò alla stazione. 4) Visto il film, me ne andai a letto. 5) Ascoltato il concerto, andammo in un buon ristorante. 6) Entrati nella stanza, sentimmo un forte odore di gas.

Esercizio 145/pag. 242.

1) Ascoltatala per mezz'ora, le chiesi di farmi parlare. 2) Indicatagli la strada, lo salutai. 3) Datele le indicazioni sul percorso, la invitai a bere qualcosa.

Esercizio 146/pag. 243.

1) Facendo la barba, penso a quello che devo fare dopo. 2) Mangiando, abbiamo l'abitudine di guardare la TV. 3) Passeggiando per le vie del centro, Mara guarda le vetrine dei negozi. 4) Camminando per le strade del centro, incontro sempre qualcuno che conosco. 5) Spiegando le lezioni, la nostra insegnante va su e giù per l'aula. 6) Leggendo, mi piace sentire della musica. 7) Leggendo, fumiamo la pipa. 8) Camminando per il bosco, ascolto il canto degli uccelli. 9) Assistendo alla partita di calcio, fumo un sigaretta dopo l'altra.

Esercizio 147/pag. 244.

1) Avendo finito i soldi, non comprai quel vestito. 2) Avendo finito le sigarette, uscì a comprarle. 3) Avendo ricevuta l'informazione giusta, trovammo facilmente la direzione. 4) Avendo lasciato il portafoglio a casa, non potei pagare il conto. 5) Avendo finito la benzina, rimasi più di un'ora fermo. 6) Avendo camminato per più di due ore, ci sedemmo sotto un albero per fare uno spuntino. 7) Non avendo preso l'ombrello, Paola tornò a casa bagnata come un pulcino a causa della pioggia. 8) Avendo finito di leggere quel romanzo, lo riportai in biblioteca.

Esercizio 148/pag. 246.

1) Sono già arrivati i partecipanti al congresso. 2) Gli insegnanti ai corsi preparatori avranno una riunione martedì. 3) I dirigenti devono essere esperti, capaci e soprattutto onesti. 4) I parlanti una lingua straniera capiscono meglio la propria.

Esercizio 149/pag. 246.

1) Sono (notizie) così preoccupanti. 2) È una ragazza molto promettente. 3) È una situazione avvilente.

INDICE